商务馆对外汉语教学专题研究书系
总主编 赵金铭
审 订 世界汉语教学学会

汉语作为第二语言的学习者与汉语认知研究

主 编 王建勤

商务印书馆
2006年·北京

图书在版编目(CIP)数据

汉语作为第二语言的学习者与汉语认知研究/王建勤主编. —北京:商务印书馆,2006
(商务馆对外汉语教学专题研究书系)
ISBN 7-100-04822-2

Ⅰ.汉… Ⅱ.王… Ⅲ.对外汉语教学－教学研究－文集
Ⅳ.H195

中国版本图书馆 CIP 数据核字(2005)第 146900 号

所有权利保留。
未经许可,不得以任何方式使用。

HÀNYǓ ZUÒWÉI DÌ-ÈR YǓYÁN DE XUÉXÍZHĚ YǓ HÀNYǓ RÈNZHĪ YÁNJIŪ
汉语作为第二语言的学习者与汉语认知研究
主编 王建勤

商 务 印 书 馆 出 版
(北京王府井大街36号 邮政编码 100710)
商 务 印 书 馆 发 行
北京瑞古冠中印刷厂印刷
ISBN 7-100-04822-2/H·1182

2006年7月第1版   开本 880×1230 1/32
2006年7月北京第1次印刷   印张 15¾
印数 5 000 册

定价:28.00元

总主编 赵金铭
主　编 王建勤
编　者 王建勤　闻　亭
作　者 （按音序排列）

曹贤文	陈　郁	陈　钰	冯丽萍
高海洋	高立群	高小丽	郝美玲
江　新	刘兆静	柳燕梅	卢华岩
鹿士义	罗青松	孟　凌	彭增安
钱旭菁	钱玉莲	舒　华	孙　俊
田　靓	万业馨	王建勤	王韫佳
吴淮南	吴勇毅	徐彩华	徐子亮
张少云	赵　果		

目 录

从对外汉语教学到汉语国际推广（代序） ………… 1

综述 …………………………………………………… 1

第一章　汉语语音认知研究 ………………………… 1
第一节　日本学生普通话鼻音韵母感知与产生的
　　　　实验研究 ……………………………………… 1
第二节　韩国、日本学生普通话高元音感知的
　　　　实验研究 ……………………………………… 28
第三节　影响外国学生汉语语音短时记忆因素的
　　　　实验研究 ……………………………………… 46
第四节　不同母语背景外国学生汉语语音意识
　　　　发展研究 ……………………………………… 58

第二章　汉语词汇认知研究 ………………………… 74
第一节　生词重现率对欧美学生汉语词汇习得
　　　　的影响 ………………………………………… 74
第二节　欧美学生汉语词汇结构意识实验研究 …… 82
第三节　日本学生伴随性词汇学习的个案研究 …… 94

第三章　汉字认知研究 ……………………………… 112
第一节　外国学生汉字构形意识发展模拟研究 …… 112
第二节　日本学生心理词典表征结构实验研究 …… 137

第三节 误读与汉字读音认知研究 ······ 158
第四节 声旁语音信息在留学生汉字学习中的作用 ······ 172
第五节 外国学生汉字知音和知义之间关系的研究 ······ 183
第六节 母语为拼音文字的学习者汉字正字法意识发展研究 ······ 195
第七节 形、音信息对外国学生汉字辨认的影响 ······ 203
第八节 部件位置信息在留学生汉字加工中的作用 ······ 223

第四章 学习者的策略研究 ······ 237
第一节 第二语言学习策略研究的现状与前瞻 ······ 237
第二节 汉语作为第二语言学习策略初探 ······ 252
第三节 外国学生汉语学习策略分析 ······ 267
第四节 成功的汉语学习者的学习策略分析 ······ 290
第五节 初级阶段外国学生汉字学习策略调查研究 ······ 307
第六节 第二语言学习者交际策略研究 ······ 321
第七节 日本学生汉语词汇学习中的母语借用策略研究 ······ 331
第八节 外国学生汉语学习过程中的回避策略分析 ······ 343

第五章 学习者个体差异因素研究 ······ 356
第一节 外国学生个体差异因素与汉语学习成就的相关分析 ······ 356
第二节 东西方学习者学习动机及相关因素的调查分析 ······ 367

第三节 汉语学习者第二语言习得态度与动机
   研究 …………………………………………… 386
第四节 第二语言学习者语言能力倾向研究 ……… 399
第五节 外国留学生汉语学习焦虑研究 …………… 416
后记 ………………………………………………… 428

从对外汉语教学到汉语国际推广
（代序）

赵 金 铭

新中国的对外汉语教学在经过 55 年的发展之后，于 2005 年 7 月进入了一个新时期。以首届"世界汉语大会"的召开为契机，我国的对外汉语教学在继续深入做好来华留学生汉语教学工作的同时，开始把目光转向汉语国际推广。这在我国对外汉语教学发展史上是一个历史的转捩点，是里程碑式的转变。

语言的传播与国家的发展是相辅相成的，彼此互相推动。世界主要大国无不不遗余力地向世界推广自己的民族语言。我们大力推动汉语的传播不仅是为了满足世界各国对汉语学习的急切需求，也是我国自身发展的需要，是国家软实力建设的一个有机组成部分，是一项国家和民族的事业，其本身就应该成为国家发展的战略目标之一。

回顾历史，对外汉语教学的每一步发展，都跟国家的发展、国际风云的变幻以及我国和世界的交流与合作息息相关。

新中国对外汉语教学肇始于 1950 年 7 月，当时清华大学开始筹办"东欧交换生中国语文专修班"，时任该校教务长的著名物理学家周培源先生为班主任;9月成立外籍留学生管理委员会,前辈著名语言学家吕叔湘先生任主任;同年12月第一批东欧学生入校学习。这是新中国对外汉语教学事业的滥觞。那时,全部留学生只有33人。十几年之后,到1964年也才达到229人。1965年猛增至3 312人。这自然与当时中国的国际地位和世界局势变化密切相关。经"文革"动乱,元气大伤。1973年恢复对外汉语教学,当时的留学生也只有383人。此后数年逐年稍有增长,至1987年达到2 044人,还没有恢复到1965年的水平。①

改革开放以后,特别是近十几年来,对外汉语教学事业飞速发展。从20世纪90年代开始,来华留学生数量呈逐年上升趋势,至2003年来华留学生已达8.5万人次。据不完全统计,目前全球学习汉语的人数已达3 000万。

对外汉语教学事业的蓬勃发展,一直得到国家的高度重视和大力支持。早在1988年,国家教委、国家对外汉语教学领导小组在北京召开"全国对外汉语教学工作会议"时,时任国家对外汉语教学领导小组常务副组长、国家教委副主任的滕藤同志在工作报告中,就以政府高级官员的身份第一次提出,要推动对外汉语教学这项国家与民族的崇高事业不断发展。

会议制定了明确的发展目标,即"争取在半个多世纪的时间内做到:在教学规模上能基本满足各国人民来华学习汉语的需求;在教学理论和教学方法上,赶上并在某些方面超过把本民族语作为外语教学的世界先进水平;能根据各国的需要派遣汉语

---

① 参见张亚军《对外汉语教法学》,现代出版社1990年版。

教师、提供汉语教材和理论信息；在教学、科研、教材建设及师资培养和教师培训等方面都能很好地发挥我国作为汉语故乡的作用"。①

今天距那时不过十几年时间，对外汉语教学的局面却发生了翻天覆地的变化。对外汉语教学不再仅仅是满足来华留学生汉语学习的需要，汉语正大步走向世界。对外汉语教学的持续、快速发展，以至汉语国际推广的迅猛展开，正是势所必至，理有固然。目前，汉语国际推广正处在全新的、催人奋进的态势之中。

国家在世界范围内推广汉语教学，我们谓之"致广大"；我们在此对对外汉语教学进行全方位的研讨，我们谓之"尽精微"。二者结合，构成我们的总体认识，这里我们希望能"博综约取"，作些回首、检视和瞻念，以寻求符合和平发展时代的汉语国际推广之路。

一　汉语作为第二语言教学的理论研究

对外汉语教学，即汉语作为第二语言教学，作为一个学科，从形成到现在不过几十年，时间不算太长，学科基础还比较薄弱，理论研究也还不够深厚。但汉语作为第二语言教学作为一个学科有它持续的社会需要，有自身的研究方向、目标和学科体系，而且更重要的是它正按照自身发展的需要，不断地从其他的有关学科里吸取新的营养。诚然，要使对外汉语教学形成跨学科的边缘学科，牵涉的领域很广，理论的概括和总结实非易事。

---

① 参见晓山《中国召开全国对外汉语教学工作会议》，《世界汉语教学》1988年第4期。

综览世界上的第二语言教学,真正把语言教学(在西方,"语言教学"往往是指现代外语教学)作为一门独立学科而建立是在上一个世纪60年代中叶。

桂诗春曾引用Mackey(1973)说过的一句意味深长的话:"(语言教学)要成为独立的学科,就必须像其他科学那样,编织自己的渔网,到人类和自然现象的海洋里捞取所需的东西,摒弃其余的废物;要能像鱼类学家阿瑟·埃丁顿那样说,'我的渔网里捞不到的东西不会是鱼'。"①

应用语言学是一门独立的交叉学科,分广义和狭义两种。狭义的应用语言学研究语言教学。广义的应用语言学指应用于实际领域的语言学,除传统的语言文字教学外,还包括语言规划、语言传播、语言矫治、辞书编纂等。我们这里取狭义的理解,即指语言教学,主要研究汉语作为第二语言教学或外语教学。所以,我们说对外汉语教学是应用语言学,或者说是应用语言学的一个分支学科。我们把对外汉语教学归属于应用语言学,或者说对外汉语教学的上位是应用语言学。

应用语言学作为一门应用型的交叉学科,它的基本特点是在学科中间起中介作用,即把各种与外语教学有关的学科应用到外语教学中去。组织外语教学的许多重要环节(如教育思想、教学管理、教学组织、教学安排、教材、教法、教具、测试、教师培训等等),既有等级的,也有平面的关系。而教学措施上升为理论之后,语言教学就出现了很大的变化。② 那么,这些具有不同

---

① 参见桂诗春《外国语言学及应用语言学研究》第一辑发刊词,首都师范大学外国语学院主办,中央编译出版社2002年版。

② 参见桂诗春《外语教学的认知基础》,《外语教学与研究》2005年第4期。

等级的或处于同一平面的各种关系是如何构筑成对外汉语教学的学科理论的呢？

李泉在总结对外汉语教学学科基本理论时，提出应由四部分组成：(1)学科语言理论，包括面向对外汉语教学的语言学及其分支学科理论，面向对外汉语教学的汉语语言学；(2)语言学习理论，包括基本理论研究、对比分析、偏误分析和中介语理论；(3)语言教学理论，包括学科性质理论、教学原则和教学法理论；(4)跨文化交际理论。①

这些理论，在某种意义上都有其自身存在的客观规律，这也是作为学科的对外汉语教学所必须遵循的。我们尤其应该强调的是对语言教学理论的应用，这个应用十分重要，事关教学质量与学习效率，这个应用包括教学设计与技巧、汉语测试的设计与实施。只有应用得当，理论才发生效用，才能在教学和学习过程中起提升与先导作用。

几十年来，我们一直把对外汉语教学作为一个学科来建设，建设中也是从理论与应用两方面来思考的。陆俭明在探讨把汉语作为第二语言教学当作一个独立的学科来建设时，提出了更高的要求，他认为这个学科应有它的哲学基础，有一定的理论支撑，有明确的学科内涵，有与本学科相关的、起辅助作用的学科。② 我们认为，所谓的哲学基础，关涉到对语言本质的认识，反映出不同的语言观。比如语言是一种交际工具，还是一种能

---

① 参见李泉《对外汉语教学的学科基本理论》，《海外华文教育》2002年第3、4期。

② 参见陆俭明《增强学科意识，发展对外汉语教学》，《世界汉语教学》2004年第1期。

力？语言是先天的,还是后得的？这都关系着语言教学的发展,特别是教学法与教学模式的确立。总之,我们应树立明确的学科意识,共同致力于对外汉语教学的学科理论建设。

二 关于学科研究领域

汉语作为第二语言教学,作为一个学科,业内是有共识的,并且希望参照世界上第二语言教学的学科建设,来完善和改进汉语作为第二语言教学的学科体系,不断推进学科建设的开展,其中什么是学科的本体研究,是首先要考虑的问题。

本体的观念是古希腊亚里士多德范畴说的核心。亚里士多德把现实世界分成本体、数量、性质、关系、地点、时间、姿态、状况、动作、遭受等十个范畴。他认为,在这十个范畴中,本体占有第一的、特殊的位置,它是指现实世界不依赖任何其他事物而独立存在的各种实体及其所代表的类。从意义特征上看,本体总是占据一定的时间,是看得见、摸得着的事物。其他范畴则是附庸于本体的,非独立的,是本体的属性,或者说是本体的现象。因此,本体是存在的中心。[①]

早在上世纪末,对外汉语教学界就有人提出对外汉语教学"本体研究"和"主体研究"的观点。"对外汉语教学学科研究的领域,概而化之,可分为两大板块:一是对汉语言本身,包括汉语语音、词汇、语法和汉字等方面的研究,可谓之学科本体研究;二是对作为第二语言教学的汉语理论与实践体系和学习与习得规

---

① 参见姚振武《论本体名词》,《语文研究》2005年第4期。

律、教学规律、途径与方法论的研究,可谓之学科的主体研究。学科本体研究是学科主体研究的前提与基础,学科主体研究是学科本体研究的目的与延伸。对这种学科本体、主体研究的辩证关系的正确认识与把握,是至关重要的,它关系着对外汉语教学学科发展的方向与前途。否则,在学科理论研究上,就容易偏颇、失衡,甚至造成喧宾夺主。"①

不难看出,这里所说的"本体研究"即为"知本",它占有第一的、特殊的位置,是存在的中心。这里所说的"主体研究"即为"知通",是附庸于本体的,本固枝荣,只有把作为第二语言的汉语研究透、研究到家,在此基础上"教"与"学"的研究才会不断提高。

我国对外汉语教学的历史毕竟不长,经验也不足,对于汉语作为第二语言教学之本体研究,也还存在不同的认识。当然,若从研究领域的角度来看,大家是有共识的。只是观察的视角与侧重考虑的方面有所不同。总的说来,对对外汉语教学的基础研究还应进一步地深入思考,以期引起有关方面的足够重视。

对此,陆俭明是这样认识的:"在这世纪之交,有必要在回顾、总结我国对外汉语教学的基础上,认真思考并加强汉语作为第二语言的本体研究,特别是对外汉语教学的基础研究。汉语作为第二语言之本体研究,按我现在的认识和体会,应包括以下五部分内容:第一部分是,根据汉语作为第二语言教学的需要而开展的服务汉语教学的语音、词汇、语法、汉字之研究。第二部分是,根据汉语作为第二语言教学需要而开展的学科建设理论

---

① 参见杨庆华《对外汉语教学研究丛书·序》,北京语言文化大学出版社1997年版。

研究。第三部分是,根据汉语作为第二语言教学需要而开展的教学模式理论研究。第四部分是,根据汉语作为第二语言教学需要而开展的各系列教材编写的理论研究。第五部分是,根据汉语作为第二语言教学需要而开展的汉语水平测试及其评估机制的研究。"[①]这里既包括理论研究的内容,也包括应用研究的内容,可供参酌。根据第二语言教学的三个组成部分的思想,即"教什么""怎样学""如何教",上述的观点非常正确地强调了"教什么"和"如何教"的研究,却未包括"怎样学"的研究。

陆先生认为,对外汉语教学学科的本体研究必须紧紧围绕一个总的指导思想来展开,这个总的指导思想是:"怎么让一个从未学过汉语的外国留学生在最短的时间内能最快、最好地学习好、掌握好汉语。"[②]正是基于这样的指导思想,才有上述五个方面的研究。

业内也有人从研究对象的角度出发,认为"教学理论是对外汉语教学的本体理论"。吕必松认为,"每一门学科都有自己特定的研究对象,这种特定的研究对象就是这门学科的本体"。那么,"对外汉语教学的研究对象是作为第二语言的汉语教学,作为第二语言的汉语教学就是对外汉语教学研究的本体"。[③]

我们认为,几十年来,对外汉语教学这门学科的建设取得了长足的进步与巨大的发展。它由初始阶段探讨学科的命名,学科的性

---

① 参见陆俭明《汉语作为第二语言之本体研究》,载《作为第二语言的汉语本体研究》,外语教学与研究出版社 2005 年版。

② 参见陆俭明《增强学科意识,发展对外汉语教学》,《世界汉语教学》2004 年第 1 期。

③ 参见吕必松《谈谈对外汉语教学的性质与对外汉语教学的本体理论研究》,载《语言教育与对外汉语教学》,外语教学与研究出版社 2005 年版。

质和特点,学科的定位、定性和定向,发展到今天,概括汉语作为第二语言教学需要而开展的服务于汉语教学的汉语本体研究,与教学研究互动结合已成为学科建设的主要内容,教学理论与学习理论研究,形成有力的双翼,加之现代教育技术的应用,从而最终构架并完善了学科体系。对外汉语教学作为第二语言教学或外语教学,经业内同仁几代人的苦心孤诣、惨淡经营,目前在世界上汉语作为第二语言教学领域已占主流地位,这是值得欣慰的。

对于学科建设上的不同意见,我们主张强调共识,求大同存小异。面对欣欣向荣、蓬勃发展的"汉语国际推广"的大好局面,共同搞好汉语作为第二语言教学的学科建设,以便为"致广大"的事业尽力,是学界同仁的共同愿望。因此,我们赞赏吕必松下面的意见,并希望能切实付诸学术讨论之中:

"我国对外汉语教学界在对外汉语教学的学科性质和特点等问题上一直存在着不同的意见。因为对外汉语教学是一门年轻的学科,学科理论还不太成熟,出现分歧在所难免。就是学科理论成熟之后,也还会出现新的分歧。开展不同意见的讨论和争论,有利于学科理论的发展。"[①]

三 关于汉语作为第二语言研究

汉语作为第二语言研究,不少人简称为"对外汉语研究"。比如上海师范大学创办的刊物就叫《对外汉语研究》,已由商务

---

① 参见吕必松《语言教育与对外汉语教学·前言》,外语教学与研究出版社2005年版。

印书馆于2005年出版了第一期。

1993年,中共中央和国务院颁布了《中国教育改革和发展纲要》,里面提到要"大力加强对外汉语工作"。此后,在我国的学科目录上"对外汉语"专业作为学科的名称出现。

汉语作为一种语言,自然没有区分为"对外"和"对内"的道理,这是尽人皆知的。我们理解所谓的"对外汉语",其实质为"作为第二语言的汉语",也即"汉语作为第二语言"。它是与汉语作为母语相对而言的。在业内,在"对外汉语"的"名"与"实"的问题上,也存在着不同意见。我们认为,随着"汉语国际推广"大局的推进,"对外汉语教学"无论从内涵还是外延看都不能满足已经变化了的形势。我们主张从实质上去理解,也还因为"名无固宜","约定俗成"。

在这个问题上,我们同意刘珣早在2000年就阐释清楚的观点:"近年来出现了'对外汉语'一词。起初,连本学科的不少同仁也觉得这一术语难以接受。汉语只有一个,不存在'对外'或'对内'的不同汉语。但现在'对外汉语'已逐渐为较多的人所认同,而且已成为专业目录上我们专业的名称(专业代码050103)。这一术语的含义也许应理解为'作为第二语言教学与研究的汉语',也就是从一个新的角度来研究汉语。""对外汉语教学是汉语作为第二语言的教学,它与汉语作为母语的教学的巨大差别也体现在教学内容,即所要教的汉语上,这是从对外汉语教学事业初创阶段就为对外汉语教学界所重视的问题。"[①]

[①] 参见刘珣《近20年来对外汉语教育学科的理论建设》,《世界汉语教学》2000年第1期。

汉语作为第二语言,这是对外汉语教学的主要内容,是要解决"教什么"的问题,故而对外汉语作为第二语言的研究就成为学科建设的极其重要的组成部分,随着国家"汉语国际推广"战略的提出,汉语作为第二语言教学,无论从学术研究上,还是从应用研究上,都会得到极大的提升,名实相副的情况,当会出现。

还有人从另一个新的角度,即世界汉语教育史的研究,阐释了作为第二语言的汉语研究之必要,张西平说:"世界汉语教育史是一个全新的研究领域。这一领域的开拓必将极大地拓宽我们汉语作为第二语言教学的研究范围,使学科有了深厚的历史根基。我们可以从汉语作为第二语言教学的悠久历史中总结、提升出真正属于汉语本身的规律。"[1]

那么,服务于对外汉语教学的汉语本体研究,或称作作为第二语言的汉语本体研究,其核心是什么呢?潘文国对此作出解释:所谓"对外汉语研究,应该是一种以对比为基础、以教学为目的、以外国人为对象的汉语本体研究"。[2]

我们认为,"对外汉语"作为一门科学,也是一门学科,首先应从本体上把握,研究它不同于其他学科的本质特点及其成系统、带规律的部分,这也就是"对外汉语研究",也就是汉语作为第二语言的研究。

这种汉语作为第二语言的研究,以及汉语作为第二语言的教学研究和汉语作为第二语言的学习研究,加之所有这些研究

---

[1] 参见张西平《简论世界汉语教育史的研究物件和方法》,载李向玉等主编《世界汉语教育史研究》,澳门理工学院 2005 年印制。

[2] 参见潘文国《论"对外汉语"的科学性》,《世界汉语教学》2004 年第 1 期。

所依托的现代科技手段和现代教育技术,共同构筑了对外汉语教学研究的基本框架。这就是我们所说的本体论、方法论、认识论和工具论。①

从接受留学生最初的年月,对外汉语教学的前辈们就十分注意汉语作为第二语言的研究。这是因为"根本的问题是汉语研究问题,上课许多问题说不清,是因为基础研究不够"。也可以说"离开汉语研究,对外汉语教学就无法前进"。②

我们这里分别对作为第二语言的汉语语音、词汇、语法和汉字的研究与教学略作一番讨论,管中窥豹,明其现状,寻求改进。

(一) 作为第二语言的汉语语音

作为第二语言的汉语语音的研究与教学,近年来因诸多原因,重视不够,有滑坡现象,最明显的是语音教学阶段被缩短,以至于不复存在;但是初始阶段语音打不好基础,将会成为顽症,纠正起来难上加难。本来,对外汉语教学界曾有很好的语音教学与研究的传统,有不少至今仍可借鉴的研究成果,包括对汉语语音系统的研究和对《汉语拼音方案》的理解与应用,遗憾的是,近来的教材都对此重视不够。

比如赵元任先生那本《国语入门》,大部分是语音教学,然后慢慢地才转入其他。面对目前语音教学的局面,著名语音学家、对外汉语教学的前辈林焘先生发出了感慨:"发展到今天,语音

---

① 参见赵金铭《对外汉语研究的基本框架》,《世界汉语教学》2001 年第 3 期。
② 参见朱德熙《在纪念〈语言教学与研究〉创刊 10 周年座谈会上的发言》,《语言教学与研究》1989 年第 3 期。

已经一天一天被压缩,现在已经产生危机了。我们搞了52年,外国人说他们学语音还不如在国外。这说明我们在这方面也是太放松了,过于急于求成了,就把基础忘掉了。语音和文字是两个基础,起步我们靠这个起步;过于草率了,那么基础一没打稳,后边整个全过程都会受影响。"[1]加强语音教学是保证汉语教学质量的重要一环,无论是教材还是课堂教学,语音都不应被忽视。

(二) 作为第二语言的汉语词汇

长期以来,在汉语作为第二语言教学中,比较重视语法教学,而在某种程度上却忽视了词汇教学的重要性,使得词汇研究和教学成为整个教学过程中的薄弱环节。

其实,在掌握了汉语的基本语法规则之后,还应有大量的词汇作基础,尤其应该掌握常用词的不同义项及其功能和用法,唯其如此,才能真正学会汉语,语法也才管用,这是因为词汇是语言的唯一实体,语法也只有依托词汇才得以存在。学过汉语的外国人都有这样的体会,汉语要一个词一个词地学,要掌握每一个词的用法,日积月累,最终才能掌握汉语。近年来,我们十分注意汉语词汇及其教学的研讨,尤其注重词汇的用法研究。

有两件标志性的事可资记载:

一是注重对外汉语学习词典的编纂研究。2005年在香港

---

[1] 参见林焘(2002)的座谈会发言,载《继往开来——新中国对外汉语教学52周年座谈会纪实》,北京语言大学内部资料。

城市大学召开了"对外汉语学习词典国际研讨会",其特色是强调计算语言学家和词典学家密切合作,依据语料库语言学编纂学习词典的思路,为对外汉语教学的词汇教学与学习服务,有力地推动了汉语的词汇研究与教学。

二是针对汉语词汇教学中的重点,特别是中、高级阶段,词义辨析及用法差异是教学之重点,学界努力打造一批近义词辨析词典,从释义、功能、用法方面详加讨论。例如《汉英双语常用近义词用法词典》《对外汉语常用词语对比例释》《汉语近义词词典》《1700对近义词语用法对比》。①

这些词典各有千秋,在释文、例证、用法、英译等方面各有特色,能在一定程度上满足汉语教学和学习者的需要。

(三) 作为第二语言的汉语语法

作为第二语言教学的汉语语法研究与语法教学研究,如果从数量上看一直占有最大的分量,这当然与它受到重视有关。近年来,汉语语法研究范围更加广泛,内容也更加细致、深入,结合教学的程度也更加紧密,达到了前所未有的高度。

首先,理清了理论语法与教学语法之关系,为汉语作为第二语言教学语法的研究理清了思路。理论语法是教学语法的来源与依据,教学语法的体系可灵活变通,以便于教学为准。目前,

---

① 参见邓守信主编《汉英双语常用近义词用法词典》,北京语言学院出版社1996年版;卢福波编著《对外汉语常用词语对比例释》,北京语言文化大学出版社2000年版;马燕华、庄莹编著《汉语近义词词典》,北京大学出版社2002年版;王还主编《汉语近义词词典》,北京语言大学出版社2005年版;杨寄洲、贾永芬编著《1700对近义词语用法对比》,北京语言大学出版社2005年版。

教学语法虽更多地吸收传统语法的研究成果,而一切科学的语法都会对汉语作为第二语言教学语法有帮助。教学语法是在不断地吸收各种语法研究成果中迈步、发展和不断完善的。

其次,对汉语作为第二语言的教学语法进行了科学的界定,即:第二语言的教学目的决定了教学语法的特点,它主要侧重于对语言现象的描写和对规律、用法的说明,以方便教学为主,也应具有规范性。

再次,学界认为应建立一部汉语作为第二语言教学的汉语教学参考语法,无论是编写教材,还是从事课堂教学,或是备课、批改作业,都应有一部详细描写汉语语法规则和用法的教学参考语法作为依据。其中应体现汉语作为第二语言教学的自己的语法体系,应有语法条目的确定与教学顺序的排序。

最后,应针对不同母语背景的教学对象,排列出不同的语法点及其教学顺序。事实证明,很难排出适用于各种母语学习者的共同的语法要点及其顺序表。

对欧美学生来说,受事主语句、存现句、主谓谓语句,以及时间、地点状语的位置,始终是学习的难点,同时也体现汉语语法特点。而带有普遍性的语法难点,则是"把"字句、各类补语以及时态助词"了""着"等。至于我们所认为的特殊句式,其实并非学习的难点,比如连动句、兼语句、"是"字句、"有"字句以及名词谓语句、形容词谓语句。这也是从多年教学中体味出的。

(四) 汉字研究与教学

汉字教学是对外汉语教学的重要组成部分。然而,与其他汉语要素相比,汉字教学从研究到教学一直处于滞后状态。为了改变这一局面,除了加强对汉字教学的各个环节的研究之外,要突破汉字教学的瓶颈,首先应澄清对汉字的误解,建立起科学的汉字观。汉字本身是一个系统,字母本身也是一个系统。字母属于字母文字阶段,汉字属于古典文字阶段,它们是一个系统的两个阶段。这个概念的改变影响很大,这是科学的新认识。①当我们把汉字作为一个科学系统进行研究与教学时,要清醒地认识到汉字是汉语作为第二语言教学与其他第二语言教学的重要区别之一。在对外汉语教学中,究竟采用笔画、笔顺教学,还是以部件教学为主,或是注重部首教学,抑或是从独体到合体的整字教学,都有待于通过教学试验,取得相应的数据,寻求理论支撑,编出适用的教材,寻求汉字教学的突破口,从而使汉语书面语教学质量大幅度提高。与汉字教学相关的还应注意"语"与"文"的关系之探讨,字与词的关系的研究,以及汉语教材与汉字教材的配套,听说与读写之关系等问题的研究。

四 关于汉语作为第二语言教学研究

我们所说的教学研究,包括以下五个部分:课程教学设计、教学方法与教学技巧、教材编写理论与实践、语言测试理论与汉语考试、跨学科研究之一——现代教育技术在教学中的应用。

(一) 关于教学模式研究

近年来,对外汉语教学界尤其注重教学模式的研究,寻求教

---

① 参见周有光《百岁老人周有光答客问》,《中华读书报》2005年1月22日。

学模式的创新。什么是教学模式？教学模式是指具有典型意义的、标准化的教学或学习范式。

具体地说，教学模式是在一定的教学理论和教学思想指导下，将教学诸要素科学地组成稳固的教学程序，运用恰当的教学策略，在特定的学习环境中，规范教学课程中的种种活动，使学习得以产生。① 更加概括简洁的说法则为：教学模式，指课程的设计方式和教学的基本方法。②

教学模式具有不同的类型。我们所说的对外汉语教学模式，就是从汉语和汉字的特点及汉语应用的特点出发，结合汉语作为第二语言的教学理论，遵循大纲的要求，提出一个全面的教学规划和实施方案，使教学得到最优化的组合，产生最好的教学效果。这是一种把汉语作为第二语言教学的特定的教学模式。

教学模式研究表现在课程设计上，业内主要围绕着"语"和"文"的分合问题而展开，由来已久，且持续至今。

早在1965年，由钟梫执笔整理成文的《十五年汉语教学总结》就对"语"与"文"的分合及汉字问题进行了讨论。③ 当时提出三个问题：

1. 有没有学生根本不必接触汉字，完全用拼音字母学汉语？即学生只学口语，不学汉字。当时普遍认为，这种学生根本不必接触汉字。

---

① 参见周淑清《初中英语教学模式研究》，北京语言大学出版社2004年版。
② 参见崔永华《基础汉语教学模式的改革》，《世界汉语教学》1999年第1期。
③ 参见钟梫(1965)《十五年汉语教学总结》，载《语言教学与研究》(试刊，第4期，1977年内部印刷)，又收入盛炎、砂砾编《对外汉语教学论文选评》，北京语言学院出版社1993年版。

2. 需要认汉字的学生是否一定要写汉字？即"认"与"写"的关系。一种意见认为不写汉字势必难以记住，"写"是必要的；另一种意见认为，"认离不开写"这一论点根本上不能成立，即不能说非动笔写而后才能认，也就是说"认"和"写"可以分离。

3. 需要认（或认、写）汉字的学生是不是可以先学"语"后学"文"呢？后人的结论是否定了"先语后文"，采用了"语文并进"。而"认汉字"与"写汉字"也一直是同步进行的。

这种"语文并进""认写同步"的教学模式，从上世纪50年代起一直是占主流的教学模式，延续至今。80年代以后，大多沿用以下三种传统教学模式："讲练—复练"模式，"讲练—复练＋小四门（说话、听力、阅读、写作）"模式，"分技能教学"模式。

目前，对外汉语教学界广泛使用的是一种分技能教学模式，以结构—功能的框架安排教学内容，采用交际法和听说法相结合的综合教学法。这种教学模式大约在80年代定型。

总的看来，对外汉语教学界所采用的教学模式略显单调，似嫌陈旧。崔永华认为："从总体上看，这种模式反映的是60年代至70年代国际语言教学的认识水平。30年来，国内外在语言学、第二语言教学、语言心理学、语言习得研究、语言认知研究等跟语言教学相关的领域中都取得了巨大的进步，研究和实验成果不可计数。但是由于种种原因，目前的教学模式对此吸收甚少。"①

这种局面应该改变，今后，应在寻求反映汉语和汉字特点的教学模式的创新上下功夫，特别要提升汉字教学的地位，特别要

---

① 参见崔永华《基础汉语教学模式的改革》，《世界汉语教学》1999年第1期。

注意语言技能之间的平衡,大力加强书面语教学,着力编写与之相匹配、相适应的教材,进行新的教学实验,切实提高汉语的教学质量。

(二)教学法研究

教学方法研究至关重要。"用不同的方法教外语,收效可以悬殊。"①对外汉语教学界历来十分注重教学方法的探讨。早在1965年之前,对外汉语教学界就创造了"相对的直接法"的教学方法,强调精讲多练,加强学生的实践活动。同时,通过大量的练习,画龙点睛式地归纳语法。②

但是,对外汉语教学还是一个年轻的学科,教学法的研究多借鉴国内外语教学法的研究,这也是很自然的事情。而国内外语教学法的研究,又是跟着国外英语教学法的发展亦步亦趋。有人这样描述:

"纵观20世纪国外英语教学法历史,对比当前主宰中国英语教学的各种模式,不难发现很多早被国外唾弃的做法或理念,却仍然被我们的英语老师墨守成规地紧追不放。"③

对外汉语教学界也有类似情况。在上个世纪70年代,当我们大力推广"听说法",强调对外汉语教学应"听说领先"时,这个产生于40年代末的教学法,已并非一家独尊。潮流所向,人们

---

① 参见吕叔湘《语言与语言研究》,载《语文近著》,上海教育出版社1987年版。
② 参见钟梫(1965)《十五年汉语教学总结》,载《语言教学与研究》(试刊,第4期,1977年内部印刷),又收入盛炎、砂砾编《对外汉语教学论文选评》,北京语言学院出版社1993年版。
③ 参见丁杰《英语到底如何教》,《光明日报》2005年9月14日。

已不再追求最佳教学法,而转向探讨各种有效的教学法路子。70年代至80年代,当我们在教学中引进行为主义,致力于推行"结构法"和"句型操练"之时,实际上行为主义在国际上已逐渐式微,而代之以基于认知心理学的"以学生为中心"的认知法。

在国际外语教学界,以结构为主的传统教学法与以交际为目的的功能教学法交替主宰语言教学领域之后,80年代末至90年代初,在英语教学领域"互动性综合教学法"便应运而生,盛行一时。所谓综合,偏重的是内容;所谓互动,强调的是方法。①

90年代末,体现这种互动关系的任务式语言教学模式在欧美逐渐兴盛起来。这种教学方法的基本理论可概括为:通过"任务"这一教学手段,让学习者在实际交际中学会表达思想,在过程中不断接触新的语言形式并发展自己的语言系统。

任务法是交际教学法中提倡学生"通过运用语言来学习语言",这一强势交际理论的体现,突出之处是"用中学",而不是以往交际法所强调的"学以致用"。

这种通过让学生完成语言任务来习得语言的模式,既符合语言习得规律,又极大地调动了学习者学习的积极性,本身也具有极强的实践操作性。因此,很受教师和学生的欢迎。以至于"20世纪末、21世纪初在应用语言学上可被称为任务时代"。②

在我国英语教学界,人民教育出版社于2001年遵循任务型教学理念编写并出版了初中英语新教材《新目标英语》,并在若干中学进行教学模式试验,取得了可喜的成绩。在对外汉语教

---

① 参见王晓钧《互动性教学策略及教材编写》,《世界汉语教学》2005年第3期。

② 参见周淑清《初中英语教学模式研究》,北京语言大学出版社2004年版。

学界,马箭飞基于任务式大纲从交际范畴、交际话题和任务特性三个层次对汉语交际任务项目进行分类,提出建立以汉语交际任务为教学组织单位的新教学模式的设想,并编有教材《汉语口语速成》(共五册)。①

这种交际教学理论在教学中被不断应用,影响所及,所谓"过程写作"教学即其一。"写"是重要的语言技能之一,"过程写作法"认为:写作是一个循环式的心理认知过程、思维创作过程和社会交互过程。写作者必须通过写作过程的一系列认知、交互活动来提高自己的认知能力、交互能力和书面表达能力。②

过程写作的宗旨是:任何写作学习都是一个渐进的过程。这个过程需要教师的监督指导,更需要通过学生自身在这个过程中对文章立意、结构及语言的有意学习。由过程写作引发而建立起来的过程教学法理论,也对第二语言教学的大纲设计、语法教学、篇章分析等产生了深刻的影响。③

交际语言教学理论的另一个发展,是近几年来在西方渐渐兴起的体验式教学。这种教学法的特点是把文化行为训练纳入对外汉语教学之中,而不主张单纯从语言交际角度看待外语教学。在整个教学过程中,自始至终贯穿着"角色"和"情景"的观念。2005年,我国高等教育出版社出版有陈作宏、田艳编写的《体验汉语》系列教材,是这种理念的一次尝试。

---

① 参见马箭飞《任务式大纲与汉语交际任务》,《语言教学与研究》2002年第4期。
② 参见陈玫《教学模式与写作水平的相互作用——英语写作"结果法"与"过程法"对比实验研究》,《外语教学与研究》2005年第6期。
③ 参见杨俐《过程写作的实践与理论》,《世界汉语教学》2004年第1期。

今天，在教学法研究中人们更注重过程，外语教学是个过程，汉语作为第二语言教学也是一个过程。过程是组织外语教学不可忽视的因素。桂诗春说："在 70 年代之前，人们认为提高外语教学质量的关键是教学方法，后来才发现教学方法只是起局部的作用。"[①]我们已经认识到并接受了这样的观点。

现在我们可以说，汉语作为第二语言教学在教学法研究方面，我们已经同世界上同类学科的研究相同步。

（三）教材研究与创新

教材的创新已经提出多年，教材也已编出上千种，但无论是数量还是质量均不能完全满足世界上学习汉语的热切需求。今后的教材编写，依然应该遵循过去总结出来的几项原则：(1)要讲求科学性。教材应充分体现汉语和汉字的特点，突破汉字教学的瓶颈，要符合语言学习规律和语言教学规律。体系科学，体例新颖。(2)要讲求针对性。教材要适应不同国家（地区）学习者的特点，特别要注意语言与文化两方面的对应性。不同的国家（地区）有不同的文化、不同的国情与地方色彩，要特别加强教材的文化适应性。因为"语言是文化的符号，文化是语言的管轨"[②]，二者相辅相成。因此，编写国别教材与地区教材，采取中外合编的方式，是今后的发展方向。(3)要讲求趣味性。我们主张教材的内容驱动的魅力，即进一步提升教材内容对学习者的驱动魅力。有吸引力的语言材料可以引起学习者浓厚的学习兴

---

① 参见桂诗春《外国语言学及应用语言学研究》第一辑发刊词，首都师范大学外国语学院主办，中央编译出版社 2002 年版。
② 参见邢福义《文化语言学·序》，湖北教育出版社 2000 年版。

趣。要靠教材语言内容的深厚内涵,使人增长知识,启迪学习;要靠教材的兴味,使人愉悦,从而乐于学下去。(4)要注重泛读教材的编写。要保证书面语教学质量的提高,必须编有大量的、适合各学习阶段的泛读教材。远在 1956 年以前就曾有人提出"学习任何一种外语都离不开泛读"。认为"精读给最必需的、要求掌握得比较牢固的东西,泛读则可以让学生扩大接触面,通过大量、反复阅读,也可以巩固基本熟巧"。[①] 遗憾的是,长期以来,我们忽视了泛读教材的建设。

(四)汉语测试研究

语言测试应包括语言学习能力测试、语言学习成绩测试和语言水平测试。前两种测试的研究相对薄弱。学能测试多用于分班,成绩测试多由教师自行实施。而汉语水平考试(HSK)取得了可观的成绩,让世界瞩目。HSK 是一项科学化程度很高的标准化考试。评价一个考试的科学化程度,最关键的是看它的信度和效度。所谓信度,就是考试的可靠性。一个考生在一定的时段内无论参加几次 HSK 考试,成绩都是稳定的,这就是信度高。所谓效度,就是能有效地测出考生真实的语言能力。HSK 信守每一道题都必须经过预测,然后依照区分度选取合适的题目,从而保证了试卷的科学水准。目前,国家汉办又开发研制了四项专项考试:HSK(少儿)、HSK(商务)、HSK(文秘)、HSK(旅游)。这些考试将类似国外的

---

① 参见钟梫(1965)《十五年汉语教学总结》,载《语言教学与研究》(试刊,第 4 期,1977 年内部印刷),又收入盛炎、砂砾编《对外汉语教学论文选评》,北京语言学院出版社 1993 年版。

TOEIC。HSK作为主干考试,测出考生汉语水平,可作为入学考试的依据。而四个分支考试,是一种语言能力考试,它将测出外国人在特殊职业环境中运用语言的能力。主干考试与分支考试形成科学的十字结构。目前,HSK正致力于改革,在保证科学性的前提下,考虑学习者的广泛需求,鼓励更多的人参加考试,努力提高汉语学习者的兴趣,吸引更多的人学习汉语,以适应汉语国际推广的需要。与此同时,"汉语水平计算机辅助自适应考试"正在研制中。

(五)跨学科研究

近十几年来,对外汉语教学界的跨学科研究意识越来越强烈,集中表现在两个方面。一方面是与心理学、教育学等相结合进行的学习研究。另一方面便是与信息科学和现代教育技术的结合,突出体现在对外汉语计算机辅助教学的研究与开发上。

对外汉语计算机辅助教学是个大概念。我们可以从三个不同的角度来观察。

一是中文信息处理与对外汉语教学。研究重点是以计算语言学和语料库语言学为指导,研究并开发与对外汉语教学相关的语料库,如汉语中介语语料库、对外汉语多媒体素材库和资源库,以及汉语测试题库等。这些库的建成,有力地推动了教学与研究的开展。

二是计算机辅助汉语教学,包括在多媒体条件下,对学习过程和教学资源进行设计、开发、运用、管理和评估的理论与实践,比如多媒体课堂教学的理论与实践,多媒体教材的编写与制作,多媒体汉语课件的开发与运用。这一切给传统的教学与学习带来一场革命,运用得当,师生互动互利,教学效果会明显提高。目前国家对外汉语教学领导小组办公室正陆续推出的重大项目《长城汉语》,就是一种立体化的多媒体系列教材。

三是对外汉语教学网站的建立和网络教学的研究与开发。诸如远程教学课件的设计、网络教学中师生的交互作用等,都是研究的课题。中美网络语言教学项目所研制的《乘风汉语》是目前网络教材的代表作。

所有这一切都离不开对现代教育技术的依托。诸如影视技术、多媒体技术、网络技术以及虚拟现实技术等在教学与研究中都有广泛应用。

放眼未来,人们越来越认识到计算机辅助教学的作用与前景。当然,与此同时,仍然应当注重面授的优势与不可替代性。教师的素质、教师的水平、教师的指导作用仍然不容忽视,并有待不断提高。

五 关于汉语作为第二语言的学习研究

20世纪90年代,对外汉语教学学科理论研究的一个重要进展是开拓了语言习得理论的研究。[①] 近年来汉语习得研究更显上升趋势。

中国的对外汉语教学中的学习研究,因诸多因素,起步较晚。80年代初期,国外有关第二语言习得理论开始逐渐被引

---

① 参见李泉《对外汉语教学学科理论研究概述》,载《对外汉语教学理论思考》,教育科学出版社2005年版。

进,对外汉语教学研究的重心也逐步从重视"教"转向对"学"的研究。回顾近 20 年来对外汉语教学领域的第二语言习得研究,主要集中于四个方面:汉语偏误分析、汉语中介语研究、汉语作为第二语言的习得过程研究、汉语习得的认知研究。而从学习者的外部因素、内部因素以及学习者的个体差异三个侧面对学习者进行研究,还略嫌薄弱。

学习研究是逐步发展起来的,徐子亮将 20 年的对外汉语学习理论研究历史划分为三个阶段:1992 年以前,在语言对比分析的基础上,致力于外国人学汉语的偏误分析;1992—1997 年,基于中介语理论研究的偏误分析成为热点,并开始转向语言习得过程的研究;1998—2002 年,在原有基础上研究深化、角度拓展,出现了学习策略和学习心理等研究成果。研究方法向多样化和科学化方向发展。①

汉语认知研究与汉语习得研究是两个并不相同的研究领域。对外汉语教学的汉语认知研究是对把汉语作为第二语言的学习者的汉语认知研究(或简称非母语的汉语认知研究)。国内此类研究始于 20 世纪 90 年代后期,20 世纪 90 年代末和本世纪初是一个成果比较集中的时期。因其使用严格的心理实验方法,研究范围包括:学习策略的研究、认知语言学基本理论的研究、汉语隐喻现象研究、认知域的研究、认知图式的研究、语境和语言理解的研究等。② 我国心理学界做了不少母

---

① 参见徐子亮《对外汉语学习理论研究二十年》,《世界汉语教学》2004 年第 4 期。

② 参见崔永华《二十年来对外汉语教学研究热点回顾》,《语言文字应用》2005 年第 1 期。

语为汉语者的汉语认知研究,英语教学界也做了一些外语的认知研究,而汉语作为第二语言的学习者的汉语认知研究,还有待深入。

语言学习理论的研究方法是跨学科的。彭聃龄认为:"语言学习是一个极其复杂的过程,其自变量、因变量的关系必须通过实验法和测验法相结合来求得。实验可求得因果,测验能求得相关,两者结合才能得出可靠的结论。"①

汉语作为第二语言的习得与认知研究,以理论为导向的实验研究已初见成果。与国外同类研究相比,我们的研究领域还不够宽,研究的深度也有待提高。在研究方法上,经验式的研究还比较多,理论研究比较少;举例式研究比较多,定量统计分析少;归纳式研究多,实验研究少。总之,与国外第二语言习得与认知研究相比,我们还有许多工作要做。②

今后,对外汉语学习理论研究作为一个可持续发展的领域,还必须在下列方面进行努力:(1)突出汉语特点的语言学习理论研究;(2)加强跨学科研究;(3)研究视角的多维度、内容的丰富与深化;(4)研究方法改进与完善;(5)理论研究成果在教学实践中的应用。③

这五个方面的努力,会使学习理论研究这个很有发展前景

---

① 参见《语言学习理论座谈会纪要》,载《世界汉语教学》编辑部、《语言文字应用》编辑部、《语言教学与研究》编辑部合编《语言学习理论研究》,北京语言学院出版社1994年版。

② 参见王建勤《汉语作为第二语言的习得研究·前言》,北京语言文化大学出版社1997年版。

③ 参见徐子亮《对外汉语学习理论研究二十年》,《世界汉语教学》2004年第4期。

的领域,为进一步丰富学科基础理论发挥重要作用。

六 回首·检视·瞻念

(一) 回首

回首近十几年来,正是对外汉语教学如火如荼蓬勃发展的时期,学科建设取得了令人瞩目的成绩。赅括言之如下:

1. 明确了对外汉语教学的学科定位,对外汉语教学在国内是汉语作为第二语言教学,在国外(境外)是汉语作为外语教学。目前,汉语国际推广的大旗已经揭起,作为国家战略发展的软实力建设之一,随着国际汉语学习需求的激增,原有的对外汉语教学的理念、教材、教法以及师资队伍等,都将面临新的挑战,自然也是难得之机遇。我们经过几十年的努力所建立起的汉语作为第二语言教学学科的覆盖面会更宽,对学科理论体系的研究更加自觉,学科意识更加强烈。

2. 对外汉语教学开辟了新的研究领域。重要的进展就是开拓了语言习得与认知理论的研究,确立了对外汉语研究的基本框架,即:作为第二语言教学的汉语本体研究(本体论)、作为第二语言的汉语认知与习得研究(认识论)、作为第二语言教学的教学理论和教学法研究(方法论)、现代科技手段与现代教育技术在教学与研究中的应用(工具论),在此基础上规划了学科建设的基本任务。

3. 更加清醒地认识到要不断更新教学理念,特别是教材编写、教学法以及汉语测试要有新的突破。要深化汉语作为第二语言教学的教学模式与教学方法的探索,加强教学实验,以满足世界上广泛、多样的学习需求。更加强教材的国别(地区)性、适应性与可接受性研究,不断创新,以适应汉语国际推广的各种模式。要加强语言测试研究,结合世界上汉语学习的多元化需求,努力开发目的明确、针对性强、适合考生心理、设计原理和方法科学、符合现代语言教学和语言测试发展趋势的多类型、多层次的考试。

4. 跨学科意识明显加强,汉语作为第二语言教学与相关学科的结合更加密切,不同类型语言教育的对比与综合研究开始引起注意,在共性研究中发展个性研究。跨学科研究特别表现在现代教育技术与多媒体技术在教学中的广泛应用,以及心理学研究与汉语作为第二语言教学研究的联手,共同研究汉语作为第二语言的认知与习得过程、习得顺序、习得规律。

5. 不断吸收世界第二语言教学的研究成果,与国外第二语言教学理论的结合更加密切,"新世纪对外汉语教学——海内外的互动与互补"学术演讲讨论会的召开即是标志[1],"互动互补"既非一方"接轨"于另一方,亦非一方"适应"另一方,而是互相借鉴、相互启发,但各有特色,各自"适应"。就国内汉语教学来说,今后还应不断借鉴国内外语言教学与研究的先进成果,充分结合汉语的特点,为我所用。

(二) 检视

在充分肯定汉语作为第二语言学科建设突出发展的同时,

---

[1] 北京语言大学科研处《"新世纪对外汉语教学——海内外的互动与互补"学术演讲讨论会举行》,《世界汉语教学》2005年第1期。

检视学科建设之不足,我们发现在学科理论、学科建设、教材建设、课堂教学与师资队伍建设上均存在尚待解决的问题。从目前汉语国际推广的迅猛态势出发,教学问题与师资问题是为当务之急。

1. 关于教学。

目前,汉语作为第二语言的课堂教学依然是以面授为主,绝大多数学习者还是通过课堂学会汉语。检视多年来的课堂教学,总体看来,教学方法过于陈旧,以传统教法为主,多倾向于以教师为主,缺乏灵活多变的教学路数与教学技巧。我们虽不乏优秀的对外汉语教师以及堪称范式的课堂教学,但值得改进的地方依然不少。李泉在经过详细地调查后发现的问题,值得我们深思。他归结为四点:(1)教学方式上普遍存在"以讲解为主"的现象;(2)教学原则上对"精讲多练"有片面理解现象;(3)课程设置上存在"重视精读,轻视泛读"现象;(4)教学内容上仍存在"以文学作品为主"现象。①

改进之方法,归结为一点,就是加强"教学意识"。我们赞成这样的观点:

"对外汉语是门跨文化的学科,不同专业的教师只要提高教学意识,包括学科意识、学习和研究意识、自尊自重的意识,就一定能把课上好。"②

2. 关于师资。

---

① 参见李泉《对外汉语教学理论和实践的若干问题》,载赵金铭主编《对外汉语教学研究的跨学科探索》,北京语言大学出版社 2003 年版。

② 参见陆俭明《汉语作为第二语言之本体研究》,载《作为第二语言的汉语本体研究》,外语教学与研究出版社 2005 年版。

对外汉语教学事业发展至今,已形成跨学科、多层次、多类型的教学活动,因之要求对外汉语教师也应该是多面手,在研究领域和研究内容上也应该是宽阔而深入的。

据国家汉办统计,目前中国获得对外汉语教师资格证书的共3 690人,国内从事对外汉语教学的专职、兼职教师共计约6 000人。其中不少人未经严格训练,仓促上阵者不在少数。以至外界这样认为:"很多高校留学生部的教师都是非专业的,没有受过专业训练,更没有搞过语言教学,其教学效果可想而知。"[①]而在国际上,情况更为不堪,简直是汉语教师奇缺,于是人们感叹,汉语教学落后于"汉语热"的发展,全球中文热引起了"中文教师荒",成为汉语国际推广的瓶颈。

据调查,我们认为,在教学实践中带有普遍性的问题,还是教师没能充分了解并掌握汉语作为第二语言教学的特点和规律,或缺乏作为一名语言教师的基本素质,没有掌握汉语作为第二语言教学的方法与技巧。其具体表现正如李泉在作了充分的观察与了解之后所描述的现象,诸如:忽视学习者的主体地位,忽视对学习者的了解,忽视教学语言的可接受性,忽视教学活动的可预知性,缺乏平等观念和包容意识。[②]

什么是合格的对外汉语教师,已经有很多讨论。国外也同样注重语言教师的素质问题,如,2002年美国国会通过了No Child Left Behind(《没有一个孩子掉队》)的新联邦法。于是,

---

[①] 参见许光华《"汉语热"的冷思考——兼谈对外汉语教学》,《学术界》2005年第4期。

[②] 参见李泉《对外汉语教学理论和实践的若干问题》,载赵金铭主编《对外汉语教学研究的跨学科探索》,北京语言大学出版社2003年版。

各州都以此制定教师培训计划,举国上下都讨论什么样的教师是合格、称职的教师。①

我们可以说,教好汉语,不让一个学习汉语的学生掉队,这是对教师的最高要求。

(三) 瞻念

当今匈匈盛世,汉语国际推广的前景已经显露出曙光,我们充满信心,也深感历史责任的重大。汉语国际推广作为国家和民族的一项事业,是国家的战略决策,是国家的大政方针。而汉语作为第二语言教学,或汉语作为外语教学,则是一门学科。作为学科,它是一门科学,它是一项复杂的系统工程,要进行跨学科的、全方位的研究。在不断引进国外先进的教学理念的同时,努力挖掘汉语和汉字的特点,创新我们自己的汉语作为第二语言的教学模式和教学法。我们要以自己的研究,向世人显示出汉语作为世界上使用人口最多的一种古老的语言,像世界上任何一种语言一样,可以教好,可以学好,汉语并不难学。我们认为,要达此目的,重要的是要转变观念,善于换位思考,让不同的思维方式互相渗透和交融,共同建设好学科,做好推广。

1. 开阔视野,放眼世界学习汉语的广大人群。

多年来,我们的对外汉语教学是面向来华留学生的。今后,随着国家汉语国际推广的展开,在做好来华留学生汉语教学的同时,我们要放眼全球,更加关注世界各地的3 000万汉语学习者,要真正地走出去,走到世界上要求学习汉语的人们中去,带

---

① 参见丁杰《英语到底如何教》,《光明日报》2005年9月14日。

着他们认同的教材,以适应他们的教学法,去满足他们多样化的学习需求。这是一种观念的转变。

与此同时,我们应建立一种"大华语"的概念。比如我国台湾地区人们所说的国语,新加坡的官方语言之一华语,以及世界各地华人社区所说的带有方言味道的汉语,统统归入大华语的范畴。这样做的好处首先在于有助于增强世界华人的凝聚力和认同感;其次更有助于推进世界范围的汉语教学。我们的研究范围大为拓展,不仅是国内的汉语作为第二语言教学,还包括世界各地的汉语作为外语教学。

2. 关注学习对象的更迭。

对外汉语教学的对象是来华留学生,他们是心智成熟、有文化、母语非汉语的成年人。当汉语走向世界,面向世界各地的汉语学习者,他们的构成成分可能十分繁杂。其中可能有心智正处于发育之中的青少年,可能有文化程度不甚高的市民,也可能有家庭主妇,当然更不乏各种希望了解中国或谋求职业的学习者。我们不仅面向大学,更要面向中、小学,甚至是学龄前的儿童。从学习目的上看,未来的汉语学习者中,为研究目的而学习汉语的应该是少数,绝大多数的汉语学习者都抱有实用的目的。

3. 注意学习环境的变化。

外国人在中国学习汉语,是处在一个目的语的环境之中,耳濡目染,朝夕相处,具有良好的交际环境。世界各地的汉语学习者在自己的国家学习汉语是母语环境,需要设置场景,才能贯彻"学以致用"或"用中学"。学习环境对一个人的语言学习会产生重大影响,比如关涉到口语的水平、词汇量的多寡、所见语言现象的丰富与否、学习兴趣的激发与保持等。特别是不同的学习环境会在文化距离、民族心理、传统习惯等方面显示更大的差距,这又会对学习者的心理产生巨大的影响。于是,这就涉及教材内容的针对性问题。我们所主张的编写国别(地区)教材,可能某些教材使用的人数不一定多,但作为一个泱泱大国,向世界推广自己的民族语言时,应关注各种不同国家(地区)的汉语学习者的心态。

4. 教学理念的更新与教学法的适应性。

对国内来华留学生的汉语教学,囿于国内的语言环境及所受传统语言教学法的影响,课堂上常以教师为主,过多地依赖教材,课堂教学模式僵化,教学方法放不开,不够灵活多变。在国外,外语教学历史较长,理论纷呈,教学法流派众多,教学中多以学生为主,不十分拘泥教材,强调师生互动,教师要能随机应变。

一般说来,在东方的一些汉字文化圈国家如东北亚的日、韩等国,以及海外华人社区或以华人为主的教学单位,我们的教学理念与教学方法基本上可以适应,变化不甚明显。在西方,在欧美,特别是在北美地区,因语言和文化传统差异较大,我们在国内采用的教学方法在那里很难适应,必须做相应的改变,入乡随俗,以适应那里的汉语教学。

5. 汉语国际推广:普及为主兼及提高。

新中国的对外汉语教学已经走过55个春秋。多年来,我们一直竭力致力于汉语作为第二语言教学的学科建设,重视学科基础理论的扎实稳妥,扩大、拓宽学科的研究领域,搭建对外汉语教学的基本框架,探讨教学理论和学习理论,这一切都在改变社会上认为对外汉语教学"凡会说汉语都能教"以及对外汉语教学是"小儿科"等错误看法。而今,汉语作为第二语言教学已经成为一门新兴的、边缘性的、跨学科的科学,研究日益精深,已成"显学"。今天,我们已经可以与国际上第二语言教学界的同行对话,在世界上成为汉语作为第二语言教学的主流。目前,随着国家发展战略目标的建设,汉语正加速走向世界,我们要面向世界各地的3000万汉语学习者。这将不仅仅是从事国内对外汉语教学的几千名教师的责任与义务,更是全民的事业,是民族的大业,故而需要千军万马,官民并举,千方百计,全力推进。面对这种局面,首先是普及性的教学,也就是首先需要的是"下里巴人",而不是"阳春白雪"。我们要在过去反复强调并身体力行地注重对外汉语教学的科学性、系统性、完整性的同时,更加注重世界各地汉语教学的大众化、普及性与可接受性。因此,无论是教材、教学大纲还是汉语考试大纲,首先要考虑的是普及,是面向大众,因为事实上,目前我们仍然是汉语教学市场的培育阶段,要想尽办法让世界上更多的人接触汉语、学习汉语,在此基础上,才能培养出更多的高水平的国际汉语人才,也只有在此基础上才能"尽精微",加深研究,不断提高。

七　关于研究书系

恰是香港回归祖国那一年,当时的北京语言文化大学编辑、出版了一套《对外汉语教学研究丛书》,凡九册。总结、归纳了该校对外汉语教师在这块难以垦殖的处女地上,几十年风风雨雨,辛勤耕耘所取得的成果。这是一定范围内一个历史阶段的成果,不是结论,更不是终结。至今,八易春秋,世界发生了巨大的变化,祖国更加繁荣、富强,对外汉语教学,正向汉语国际推广转变,这项国家和民族的事业获得了空前的大发展,也面临着重大的机遇与挑战。

目前,多元文化架构下的"大华语"教学的新格局正逐渐形成,汉语国际推广正全面铺开。欣逢其时,具有百年历史的商务印书馆以其远见卓识,组织编纂"对外汉语教学专题研究书系",计七个系列,22种书,涵盖对外汉语教学研究的方方面面。所涉研究成果虽以近十年来为主,亦不排斥前此有代表性的、具有影响的论文。该书系可谓对外汉语教学成果50年来的大检阅。从中不难看出,对外汉语教学作为一个学科,内涵更加丰富,体系更加完备,视野更加开阔,范围更加广泛,研究理念更加先进,研究成果更加丰厚。汉语作为第二语言教学作为一门科学,已跻身于世界第二语言教学之林,或曰已取得与世界第二语言教学同行对话的话语权。

"对外汉语教学专题研究书系"的七个系列及其主编如下:

1. 对外汉语教学学科理论研究

   主编:中国人民大学　李泉

   《对外汉语教学学科理论研究》

   《对外汉语教学理论研究》

   《对外汉语教材研究》

   《对外汉语课程、大纲与教学模式研究》

2. 对外汉语课程教学研究

   主编:北京大学　李晓琪

   《对外汉语听力教学研究》

   《对外汉语口语教学研究》

   《对外汉语阅读与写作教学研究》

《对外汉语综合课教学研究》
《对外汉语文化教学研究》
3. 对外汉语语言要素及其教学研究
   主编：北京语言大学　孙德金
   《对外汉语语音及语音教学研究》
   《对外汉语词汇及词汇教学研究》
   《对外汉语语法及语法教学研究》
   《对外汉字教学研究》
4. 汉语作为第二语言的学习者习得与认知研究
   主编：北京语言大学　王建勤
   《汉语作为第二语言的学习者语言系统研究》
   《汉语作为第二语言的学习者习得过程研究》
   《汉语作为第二语言的学习者与汉语认知研究》
5. 语言测试理论及汉语测试研究
   主编：北京语言大学　张凯
   《汉语水平考试（HSK）研究》
   《语言测试理论及汉语测试研究》
6. 对外汉语教师素质与教学技能研究
   主编：北京师范大学　张和生
   《对外汉语教师素质与教师培训研究》
   《对外汉语课堂教学技巧研究》
7. 对外汉语计算机辅助教学研究
   主编：北京语言大学　郑艳群
   《对外汉语计算机辅助教学的理论研究》
   《对外汉语计算机辅助教学的实践研究》

这套研究书系由北京语言大学、北京大学、北京师范大学和中国人民大学的对外汉语教师共同协作完成,赵金铭任总主编。各系列的主编都是我国对外汉语教学界的教授,他们春秋鼎盛,既有丰富的教学经验,又有个人的独特的研究成果。他们几乎是穷尽性地搜集各自研究系列的研究成果,涉于繁,出以简,中正筛选,认真梳理,以成系统。可以说从传统的研究,到改进后的研究,再到创新性的研究,一路走来,约略窥测出本领域的研究脉络。从研究理念,到研究方法,再到研究手段,层层展开,如剥春笋。诸位主编殚精竭虑,革故鼎新,无非想"囊括大典,网罗众家",把最好的研究成果遴选出来,奉献给读者。为了出好这套书系,世界汉语教学学会陆俭明会长负责审订了全书。在此,向他们谨致谢忱。

我们要特别感谢商务印书馆对这套书系的大力支持,从总经理杨德炎先生到总经理助理周洪波先生,对书系给予了极大的关怀和帮助。诸位责编更是日夜操劳,付出了极大的辛苦,我们全体编者向他们致以深深的谢意。

书中自有取舍失当或疏漏、错误之处,敬请读者不吝指正。

2005 年 12 月 20 日

综 述

王 建 勤

本文集收集的是近 10 年来关于汉语作为第二语言的学习者与汉语认知的研究。文章包括两大部分：第一部分是第二语言学习者的汉语认知研究，第二部分是关于第二语言学习者的研究。汉语认知研究主要包括三个方面，即汉语语音、词汇、汉字认知研究；关于第二语言学习者的研究包括两个方面，即学习者的学习策略研究与学习者的个体差异因素研究。这些研究在 10 年前几乎看不到。从这个意义上说，近 10 年的汉语认知研究以及学习者的研究，在汉语习得研究中作为一个新领域，无论在数量上还是质量上都取得了比较大的进展。限于篇幅，本文仅就上述研究领域的重要研究及其成果进行简要的评述。

一 第二语言学习者汉语认知研究的新进展

1. 汉语语音认知研究

关于外国学生汉语语音认知的研究，从研究方法上，目前的研究可以划分为两个方面：一是基于实验语音学范式的汉语音位系统认知研究；二是基于心理语言学研究范式的汉语语音认知研究。

关于外国学生汉语音位系统的认知研究,学习者们关心的问题是,学习者的母语背景对汉语特定音位范畴感知和产出的影响。在汉语音位感知方面,王韫佳(2001)根据 Best 的"知觉同化模型"(perceptual assimilation model),通过实验研究,分别考察了日、韩学生感知汉语高元音音素[i][u][y]的过程。① 实验结果显示,[y]是日、韩学生感知正确率最低的高元音。主要原因是将[y]与[i]和[u]相混。作者认为,新音位不可能均衡地同化为母语中的两个范畴。当母语的区别性特征不能完全决定 L_2 中新音位的范畴归类时,起决定作用的是普遍语法。这一结论对 Best 的"知觉同化模型"作了很好的补充,对日、韩学生汉语高元音音素感知作出了科学的阐释。

在语音知觉与发音的关系问题上,学者们的看法不尽一致。有学者认为,语音的知觉与产出可能没有必然的联系。但也有研究表明,知觉与产出之间存在着某种关系。王韫佳(2002)从音位的角度对日本学习者对汉语鼻韵母感知和产出的特点进行了详细的考察。② 研究表明,虽然日本被试汉语鼻韵母知觉与发音之间存在着显著的正相关,但二者之间的关系并非靠一条简单的规则就可以描写清楚的。尽管该研究未能得出明确的结论,但关于语音知觉与产出的关系问题的探讨对语音教学依然具有重要的现实意义。

关于外国学生汉语语音认知的心理语言学研究,学者们较

---

① 详见本书第 1 章第 2 节。
② 见本书第 1 章第 1 节。

为关注的是学习者汉语语音意识的发展研究。高立群、高小丽(2005)通过实验研究集中考察了外国学生的汉语声、韵、调意识的发展顺序问题。① 研究发现,不同母语背景、不同汉语水平的外国学生的声、韵、调听辨意识发展顺序呈现相同的发展模式,即声调听辨意识发展早于韵母意识,韵母意识早于声母意识。这一发展顺序与作者前期视觉作业发现的顺序完全不同。作者认为,这种差异主要是不同作业方式造成的。但从另一个角度看,这种发展顺序的差异也反映了汉语声韵调的感知与产出的非对应性关系。关于外国学生声韵调意识的发展模式是语音教学普遍关心的问题。这种发展模式越具有普遍性,越有利于学习者声韵调意识的培养。但目前的结论还有待于更多的实验研究的检验。

2. 汉语词汇认知研究

在第二语言习得研究中,汉语词汇认知研究成果比较少。但近些年来,学者们已经开始关注这个研究领域。柳燕梅(2002)通过实验研究考察了汉语教材中生词重现率对外国学生汉语词语认知效应的影响。② 她的研究结论是,生词重现率对学生的词汇学习具有一定的影响,提高生词重现率能够促进学生的词汇学习。这一结论似乎并无非同寻常之处。但该研究的意义在于提示人们重新认识"任务频次"(task frequency)效应在汉语词汇教学中的作用。所谓"任务频次",通俗地说,是指词汇在教材中的重现率。这与通常所说的"词频"不同。外国学生

---

① 见本书第 1 章第 4 节。
② 见本书第 2 章第 1 节。

汉语词汇的获得主要是通过"任务频次"实现的。Michael Harrington and Simon Dennis(2002:261)指出,假如所有的因素都是相等的,语言输入中出现频次越多的语言形式就训练得越多。训练频次越多的语言形式自然就会达到较好的语言习得水平。① 这正是学者们重新讨论和认识频次效应问题的重要意义所在。

在词汇认知研究中,学者们讨论的另一个问题是关于外国学生汉语构词意识发展与阅读能力培养的关系问题。通常,我们所说的"汉语构词意识"是指与汉语词汇结构的特征相关的意识,如词素意识、词素之间的组合关系意识、词边界意识等等。这些意识的形成和发展对外国学生汉语阅读能力的培养具有重要的意义。冯丽萍(2003)以欧美学生为被试,通过认知实验研究对这一问题进行了探索。研究表明,欧美学生词汇结构意识对词素提取方式具有一定的影响。与汉语为母语者相比,欧美学生在汉语合成词加工方式上没有本质的差别。但在不同的词汇加工速度上其加工方式表现出差别。母语使用者在短时启动条件下(56ms)词汇加工便可通达词义,而欧美学生的词汇加工主要停留在字形扫描的阶段。显然,这些差异和特点对欧美学生的汉语阅读能力的发展必然带来影响。冯的研究从词汇认知加工的差异来阐释外国学生汉语阅读能力发展,研究角度比较新颖,使我们对外国学生汉语阅读能力的发展过程有了更为深刻的认识。

---

① Michael Harrington and Simon Dennis Input-driven language learning. *Studies in Second Language Acquisition*, Vol. 24, No. 2, June 2002.

3. 汉字认知研究

上世纪 70 年代信息加工理论的兴起,汉字认知研究成为认知心理学研究的一个重要领域。这一理论的发展也极大地促进了关于外国学生的汉字认知研究。

近 10 年来,关于外国学生汉字认知的研究,学者们探讨比较多的问题主要有 3 个方面:一是关于第二语言学习者心理词典表征结构的研究;二是关于形音信息在第二语言学习者汉字认知过程中的作用的研究;三是关于第二语言学习者正字法意识发展的研究。

关于第二语言学习者心理词典表征结构的研究源于 Markus(1988)提出的双语者三种心理词典表征结构模型。高立群等(2003)基于这种理论,通过色词干扰实验考察了不同汉语水平的日本学习者心理词典表征结构的差异。[①] 实验研究发现,不同汉语水平的日本学习者,其心理词典中的日文汉字、假名与中文汉字的联结模式大不相同。此外,汉语熟练程度对日本学生心理词典中日文假名和中文汉字的联结模式也有影响。高的研究还表明,第二语言学习者心理词典的表征结构不仅会随着汉语熟练程度的提高发生改变,而且与学习者母语和目的语的相似程度有关。这些结论为我们认识和分析学习者心理词典表征结构提供了理论依据。根据学习者母语和目的语之间的相似程度,我们不仅可以了解学习者心理词典中两种语言表征的联结模式,而且可以了解学习者汉字认知可能采取的策略;根据学习者的目的语熟练程度,我们还可以了解处于不同习得阶

---

① 见本书第 3 章第 2 节。

段的学习者心理词典表征结构的变化规律,针对不同阶段的学习者采取不同的汉字教学策略。

关于汉字形、音信息对汉字认知影响的研究是一个相对集中的研究领域。研究者们试图证实汉字的形音信息是否有助于第二语言学习者的汉字认知,汉字形音信息在多大程度上、以何种方式对第二语言学习者的汉字认知产生影响。郝美玲、舒华(2005)通过对汉语教材中形声字的统计分析发现,初级阶段的留学生所学的形声字,60%以上学了整字而未学声旁,声旁并未为学习形声字提供语音提示信息。[①] 此外,汉语教材中规则形声字占的比例很少,不熟悉的声旁远多于熟悉的声旁。这种情况显然不利于留学生发现和利用声旁表音规律学习形声字。那么,是否可以通过课堂教学培养学生的声旁意识以利于汉字学习呢? 郝和舒的结论是肯定的。她们的实验研究表明,声旁提供的读音信息越多,留学生汉字记忆的正确率就越高。通过声旁教学,学习者很快就会意识到声旁的表音作用,声旁信息的利用有助于汉字识记。郝和舒的实验设计比较巧妙,其结论为声旁带整字的汉字教学方法的可行性提供了实验依据,这种识字方法如果使用得当,必然会大大提高外国学生的识字效率。

郝和舒的研究探讨了声旁信息在汉字识记中的作用,但未涉及语义通达的问题。江新(2003)则从知音与知义关系的角度,探讨了不同母语背景的外国学生在形声字与非形声字认知过程中的语义通达和加工策略问题。[②] 她发现,日、韩学生知音

[①] 见本书第 3 章第 4 节。
[②] 见本书第 3 章第 5 节。

和知义之间没有密切关系,但对印尼和美国学生来说,知音与知义之间关系密切。作者认为,日、韩文字中既有拼音文字也有表意文字,因而在学习汉语这种表意文字时主要采取形码加工策略。印尼和美国学生的母语为拼音文字,以音码加工策略为主。这说明,外国学生在语义通达中采取形旁还是声旁策略与其母语背景相关。不同母语背景的学习者采取的策略是不同的。由此看来,对不同母语背景学习者的汉字教学应该采取不同的教学对策,顺应学习者的汉字认知策略进行汉字教学将会达到事半功倍的效果。

关于形音信息对汉字认知的影响,高立群、孟凌(2000)从另一个角度进行了探讨。[①] 作者采取校对阅读作业方式,考察了不同水平的外国学生识别音同别字和形似别字的认知过程。该研究被试汉语水平选择的跨度比较大,不仅包括初、中、高学习者而且还选择了外国研究生这些高端学习者。实验研究结果表明,无论是初、中级水平,还是高级水平的学习者,汉字识别始终是以利用字形信息为主,字音信息为辅。这一结论与江新(2003)的结论不一致。由于高、孟的研究未报告被试的母语背景,因此,两项研究在表音文字学习者汉字认知采用何种策略的问题上无法互相印证。因而有必要对这一问题作进一步研讨。

在汉字认知研究中,还有一类研究是关于第二语言学习者汉语正字法意识发展的研究。在这类研究中,学者们探讨的问题是汉字结构类型以及部件位置信息等因素对外国学生汉字认知的影响。鹿士义(2002)通过词汇判断作业,考察了母语为拼

---

① 见本书第3章第7节。

音文字、不同汉语水平学习者的汉语正字法意识发展过程。①其结论是,母语为拼音文字的汉语学习者,从初识汉字到正字法意识萌发需要 2 年左右的时间;此外,汉字的结构类型对正字法意识的发展具有一定的影响。鹿的研究对外国学生汉字正字法意识发展研究具有一定的参考价值。但由于该实验中被试水平因素控制得不够严格,其结论需要进一步的实验研究来验证。

王建勤(2005)在鹿士义的行为实验研究的基础上,利用汉字部件识别的"自组织模型",对外国学生汉字构形意识发展与其汉语水平发展的关系进行了模拟研究。② 王的模拟研究表明,与模型相对应的 1 年级外国学生的汉字正字法意识发展要达到中国 1 年级小学生汉字正字法意识的发展水平,至少需要 1 年左右的时间;与模型相对应的 2 年级外国学生的汉字正字法意识发展水平,与鹿实验研究的高级水平被试正字法意识发展的水平相当。换句话说,外国学生汉字正字法意识的确立需要 2 年左右的时间。这一结论与鹿的行为实验研究的结论一致。王的研究以联结主义为理论基础,在汉语习得研究领域首次采用人工神经网络进行模拟研究。这是一次具有挑战性的尝试。其结论还有待相应的行为实验研究来验证。

关于汉字部件位置对外国学生汉字认知的影响问题,冯丽萍等(2005)通过实验研究进行了探讨。③ 研究结果显示,汉字部件的位置对不同母语背景、不同汉语水平学习者汉字加工的影响是不同的。这一结论提示我们,汉字教学应该重视部件位

---

① 见本书第 3 章第 6 节。
② 见本书第 3 章第 1 节。
③ 见本书第 3 章第 8 节。

置信息及其频率对外国学生汉字认知的影响。这些因素在以往的汉字教学中没有引起足够的重视。冯丽萍等的研究为汉字部件教学的重要性提供了有力的证据。

从上述研究可以看出,第二语言学习者汉语认知的研究,近10年来的确取得了一些新的进展。这些新成果,使汉语习得研究理论不断丰富,为对外汉语教学的理论和实践提供了科学的依据。

二 关于第二语言学习者研究的新进展

关于第二语言学习者的研究,在第二语言习得研究中主要包括学习者的个体差异因素研究和学习者的策略研究。这两方面的研究是第二语言习得研究的一个重要领域。10年前,汉语作为第二语言的学习者的个体差异因素研究以及学习者的策略研究尚属空白。近10年来,学者们在这个领域进行了广泛、深入的探讨。

1. 关于学习者的策略研究

关于学习者的策略研究,人们首先想到的是学习者的学习策略研究。但学习者的策略研究不仅仅是学习策略的研究,还包括交际策略、回避策略等方面的研究。汉语习得研究领域学习者的策略研究,是在国外80年代末90年代初关于学习者策略研究的影响下发展起来的。其中大部分研究是关于学习者学习策略的研究。在这部分研究中,国内学者的研究多数是在O'Malley,Chamot 和 Oxford 提出的理论框架下进行的。江新(2000)参照 Oxford 的语言学习策略分类系统及其学习策量表(SILL)考察了外国学生最常用的学习策略,即社交策略、元认知策略、补偿策略和认知策略。① 同时还考察了不同性别、母语背景和学习时间等因素对学习策略选择的影响。在此基础上,江新、赵果(2001)在相同的框架下进一步考察了外国学生汉字学习的策略。② 研究表明,留学生最常使用的汉字认知策略是字形策略、音义策略、笔画策略和复习策略。研究还发现,1年级学生最常用的汉字学习策略是整字字形的记忆和机械重复,很少利用声符和意符的学习策略。江、赵认为,这一结果很值得我们重视。因为这一结果与教师的主观意愿不相符。尽管教师要求学生利用声符和意符,但在初级阶段学生很少这样做。面对这种现实,我们似乎应该对我们的主观意愿进行深刻的反省。

基于上述研究,吴勇毅(2004)参照江新的研究框架,利用相同的量表,对成功学习者的学习策略进行了考察。③ 研究发现,成功学习者与一般学习者最常用的学习策略不尽相同,而不常用的学习策略却相同。由此可见,成功的学习者和一般学习者的常用学习策略共性不多。其原因还有待进一步考察。

与上述研究不同,徐子亮(2000)采取访谈、问卷的方法对外国学生的汉语学习策略进行了详尽的描写和分类,归纳出 7 类学习策略。此外,彭增安(2003)对学习者的交际策略类型也进行了深入的分析;孙俊(2005)对日本学生所谓"母语借用策略"及其类型和产生的原因进行了探讨;罗青松(2000)则对学习者

---

① 见本书第 4 章第 2 节
② 见本书第 4 章第 5 节
③ 见本书第 4 章第 4 节

在学习中采取回避策略的现象产生的原因进行了分析,并提出了一系列教学对策。

上述研究,丰富了汉语习得研究领域学习者策略的研究,扩大了学习者策略的研究范围和理论视野。通过这些研究,研究者可以深入地了解学习者如何解决学习问题的方法;对外汉语教师可以制订更为切合学习者实际的教学目标和教学方法;对于学习者来说,学习策略的掌握可以为他们提供更为便捷的学习方法、获得更为有效的学习效果。

2. 关于学习者的个体差异因素研究

近些年来,有关学习者个体差异因素的研究引起许多学者的关注。因为这些因素或直接或间接地对学习者的学习结果产生影响。通常关于学习者个体差异因素的研究主要包括学习者的态度、动机以及一般的个体因素(年龄、学能、学习风格等)。但不同的学者分类差别非常之大。在汉语习得研究领域,关于学习者个体差异的研究大都集中在学习者的态度、动机及一般个体因素研究 3 个方面。

高海洋 2001 年发表的"第二语言习得态度动机研究"是一篇比较早的、系统研究学习者汉语习得的态度、动机、学习策略与学习成绩的文章,该研究发现,与学习者的学习动机相比,学习者对目的语社团的态度是影响其学习成绩的关键因素。动机因素与学习者的成绩相关不显著。从这一结论可以看出,态度与动机的关系比较复杂。陈郁(2000)通过问卷和测试对东西方学习者的学习动机进行了调查分析。研究发现,西方国家的学习者的学习动机以内因性动机为主,东方国家的学生主要以外因性学习动机为主。作者把这种差别归因为在特定地理环境下形成的民族心理素质与民族性格。

从上述研究可以看出,关于学习者态度、动机的研究还处于起步阶段。由于缺少一个比较客观的理论框架,加上研究方法的差异,很难得出一致的结论。

在汉语学习者个体差异因素研究中,学者们还涉及了学习者个体差异中一般因素的研究。江新(1999)系统的阐述了学习者"语言能力倾向"(aptitude)的理论发展,提出了语言能力倾向研究在语言教学中应用的教学策略。此外,钱旭菁(1999)对不同国别的外国学生学习汉语的焦虑感进行了详细的调查分析。研究者发现,从国别的角度来看,不同国家的学习者的焦虑感存在着显著差别。总的说来,日韩学生比欧美学生焦虑感更强。此外,自我评价也对学习者的焦虑感产生负面影响。

总的说来,学习者个体差异因素的研究还相当薄弱,关于学习者态度、动机的研究还有待于深入,有关学习者个体差异的其他因素的研究还有一些领域尚未触及,如,年龄、性别、学习风格等因素对学习者学习成果的影响。但这些初步探索仍然为今后的研究奠定了基础。

三 汉语学习者与汉语认知研究的收获、存在的问题及未来研究的展望

近10年来,汉语作为第二语言的学习者研究及其汉语认知研究从无到有,取得了丰硕的研究成果。因此,对收获进行盘点,对问题进行反思,对未来发展进行展望是十分必要的。

1. 汉语学习者及其汉语认知研究的收获

(1) 理论研究有所发现。学科发展的标志是科学发现。研究成果的价值就在于有所发现。近10年来,汉语学习者及其认知研究的确有一些新发现。王韫佳(2001)关于韩国学生对目的语中新音位的感知研究发现,新的音位范畴的感知不可能同时均衡地归入母语系统的两个音位。当母语的区别性特征不能完全决定新音位的归属时,人类语言的共性将对音位的归属起决定作用。这一发现是对 Best 的"知觉同化模式"的深化和补充。高立群等(2003)的研究发现,低熟练度学习者心理词典表征结构的联结模式与以往不相似语言双语者心理词典的词汇联结模式不同。低熟练度的日本学习者的心理词典中,中文汉字和日文假名倾向于以日文汉字为中介的词汇联结模式。这一发现丰富了双语者心理词典研究的理论模式。江新(2000)关于汉语学习者学习策略的研究,不仅发现了外国学生最常用的学习策略,而且还发现了外国学生最常用的汉字认知策略。这些新发现对汉语习得和认知研究是一个重要贡献。

(2) 研究方法有所改进和创新。近10年来,汉语学习者及其汉语认知的研究,在研究方法上也有不同程度的创新。郝美玲、舒华(2005)关于外国学生利用声旁信息识记汉字的研究,利用规则形声字声旁与整字的一致性特点,运用语音迁移的学习机制,证明了以声旁带整字的汉字识记与教学方法的可行性。江新、赵果(2001)通过因素分析的方法编制的专门用于测量外国学生汉字学习策略的量表,使测量工具更加完善,提高了实验研究的信度和效度。王建勤(2005)通过人工神经网络模拟外国学生的汉字认知效应,在研究方法上更具创新意识。尽管这只是一个初步尝试。

(3)研究领域不断拓宽。近10年来,关于汉语学习者策略的研究从无到有,研究领域不断拓宽,各种学习者策略的研究越来越多。关于学习者个体差异因素的研究,除了学习者的态度和动机的研究,还包括学习者情感状态的研究、学习能力倾向的研究以及学习者内在个体因素差异的研究,如年龄和性别的研究等。尽管这些研究刚刚起步,但目前的研究范围比10年前已有很大的进展。

2. 目前有待解决的问题

汉语学习者及其汉语认知研究,作为一个新领域,近10年来,无论在数量上还是质量上都取得了较大的跨越和发展。但目前该领域还有一些问题亟待解决。

就研究领域而言,目前汉语学习者及其汉语认知研究的发展不够平衡。汉字认知是发展最迅速、成果最多的研究领域。汉语语音和词汇认知研究发展相对缓慢,成果不多。汉语句法认知研究基本上是空白。在汉语学习者的策略研究中,学习策略研究取得了一些实质性成果,但其他策略研究尚显薄弱;学习者个体差异因素研究还有许多领域需要进一步探索。

在汉语学习者的研究方面,主要的问题是理论借鉴不够,现有理论的研究还不够深入,研究水平参差不齐。这在一定程度上影响了我们的研究质量。

3. 未来研究的展望

鉴于上述研究的发展现状,我们认为,未来的汉语学习者及其汉语认知研究中,关于外国学生的汉字认知研究仍然是研究的热点。汉字认知是外国学生汉语水平提高的瓶颈,今后的汉字认知研究应该在这个研究领域有所突破。汉语学习者策略的研究将重新审视和验证已有研究的结论和成果,提出更为成熟的理论框架,使学习者策略的研究更加科学和完善。关于汉语学习者个体差异因素的研究,那些尚未涉及的研究领域会引起更多学者的关注。这些领域的研究成果将对汉语学习者的汉语认知过程作出更为全面、科学的阐释。

2006 年 2 月 15 日

第一章
汉语语音认知研究

第一节 日本学生普通话鼻音韵母感知与产生的实验研究[①]

一 语音知觉与语音产生研究回顾

(一) L_2 语音知觉问题的研究

成人对第二语言(L_2)的语音感知问题是语音习得领域的重要问题,理论构建中影响较大的是 Best 的知觉同化模型(Perceptual Assimilation Model)[②]。Best 认为,如果 L_2 中的两个音位范畴在学习者的母语(L_1)中只有一个对应的音位范畴,那么学习者对于 L_2 中两个范畴的知觉可能表现为两种情况:(1)当 L_2 中两个对立的范畴与 L_1 的某个范畴相似度完全相同时,学习者对这两个范畴的区分能力就很差;(2)如果学习

[①] 本文原标题为"日本学习者感知和产生普通话鼻音韵母的实验研究",作者王韫佳,原载《世界汉语教学》2002年第2期。

[②] Best, C. T. Adult perception of non-native contrasts differing in assimilation to native phonological categories. *Journal of the Acoustical Society of America*, 1990(88), S177(A).

Best, C. T., Faber, A., Levitt, A. Assimilation of non-native contrasts to the American vowels system. *Journal of the Acoustical Society of America*, 1996(99), S2602.

Best, C. T. The development of language-specific influence on speech perception and production in preverbal infancy. *Proceedings of ICPhS99*. San Francisco, 1999, pp. 1261—1264.

者认为 L_2 的这两个范畴与 L_1 的那个范畴相似度不一样,即其中的一个与母语中的范畴比较相似,而另一个则不太相似,他们就能够对 L_2 的这两个范畴有一定程度的区分。Polka(1991)对于 Best 所提出的相似度进行了探讨。她认为,如果仅仅从离散的语音特征的角度出发,还不能很好地解释 L_2 中不同的对立在学习者的感知中困难程度不同的现象。这里的原因除了有音位地位(phonetic status)以外,还应该包括语音经验(phonetic experience)和声学凸显性(acoustic salience)。语音经验是指 L_2 中对立的两个音素是否与母语中某一音位的自由变体形式相同或相似,如果是,那么这两个音素的对立在感知中的困难相对说来就会比较小;如果这两个音素不是母语中任何一个音位的变体形式,即学习者在语音上对它们是完全没有经验的,那么这个对立在感知中的困难就会相当大。声学凸显性是指对立的两个音素的区别性声学特征是否显著,Polka 认为,时长方面的区别比频谱(即音质)方面的区别更为突出,因此 L_2 中依靠时长相区别的对立比依靠频谱相区别的对立在学习者感知中的困难要小一些。[1]

以上研究的对象均是 L_2 中的若干组语音对立在学习者感知中的不同表现。但是,L_2 同一组对立中的两个音位范畴在感知中是否也存在困难程度的不同,目前还很少有人在研究中涉及。

---

[1] Polka, L. Cross-language speech perception in adults: phonemic, phonetic and acoustic contributions. *Journal of the Acoustical Society of America*, 1991(89), pp. 2961—2977.

（二）语音知觉与语音产生关系的研究

关于 L_2 语音习得中的知觉与发音的关系问题，学术界存在不同的看法。Strange(1995)认为，对于熟练的学习者来说，知觉与发声之间可能没有关系，因为他观察到，当学习者已经掌握了 L_2 中某个音素的发音后，他们在感知这些音素时依然存在困难；反过来说，目标语语音的知觉错误依然存在时，与之相对应的发音错误却消失了。[1] Flege (1999)的看法则与 Strange 相左，他所提出的语音学习模型(speech learning model)的核心原则就是 L_2 语音产生中的错误常常源自对 L_2 的知觉错误。[2] Flege 在回顾自己所做的一系列实验研究时总结说，知觉与发声之间存在着某种关系，即便对于目标语高度熟练的学习者，这种关系依然存在。例如，他曾经研究过汉、英双语者对英语词尾清浊辅音的处理方法(1993)。[3] 他发现，年幼时即为双语者的被试(early bilinguals，简称 E 类)所发的/d/前的元音显著长于/t/前的元音，这种发音特征与英语母语者是相近的。而年龄较大后才学习英语的被试(late bilinguals，简称 L 类)所发的两种元音的差别小于 E 类。在知觉实验中，被 E 类判断为/d/前的元音显著长于被他们判断为/t/前的元音；而对于 L 类，

---

[1] Strange, W. Phonetics of second language acquisition: past, present and future. In K. Elenius and P. Branderud (eds.), *Proceedings of ICPhS* 95. Arne Stombergs: Stockholm. 1995.

[2] Flege, J.E. The relation between L_2 production and perception. In *Proceedings of ICPhS* 99. San Francisco, 1999, pp. 1273—1276.

[3] Flege, J.E. Production and perception of a novel second language phonetic contrast. *Journal of the Acoustical Society of America*, 1993(93), pp. 1589—1608.

这种差别则小得多。发声和知觉中不同辅音前元音的长度表现为正相关($r=0.54$, $p<0.01$)。不过,Flege 承认,在迄今为止的 L_2 语音知觉与产生关系的研究中,二者的相关系数始终徘徊在 0.50 左右,因此他将二者之间的关系界定为一定程度的相关(modest correlation)。

我们认为,在第二语言的语音习得中,知觉与发音之间的关系至少可以从以下三个层面来进行讨论:(1)语音知觉的声学关联物和发音声学特点之间的相关。例如,母语是普通话的中国人在知觉英语的松紧元音的区别时主要依赖元音时长(母语者依赖的是元音的频谱特征),在发音中学习者也主要依靠时长而不是频谱特征来区别元音的松紧。[1] Flege 的实验基本上是这个层面的研究。(2)知觉与发音的获得顺序问题。先听到目标语的语音,然后加以发音上的模仿,语音习得的过程就是无数次"知觉→发音"的重复。那么,新的语音范畴在知觉中的建立是否一定先于在发音中的建立? Strange 的研究是基于这个层面的。(3)从学习者的角度看,知觉的成功或失败与发音的成功或失败之间是否有着一定的关系,即能够成功地知觉目标语音系的学习者是否在发音中对这个成功有所表现,或者反过来看,发音中的成功者在知觉上是否也有成功的表现。当然,这三个层面之间是有着密切联系的,同一项实验研究,如果对实验结果进行项目分析,得到的结论是属于(2)的;如果进行被试分析,得到的结论是属于(1)或(3)的,而从统计理论上来说,被试分析和项

---

[1] Wang, X., Munro, M. T. The perception of English tense-lax vowel pairs by native mandarin speakers: the effect of training on attention to temporal and spectral cues. *Proceedings of ICPhS* 99. San Francisco, 1999, pp. 125—129.

目分析所得到的结果既可能一致,也可能不一致。显然,Strange 和 Flege 所探讨的是知觉与发音关系中不同层面的问题,而如果仅就一个层面的研究结果对知觉与发音之间的关系下结论,就未免失之轻率。

(三) 问题的提出

鼻音韵尾存在/n/和/ŋ/的对立是汉语普通话韵母的特点之一。日语中只有一个可以在词尾出现的鼻音音位/N/[①],它在语音表达(phonetic representation)上与普通话的两个鼻音韵尾都存在差别。由于两种语言在鼻音问题上既有音位数目的差别,又有语音表达的差别,因此,可以预测,汉语普通话中的两个鼻音韵尾是日本学习者的困难之一。在教学实践中,鼻韵母的学习对日本学生来说存在相当大的难度也是许多汉语教师的共识。

从语音习得研究的角度看,需要进一步讨论的是:(1)普通话的两个鼻音韵尾对于日本学习者来说难度上是否存在差异;(2)普通话中共有 16 个鼻韵母,这些韵母对于日本学习者在难度上是否存在差异;(3)以上差异存在或者不存在的原因是什么;(4)对于鼻韵母知觉的错误是否一定引起发音的错误;反过来,鼻韵母发音的错误是否一定来源于知觉,二者的相关程度如何。对于以上问题的讨论,不仅可以为鼻韵母的教学提供参考,同时也能够为语音习得理论提供一些新的实证材料。关于日本人的普通话鼻韵母发音的语音表现,已有研究者从语音学

[①] 日语中还有一个只能出现在音节开始位置的鼻音[n],从分布上看,它与拨音 h[N]是互补的;从音韵地位上看,[n]不能自成音节,而拨音永远自成音节。

(phonetics)的角度进行了分析。[①] 本文拟从音位的角度对日本学习者感知和产生普通话鼻韵母的特点进行调查,因此对于语音偏误的生理或声学特点,若非需要,将不予详细讨论。

二 研究方法和过程

(一) 实验内容

整个实验分为两部分,第一部分为知觉实验,目的在于调查日本学习者能否在知觉中辨认普通话母语者所发的鼻音韵母是前鼻音韵母还是后鼻音韵母。第二部分为发音实验,目的在于调查学习者能否在发音中区分普通话的前后鼻音韵母,以普通话母语者对学习者发音的知觉评判结果作为区分标准。

(二) 被试

参加实验的 36 名被试均为北京语言文化大学的日本学生,其中男生 10 人,女生 26 人。所有被试均报告听力正常。其中的 30 位报告了年龄,他们的平均年龄为 23.3 岁。36 位被试在中国生活的平均时间为 15.7 个月。除了以上 36 位日本学习者外,参加本实验的还有两组普通话母语者。第一组是知觉实验中知觉语料的发音人,男女各一位,他们均为北京语言文化大学对外汉语系的学生,在北京生长,口齿清楚。第二组为发音实验中对学习者的发音进行知觉评判的普通话母语者,他们是来自北京语言文化大学对外汉语系的 14 名学生,其中男 3 名,女 11 名,平均年龄 18.2 岁。他们均在北京生长,无听力障碍。

[①] 朱川(主编)《汉语语音学习对策》,语文出版社 1997 年版,第 132—142 页。

（三）知觉实验过程

用来给被试进行知觉作业的是 160 个韵尾为鼻音的单音节词或某一音节的韵母为鼻韵母的双音节词，其中包括了除 üan 以外（普通话中不存在以韵尾与之对立的"üang"）普通话中所有的鼻韵母类型，由于韵母为 ueng 的音节仅限于零声母音节且数量很少，因此将它归入 eng 组。为了统计时数据的均衡，en 组中也包含了与 ueng 数量相等的零声母 uen，但是为了考察辅音声母音节中韵母 u(e)n（下文一律写作"un"）和 ong 的区分情况，因此辅音声母后的 un 又被单独列为一类。也就是说，en 组中所含的少量 uen 是以音节 wen 的形式与被试见面的，与其他韵母为 en 的项目一样，用于调查学习者对 en 和 eng 的区分情况。

这样共有 14 个用来进行听辨的韵母类型，除了 en 和 eng 以外，每一个韵母都被分别置于 5 个单音节词和 6 个双音节词中，其中置于双音节前字和后字各 3 次。en 类和 eng 类都被分别置于 7 个单音节词和 7 个双音节词中，其中置于双音节前字 3 次，后字 4 次。所有的项目被随机排列。

由男女两位发音人以朗读语速各念被随机后的项目一遍，录音工作在录音室内进行，电容话筒，SONY TC-WR645S 型录音机。将模拟语音信号进行了模数转换，16bit 分辨率，44.1 kHz 采样频率，利用声音文件处理软件对转换后的数字语音信号进行了编辑，取男发音人所念的奇数项目和女发音人所念的偶数项目，所有项目之间的时间间隔被定义为 4 秒，这样得到知觉作业中使用的语料。

知觉作业在语言实验室进行，作业形式为 ABX 的二择一强迫选择，即对所听到的词 X 进行 A/B 判断，备选项的配对安排为：an/ang、ian/iang、uan/uang、in/ing、en/eng、ün/iong 和 un/ong。从拼音形式看，对于前 5 对备选项（包括了 10 个韵母）来说，每一对内部只有韵尾的不同。但对于区别 un 和 ong、ün 和 iong 的作业来说，在拼音形式上两个备选项之间还存在元音的差异。为了下文讨论的方便，我们将选择中拼音形式不含元音差别的 10 类韵母称为 SV 类，将选择中含元音差别的 4 类称为 DV 类。

（四）发音实验过程

用来进行鼻韵母发音作业的是 20 个含鼻音韵母的单音节，其中包含了普通话的 10 个鼻韵母，它们是：an、ang、en、eng、in、ing、un、ong、ün 和 iong，每个韵母在发音字表中均出现 2 次。所有项目被随机排列，在每两个项目之间都插入了非鼻音韵母的干扰项目。每一位日本被试以朗读语速念一遍随机后的项目，录音过程和所用设备与知觉实验相同。这样一共得到 720 个发音项目。

为了使发音研究与知觉研究具有可比性，我们对发音作业的评判方法也采用二择一的 ABX 强迫性选择。评判作业所使用的语料的制作过程与知觉作业语料的制作过程相似，唯一的不同之处是在数字文件中又对所有发音人的 720 个发音项目进行了总随机，项目之间的间隔也是 4 秒。评判作业中备选项的配对安排为：an/ang、en/eng、in/ing、ün/iong 和 un/ong。对于 an/ang、en/eng 和 in/ing 来说，两个备选项之间在拼音形式上都只有韵尾的不同；对于 un/ong 和 ün/iong 来说，两个备选项之间还有元音的不同。因此，我们将发音作业也分为 SV 和 DV 两大类。

（五）数据的处理

1. 知觉错误率的计算

对每一位日本被试的知觉错误数进行了统计，并计算了错误率，错误率＝判断错的项目数／项目数。由于每个韵母分别处于三种不同的语境——单音节、双音节前和双音节后，且3种语境的项目数不完全相同，因此，对于每个韵母分别计算了3种不同语境下的错误率，对这3种错误率进行算术平均后得到每个韵母的平均错误率。

2. 发音错误率的计算

对每一位被试的发音错误得分进行了统计，并计算了错误率。某一发音人某一音节的错误得分为14位母语评判人中判断该音节与实际发音的音节不符的人数，例如，发音人1所发的"pan"，有6个人判断为"pang"，则该发音人"pan"的错误得分即为6。由于发音字表中10个韵母均出现了两次，因此每个韵母的错误得分是含有该韵母的两个音节的错误得分之和，例如，发音人1所发的"pan"的错误得分为6，"fan"的错误得分为8，则韵母an的错误得分就为14。每一个韵母的错误得分的满分为28（14个评判人对2个相同韵母的项目进行了判断），用实际错误得分与28的比率来表示错误率，例如发音人1所发的韵母an的错误率就为$(6+8)/28 = 50\%$。

三　知觉实验结果的统计分析

（一）知觉实验结果的统计

1. 与知觉错误率可能有关的若干因素

我们将"韵头＋韵腹"称为"元音"，进行这样的概括是为了考察被试对两种鼻音韵尾的分辨是否受到语音环境的影响。从音位学的观点看,实验项目中所包含的14种鼻音韵尾的元音有/a/(an/ang)、/ia/(ian/iang)、/ua/(uan/uang)、/e/(en/eng)、/i/(in/ing)、/ue/(un)、/u/(ong)、/y/(ün/iong)共8类,由于在知觉和评判作业中,un总是与ong配对,因此我们将它们看做一类,这样共有7类。

因为日语中处于词尾的[N]与普通话的两个鼻音韵尾在发音部位上均不相同,所以,从音位层面我们难以预测汉语中哪种鼻音韵尾对日本人来说更容易学习。如果两种鼻音韵尾的错误率无显著差异,我们就认为学习者对普通话两个鼻音音位的区分是对称的;如果两种鼻音韵尾的错误率有显著差异,我们则认为学习者对两个鼻音音位的区分是倾斜的,正确率高的音位为倾斜的方向。

在知觉实验中我们还将鼻音韵母分别置于单音节词、双音节前字词和后字词的不同语境中,目的是为了研究语境对鼻音韵母的感知是否产生影响。基于以上考虑,我们拟对语料中可能影响鼻音韵尾感知的3种因素——元音、韵尾和语境在知觉作业中所起的作用进行分析。

2. SV类的结果

将元音分为/a/、/ia/、/ua/、/e/和/i/ 5个水平,韵尾分为/n/和/ŋ/ 2个水平,语境分为单音节、双音节前和双音节后3个水平,对韵母的知觉错误率进行了$5 \times 2 \times 3$的被试内多因素方差分析。结果表明,元音对知觉错误率的作用显著,$F(4,140) = 98.609, p = 0.000$;韵尾的作用显著,$F(1,35) = 41.874, p = 0.000$;语境的作用显著,$F(2,70) = 4.979, p = 0.010$;元音和韵尾的交互作用显著，$F(4,140) = 8.453, p = 0.000$；元音和语境的交互作用显著，$F(8,280) = 2.512, p = 0.012$；韵尾和语境的交互作用则不显著，$F(2,70) = 1.471, p = 0.237$；元音、韵尾和语境之间的交互作用显著，$F(8,280) = 5.129, p = 0.000$。

多重检验结果表明，从元音的作用看，除了/a/组和/ua/组之间的差异不显著外($p = 0.485$)，其余的组间差异均是显著的($p < 0.01$)。从语境的作用看，单音节组与两个双音节组之间的差异是显著的($p < 0.05$)，双音节前组和双音节后组之间的差异则不显著($p = 0.554$)。由此可见，日本学生对普通话鼻韵母的知觉确实受到元音、韵尾和语境因素的影响。

从元音的角度看，错误率由高至低的顺序为:/i/组＞/a/组和/ua/组＞/e/组＞/ia/组。从韵尾的角度看,/n/类的错误率高于/ŋ/类，这说明学习者对于两类韵尾的区分是向/ŋ/类倾斜的。对于元音和韵尾与错误率之间的关系，我们在下文中将进行详细的讨论。从语境的角度看，双音节词中的错误率高于单音节词，这是由于韵母处于多音节词中时比处于单音节词中时时长缩短，各音素的清晰度相对有所下降，因此对于整个韵母的区分率也随之下降。

3. DV 类的结果

从理论上来看，在知觉作业中，韵母 un、ong、ün 和 iong 的知觉可能会受拼音形式的干扰。汉语拼音方案在制订时，考虑到书写时字母之间字型容易混淆的问题，将本应写作"ung"和"iung"的韵母制订为"ong"和"iong"的写法。但学习者往往认为拼音形式完全代表了实际的音值。以 un/ong 为例，从理论上来说，如果被试知觉不到鼻音韵尾的差别，由于 un 的音值

[uən]与备选 ong 的拼音形式相差较远,在知觉作业中就有可能使用排除法而对它进行正确的选择;而 ong 的音值[uŋ]与 un 的实际拼音形式 un 比较接近,被试就有可能对 ong 进行错误的判断。ün 和 iong 的情况是类似的,它们的音值分别为[yən]和[yŋ],显然,ün 的音值与 iong 拼音形式相差较远,因此,在对 ün 进行判断时,采取排除法容易得到正确的答案,而 iong 的音值与自身的拼音形式相差较远,与 ün 的拼音形式倒较为接近,被试在对它进行判断时很容易受到拼音形式的干扰而进行错误的选择。概括地说,拼音形式对知觉作业干扰的结果是使/n/类的正确率上升,/ŋ/类的正确率下降,因此学习者对于 DV 类两类鼻韵尾的区分有可能向/n/类倾斜。

除了考虑韵尾(在这里实际上是拼音形式)的因素外,与上节相似,我们同样要考虑不同元音和韵母所处的语境对知觉错误率的影响。因此将元音分为两个水平(/u/类和/y/类),韵尾和语境依然是 2 个和 3 个水平,对知觉错误率进行了 2×2×3 的被试内多因素方差分析。

统计检验的结果表明,元音对错误率的作用显著,$F(1,35)=19.641, p=0.000$,/y/组的错误率高于/u/组;韵尾对错误率作用显著,$F(1,35)=31.766, p=0.000$,/ŋ/类的错误率高于/n/类;语境对错误率的作用显著,$F(2,70)=5.474, p=0.006$;元音与韵尾的交互作用显著,$F(1,35)=18.782, p=0.000$;元音与语境的交互作用不显著,$F(2,70)=2.165, p=0.122$;韵尾与语境的交互作用显著,$F(2,70)=3.330, p=0.042$;元音、韵尾和语境之间的交互作用显著,$F(2,70)=7.100, p=0.002$。多重检验的结果表明,单音节组与双音节前和双音节后组之间的差异均是不显著的(p>0.05),但双音节前组和后组之间的差异则是显著的(p=0.003),双音节后组的错误率高于双音节前组。

由于 iong 的实际音值与拼音形式之间的差别(韵头和韵腹均不相同)比 ong 的实际音值与拼音形式之间的差别(韵腹舌位的高低略有不同)大,因此 iong 在知觉作业中更容易被采取排除法归入 ün,因此错误率比 ong 高,这就导致整个/y/类的错误率高于/u/类。

两类韵尾错误率之间的关系与我们理论上的预测是一致的,但是需要注意的是这个关系与它们在 SV 类韵母中的关系是相反的。语境对错误率的作用在 DV 类韵母中的表现与在 SV 类中不一致,对此我们暂时无法从理论上或实验方法上给出解释。

(二)知觉实验结果的讨论

1. 元音与韵母知觉错误率之间的关系

从孤立的音位角度看,[-n]和[-ŋ]的区分对于日本学习者来说应该始终是一个难点,但从上面的实验结果中我们却看到,这个难点的难度与鼻音所在的韵母有显著关系,例如,an 的错误率高达 50.62%,这个结果说明学习者完全不能将它与 ang 相区别;而 ian 的错误率只有 3.03%,这个结果说明学习者基本可以将它与 iang 相区别。单纯从母语负迁移的角度是难以对这种现象做出解释的。既然韵母在知觉中的错误率与元音有着某种关系,我们就应当从元音的音值入手对这种关系的性质进行讨论。

王理嘉(1991)对普通话鼻韵母的音值用严式国际音标进行

了描写:①

/n/类	/ŋ/类
(1) in[in]	ing[iəŋ]
(2) an[an]	ang[ɑŋ]
(3) uan[uan]	uang[uɑŋ]
(4) en[ən]	eng[ʌŋ]
(5) ian[iɛn]	iang[iɑŋ]
(6) ün[yən]	iong[yuŋ]
(7) un[uən]	ong[ʊŋ]

可以清楚地看到,按从(1)至(7)的顺序,/n/类和/ŋ/类之间元音音质的差别越来越大。对于(1)来说,尽管后鼻音韵母比前鼻音韵母多出了一个央元音[ə],但这个元音的长度很短,可以看做是舌头从[i]到[ŋ]运动过程中自然出现的过渡音,因此被试对它的存在并不敏感。我们认为,实际上北京人所发的in在从[i]到[n]的过程中也可能有短暂的[ə]的出现,因此可以说 in 和 ing 这两个韵母的元音是非常接近的。(2)的内部和(3)的内部两个韵母在元音上的差别主要是韵腹舌位前后的差别,由于低元音在舌位前后上的差别是所有元音中最小的,因此这两组内部前后鼻韵母元音音色的差别也不是很大。(4)的内部和(5)的内部两个韵母之间元音的差别来自韵腹舌位的高低和前后两方面。鲍怀翘(1984)指出,由于人的口腔前后轴长,上下轴短,所以舌位的前后移动对元音的音色变化相对不太敏感,而上下

---

① 王理嘉《音系学基础》,语文出版社 1991 年版,第 102—104 页。

轴上的少量位移往往会引起元音音色的变化。① 因此,(4)的内部和(5)的内部韵腹的差异比前面3对都大。而(5)的内部韵腹舌位高低的差别达到了元音舌位图中1度(半低和低),因此(5)的内部韵腹的差别又比(4)更大。(6)和(7)内部的两个韵母之间韵腹既有舌位高低和前后的差别,又有唇形圆展的差别,因此音色的差别是最大的。

从元音角度得到的韵母知觉错误率的排序与以上7组韵母的排序大体是一致的。至此我们可以认为,日本学习者区分一对在音位上韵腹相同的前后鼻音韵母时,在一定程度上依赖了这一对韵母的韵腹(即同一个音位的两个不同变体)在音值上的差别,两个变体在音值上相差越大,学习者就越容易在知觉中将这两个韵母相区别。这就是元音因素与韵母知觉错误率关系的实质所在。

2. 韵尾区分中的倾斜性

日语中处于音节末尾位置的/N/的典型音值是小舌鼻音[N]或者舌位较高的鼻化元音。② 从发音部位上看,小舌与软腭的距离是比较近的,也就是说,从音色上看,[-ŋ]比[-n]更像[N]。根据Best的知觉同化模型,学习者对普通话的这两个鼻音韵尾应当具有一定的区分能力,本研究的结果也是与理论上的这种预测相吻合的。但是,我们应该进一步讨论的是,L_2中的这两个范畴对于学习者来说,知觉困难的大小是否一致。在本研究中,SV类韵母中/n/类的错误率高于/ŋ/类。由于本实

---

① 鲍怀翘《普通话单元音分类的生理解释》,《中国语文》1984年第2期。

② Okada, H. Japanese. In *Handbook of the International Phonetic Association*. Cambridge University Press. 1999, pp. 117—119.

验的知觉作业方法是要求被试对所听到的鼻韵母作出是/n/类还是/ŋ/类的判断,因此,这个结果的实质就是学习者将/n/类误认为/ŋ/类的情况多于将/ŋ/类误认为/n/类的情况。这说明,日本学习者对于母语中不存在的鼻音对立中两个音位的感知困难程度是不同的,对于与母语音色比较接近的音位/ŋ/的感知困难要小于与母语音色相差稍远的音位/n/。学习者对于L_2对立中两个音位感知困难的不对称性是否为L_2语音知觉的普遍规律,还有待更多实验研究的证明。

为了对14类韵母的错误率进行总体上的比较,我们对它们的平均错误率进行了被试内一元方差分析,结果表明,它们之间的差异是显著的,$F(13,455)=59.521$,$p=0.000$。14类韵母错误率的均值和标准差见表1。根据多重比较中差异的显著与否,可将错误率按照由高到低的顺序进行下面的总排序:

uan、ing、an、in＞uang、ang、iong、en＞ong、eng＞iang、un、ian、ün

在总的排序中,元音因素、韵尾因素对错误率的作用以及它们对错误率的交互作用基本上都得到了体现,但也有例外,那就是/i/和/ia/组内部前后鼻音错误率没有显著差别。而从元音的角度看,这两组恰好分别是错误率最高和最低的。/i/组前后鼻音的错误率均接近50%,这说明学习者对于它们的听辨基本是建立在猜测的基础之上的。/ia/组前后鼻音的错误率均小于4%,可以认为学习者已经在知觉中将它们范畴化了。这个结果似乎表明,当学习者完全不能区分或者能够很好地区分一对鼻韵母时,前后鼻音的正确率(或者错误率)就没有显著差异;而当学习者能够在一定程度上区分一对鼻韵母时,他们对前后鼻音的区分则有一定的倾斜性。在本研究中,这种倾斜在不同条件下方向并不一致。在没有拼音符号干扰的情况下,学习者对前鼻音的辨认能力不及对后鼻音的辨认能力;在受到拼音符号干扰时,情况则相反。

图 1 14 类韵母知觉错误率的排序

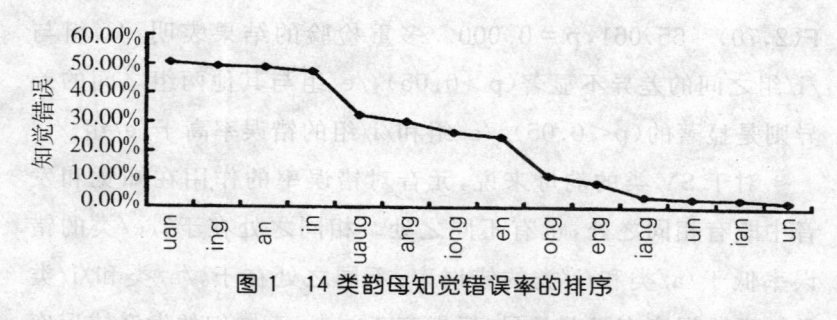

表 1 14 类韵母知觉错误率的均值和标准差

韵母	错误率均值	标准差	韵母	错误率均值	标准差
uan	50.62%	0.1577	en	25.10%	0.1866
ing	49.38%	0.2169	ong	11.54%	0.1735
an	48.95%	0.1988	eng	8.93%	0.1366
in	47.50%	0.1807	iang	3.83%	0.0803
uang	32.65%	0.1818	un	3.21%	0.0519
ang	30.43%	0.1625	ian	3.03%	0.0672
iong	26.73%	0.2112	ün	2.22%	0.0550

四 发音实验结果的统计分析

(一)元音和韵尾对发音错误率的作用

1. 对 SV 类的分析

发音实验所使用的项目均为单音节,所以对于错误率的方差分析只需考虑元音和韵尾两个因素。由于 SV 类中元音有 3

类,因此进行了 3×2 的被试内方差分析。统计检验的结果表明,元音对错误率的作用显著,$F(2,70)=6.927$,$p=0.002$;韵尾对错误率的作用显著,$F(1,35)=7.917$,$p=0.008$,/n/类的错误率高于/ŋ/类。元音和韵尾的交互作用也是显著的,$F(2,70)=55.061$,$p=0.000$。多重检验的结果表明,/a/组与/i/组之间的差异不显著($p>0.05$),/e/组与其他两组之间的差异则是显著的($p<0.05$),/a/组和/i/组的错误率高于/e/组。

对于 SV 类的韵母来说,元音对错误率的作用在知觉和发音中既有相同之处,也有不同之处。相同之处在于,/e/类的错误率低于/a/类和/i/类的错误率;不同之处在于,/a/类和/i/类的知觉错误率有显著差异,后者高于前者,而它们的发音错误率则无显著差异。在知觉实验中,/i/组、/a/组和/e/组的平均错误率分别为 48.44%、39.69% 和 17.02%[①],从错误率差距上看,显然,/a/组与/i/组之间的距离小于它与/e/组之间的距离,因此,如果对错误率做进一步归并的话,/a/组和/i/组应与/e/组分别属于两大类。也就是说,从宏观的角度看,3 组韵母错误率之间的关系在知觉和在发音中是一致的。

朱川(1997)认为,在前后鼻音韵母之中,留学生偏误最严重的是 in 和 ing,"似乎韵腹越小偏误越大似的"。但是,从我们的实验研究看,无论是在知觉作业还是在发音作业中,韵母 an 的错误率都不比 in 和 ing 低,并且 ong 和 iong 的韵腹开口度都很小,而它们的发音错误率却很低,因此从本研究中看不到韵腹

---

① 此处的平均错误率是元音相同的前后鼻音韵母错误率的平均值,例如,ing 的错误率为 49.38%,in 的错误率为 47.50%,则/i/组的平均错误率为(49.38% + 47.50%)/2 = 48.44%。

越小偏误越大的规律。关于韵腹与偏误之间的关系,上文已有分析,兹不赘言。

发音实验中/n/类和/ŋ/类错误率的关系与知觉实验的结果相同,导致这个现象产生的原因比较复杂,母语鼻音音位对于发音的直接影响应该是原因之一。由于日语中的鼻音[N]在发音部位上与普通话的[-ŋ]更相近,因此,在强迫性选择的评判作业中,如果发音人用母语中的[N]或与之发音部位相接近的鼻音代替普通话的[-n]和[-ŋ],那么,从理论上说,/n/类发音被判断为/ŋ/类的可能性就会高于/ŋ/类被判断为/n/类的可能性,因而导致/n/类的错误率高于/ŋ/类。不过,在对10个韵母的错误率差异进行方差分析(见(二))时我们看到,实际上在SV类中,in的错误率均值虽然比ing高近4%,但二者之间的差异并不显著($p=0.504$);en和eng的错误率差异虽然显著,但却是前者低于后者。只有an的错误率远远高于ang,而且差异显著($p=0.000$),因此,目前这个结果应当是由/a/组内部错误率差别较大所直接导致的。

这里需要特别指出的是eng的发音问题。在知觉实验中,eng的错误率很低(8.93%),而且显著小于en的错误率(25.10%),可以认为学习者能够较好地将eng与en进行区别。而在发音实验中,eng的错误率高达42.96%,可以认为评判人基本上无法将它与en进行辨别,在发音错误率的排序中仅次于an和in。而en的错误率在发音实验中只有20.54%,远远低于eng,在整个发音排序中的位置也与它自己在知觉排序中的位置相仿。eng的发音数据为何在整个实验结果中表现得如此特殊,我们暂时还无法给予理论上的解释。

2. 对 DV 类的分析

与知觉实验相似,从理论上说,韵母的拼音形式也会对发音实验的结果带来影响,而且有意思的是,因为发音实验和知觉实验中的学习者和母语者进行了发音和知觉的角色互换,所以,韵母的拼音形式与对两个实验结果的影响应该是相反的。由于学习者从拼音形式上容易将 un 和 ün 的韵腹误认为与 ong 和 iong 相同的[u]和[y][①],从而在发音中将这两个韵母真正的韵腹[ə]丢失。此外,因为 ün 在具体的音节中 ü 上面的两点常常是省略的,所以学习者也会将 ün 的韵腹误认为[u]。无论出现这两种偏误中的哪一种,只要学习者不能在发音中清楚地将前鼻音表达出来,un 和 ün 在评判作业中就可能被判断为后鼻音韵母,错误率将因此而升高。而学习者如果对于 ong 和 iong"望字生音",将这两个韵母的元音发成[o]和[io],这将会使它们在音值上与 un 和 ün 相差更大,因而在评判作业中这类样本被判断为后鼻音的可能性就更大,错误率将因此而降低。这样,如果从理论上进行预测的话,发音实验中 DV 类的后鼻音的正确率应当高于前鼻音。另外,如果从母语音位系统负迁移的角度看,由于[-ŋ]在音值上与[N]更为接近,因此发音实验中/ŋ/类的正确率也应高于/n/类。

---

① 关于韵母 iong 的韵腹问题,学术界存在不同看法,有人认为其韵腹为[u],因此将这个韵母看作齐齿呼。也有人认为它的韵腹是[y],因此将它看成撮口呼,音系学家大多如此处理。王理嘉(1991)将 iong 的音值描写为[yʊŋ],并不一定表示他认为该韵母的韵腹是[u],因为普通话中不存在介音和韵腹同为高元音的韵母,这里的[ʊ]只是表示舌头由[y]的位置向[ŋ]的位置移动时出现的过渡性音素。

第一节 日本学生普通话鼻音韵母感知与产生的实验研究

图 2 和图 3 分别是学习者和母语者所发的"晕"二维频谱图（使用 Pratt 语音分析软件分析，采样率为 44.1kHz）。尽管两张语图中鼻音韵尾的共振峰模式没有表现出鲜明的差别[①]，但元音第二共振峰（F2，表达元音舌位前后度的声学参数，图中从底部向上第二条点线）的差别却是一目了然的。在图 2 中，学习者发音的 F2 从 2500Hz 左右的位置急剧下降，在元音部分最低下降到 1300Hz 左右的位置，说明舌位的迅速后缩。在图 3 中，母语者发音的 F2 也有所下降，向[ə]的方向靠拢，但在元音部分到了 2000Hz 左右的位置就不再下降，说明韵腹的舌位处于较为靠前的位置。学习者的语图说明了她将音节 yun 的韵腹误认为[u]的现象。

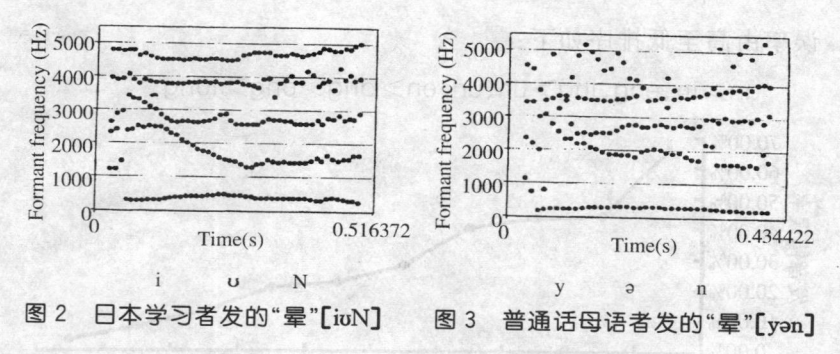

图 2　日本学习者发的"晕"[iʊN]　　图 3　普通话母语者发的"晕"[yən]

对于 DV 类的发音错误率也进行了被试内的两因素（元音和韵尾）方差分析。统计检验结果表明，元音对错误率的边缘不显著，$F(1,35) = 0.058$，$p = 0.811$；韵尾对错误率的作用显著，$F(1,35) = 33.825$，$p = 0.000$；元音和韵尾的交互作用显著，

[①] 作为韵尾的鼻音在共振峰模式上可能没有显著差别，参见吴宗济、林茂灿（主编）《实验语音学概要》，高等教育出版社 1989 年版，第 146、150 页。

$F(1,35)=4.369, p=0.044$。与 SV 类相同，/n/韵尾的错误率高于/ŋ/韵尾，这个结果与理论预测是一致的。

元音对发音错误率的边缘不显著，这个结果与知觉实验的结果接近。从上文知觉错误率的总排序中我们可以看到，元音对于错误率的作用主要表现在 ong 和 iong 错误率的差别中，un 和 ün 的差异并不显著($p=0.396$)，在发音作业中，un 和 ün 的差异同样也是不显著的($p=0.222$)。

(二) 对发音错误率的总排序

对于所有 10 类韵母的错误率进行了被试内的单因素方差分析，结果表明，韵母错误率的差异是显著的，$F(9,315)=34.804, p=0.000$。按照多重检验中差异是否显著的结果，错误率由高至低排序如下：

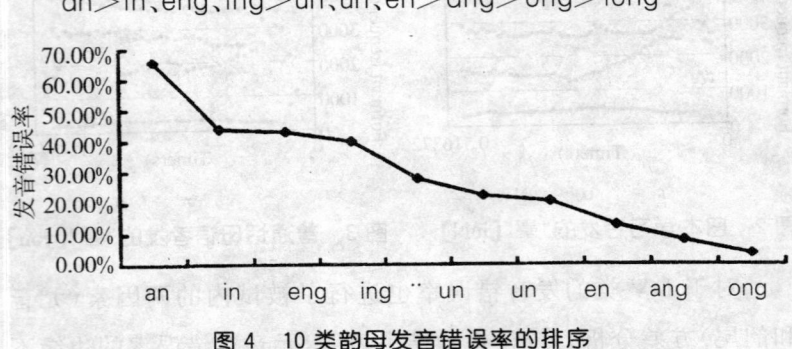

an＞in、eng、ing＞ün、un、en＞ang＞ong＞iong

图4 10类韵母发音错误率的排序

各类韵母的错误率均值和标准差见表2。

表2 10类韵母错误率的均值和标准差

韵母	an	in	eng	ing	ün	un	en	ang	ong	iong
错误率均值	65.68%	43.85%	42.96%	39.88%	27.78%	22.32%	20.54%	12.80%	7.94%	3.57%
标准差	0.3215	0.1994	0.2109	0.2517	0.2563	0.2035	0.222	0.1218	0.8238	0.0483

在发音错误率的排序中,内部差别最大的前后鼻音韵母对是 an 和 ang。an 的错误率接近三分之二,说明学习者不仅不能将 an 与 ang 相区别,而且还有将 an 念成 ang 的倾向。而 ang 的错误率只有八分之一强,说明学习者基本上能够从在发音中表达它与 an 的区别。在知觉作业中,an 的错误率为 48.95%,ang 为 30.43%,an 比 ang 的错误率高 18.52%。显然,发音中二者的差别进一步扩大了。正是由于发音中 an 和 ang 的差别较大,导致上文的方差分析中/n/类的错误率高于/ŋ/类。in 和 ing 的错误率差异不显著,这与知觉实验的结果是相似的。尽管拼音形式的干扰使得 un 和 ün 的错误率上升,但是它们的错误率还是远远低于 an,这也许是知觉作用的结果,因为在知觉实验中他们的错误率是非常低的。

五 知觉和发音的关系分析

(一) 知觉与发音的相关分析

本研究未从声学语音学的角度进行合成语音的知觉实验,因此无法从声学参数的层面对知觉与发音之间的关系进行分析,我们将从知觉与发音的顺序、知觉成功率与发音成功率的关系两个角度对本研究的实验结果进行讨论。

对于 36 位被试知觉和发音的错误率进行了相关分析,为了使两个变量之间具有可比性,我们计算知觉错误率时对原始数据进行了调整。由于发音实验只有 10 类韵母,并且这些韵母在实验中只出现在单音节的语境中,因此计算知觉错误率时也只统计了与发音实验项目相同的 10 类韵母在单音节中的数据。Spearman 相关分析的结果表明,被试的知觉错误率与发音错误率之间存在显著正相关(r=0.417,n=36,p=0.011)。尽管本实验的相关分析所使用的变量是错误率而不是声学参数,但从中得到的结论与 Flege 的观点是吻合的。从理论上来说,我们也可以从项目(即韵母的角度)对知觉与发音的关系进行分析,但是,由于在知觉和发音作业中同时出现的项目只有 10 个,样本量太小,而且其中的 4 个在知觉作业和发音作业中所受到的拼音形式的作用正好相反,因此,从统计学的角度看,不宜进行项目的相关分析。

(二) 知觉错误率与发音错误率的对比

1. 被试分析

我们对 36 位被试的知觉错误率和发音错误率的差别进行了被试内方差分析。所用数据与错误率相关分析中的数据相同。知觉的平均错误率为 22.33%,标准差为 0.0812;发音的平均错误率为 28.73%,标准差为 0.0919。发音错误率比知觉错误率高 6.40%,二者的差异是显著的,$F(1,35)=15.816, p=0.000$。在本实验中,对发音作业的评判不是依据实际音值的准确度,而是依据两类鼻音韵母是否具有音位性的差别,因此,我们尚不能完全依照本结果来对被试的知觉错误率和发音错误率的关系进行精确的界定。但是,由于错误率对比中知觉作业的项目和发音作业的项目具有结构上的同一性,而且知觉作业和对发音作业的评判作业在形式上完全相同,因此,至少从音位的角度看,这个结果——即鼻音韵尾总的发音错误率高于知觉错误率——具有一定程度的可靠性。从图 5 可以直观地看到,发音错误率的折线与知觉错误率的折线尽管在少数被试那里有交叉,但总的来说是前者浮于后者之上。

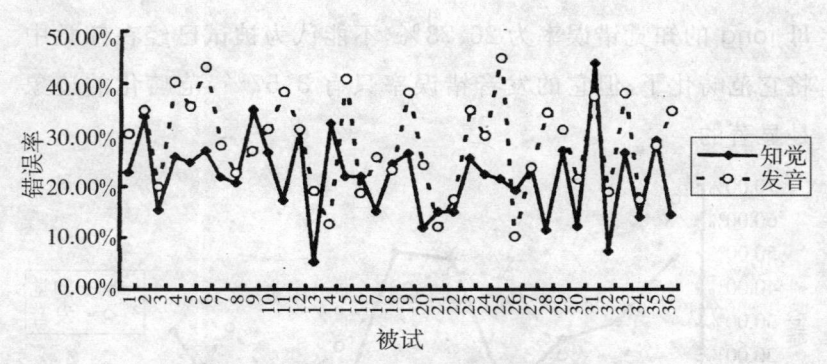

图 5 36 位被试知觉与发音错误的对比

2. 项目分析

我们还对 10 类韵母的知觉错误率和发音错误率的差异进行了被试内方差分析。结果表明，知觉错误率与发音错误率之间的差异不显著，$F(1,9)=0.301, p=0.597$。DV 类韵母在知觉和发音实验中受到来自拼音形式的相反作用，为了排除这个结果对项目分析的干扰，又对 SV 的 6 个韵母的知觉和发音错误率进行了方差分析，结果仍然是两类错误率的差异不显著，$F(1,5)=0.109, p=0.755$。从图 6 可以直观地看到，分别表示知觉和发音两种错误率的两条折线彼此纠缠，没有表现出分离的倾向。

Flege(1999)和其他一些研究者的实验表明，对于 L_2 音位范畴的获得，知觉可能是先于发声的，即已经能够知觉到的一些语音对立，在发声中却没有表现出来。这一看法恰好与 Strange(1995)的结论相反。而这两种现象在我们的实验中均有所表现，例如，韵母 eng 的知觉错误率为 8.93%，可以认为被试在知觉中已经将它范畴化；而在发音中错误率却高达 42.96%，即被试基本上未能在发音中将它与 en 的区别表达出来。又如,韵母 iong 的知觉错误率为 26.73%,不能认为被试已经在知觉中将它范畴化了;但它的发音错误率只有 3.57%,范畴化的迹象是显著的。

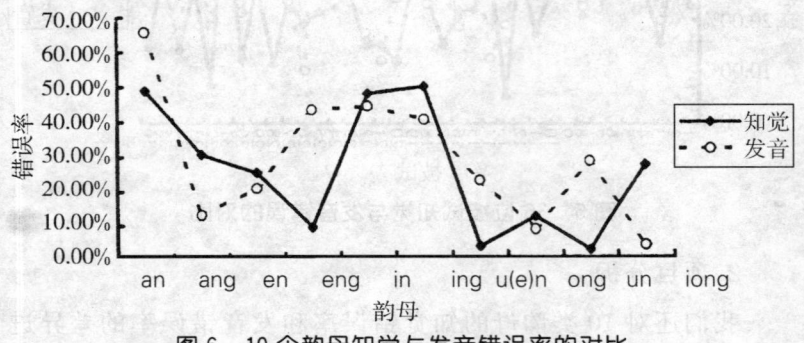

图 6 10 个韵母知觉与发音错误率的对比

对于知觉与发音的关系,不同的实验研究得到了不同的结果,我们认为这并不是一个令人沮丧的现象,反而说明发音与知觉之间的关系是错综复杂的。这个关系或许不是用一条简单的、孰先孰后的规则就能描写清楚的。我们应该通过更多的实验研究,找到更多的制约二者之间关系的规则,并且弄清这些规则之间的彼此关系,这样才能将知觉与发音之间关系的研究向前推进,从而更好地指导我们的语音教学。

就本实验而言,在一些实验项目中出现的发音先于知觉的原因是汉语拼音方案的符号和它所代表的实际音值的差别,或者说是本实验的作业方式。语音知觉实验中所使用的文字符号可能会对实验结果带来某些影响,这个问题早已引起研究者们的注意,由于篇幅所限,这里不能详述。实际上这种影响在成人的 L_2 语音习得,特别是在有正规教育(formal instruction)的习得中也会存在,例如,学习者在知觉不到目标语之中两个音位的差别时,通过课本中的发音图示和表达两个音位的符号的不同,可能会在发音中将两个音位区别开,这样,从表面现象看,发音范畴的建立似乎先于知觉范畴的建立。但对于同一个学习者,一旦离开书面符号的中介,情况可能就会改变。书面符号对于成人 L_2 语音习得所产生的作用是一个值得进行专门研究的问题。

六 结论

通过对知觉实验和发音实验结果的分析,我们可以得到以下结论:(1)日本学习者在区分普通话的前鼻音韵母和后鼻音韵母时,在相当程度上依赖了韵母中的元音音色,这种依赖策略导致对不同的鼻音韵母区分率不尽相同,韵腹音值相差较大的前后鼻音韵母比韵腹音值接近的前后鼻音韵母相对来说更容易区分。(2)汉语拼音方案的符号对于前后鼻音韵母在知觉中和在发音中的区分均产生了一定作用,并且在知觉和发音中的作用恰好相反。(3)在没有拼音方案符号干扰的情况下,学习者对于两个鼻音韵尾的区分向后鼻音韵尾倾斜,即对于后鼻音韵母的辨认能力高于前鼻音韵母,后鼻音韵母的发音正确率也有高于前鼻音的倾向,这是由后鼻音的音色与学习者母语中词尾[N]的音色更加接近所导致的。(4)学习者在知觉中对于鼻音韵母的区分率与发音中对于鼻音韵母的区分率存在显著的正相关关系,但相关强度未达到中等。(5)从被试的角度看,知觉中鼻音韵母的区分率高于发音中的区分率;但从具体韵母的角度看,知觉错误率与发音错误率之间的差异不显著。由此可见,在成人的 L_2 习得过程中,语音知觉与语音产生之间的关系是错综复杂的。

第二节 韩国、日本学生普通话高元音感知的实验研究[①]

语音感知问题是语音学的重要课题之一,通过语音感知研究而得到的语音近似度的结果可以为音系学的研究提供心理现实依据。语音感知问题同样也是语音习得研究中的一个重要方面,感知是语音习得过程中的第一个步骤,对第二语言(L_2)音系的感知模式是中介语音系的重要组成部分。在 L_2 语音习得研究中,一些研究者提出了带有普遍性的感知模型,其中较有影响的是 Best 的知觉同化模型(Perceptual Assimilation Model,简称为 PAM)。她认为,人们在感知 L_2 音位时,可能会出现 4 种类型的模式,其中的 3 种与语音学习有关:(1)将 L_2 中对立的两个范畴同化到母语中也互相对立的两个范畴中,因此能够很好地区分 L_2 中的两个范畴;(2)将 L_2 中对立的两个范畴同化到母语中的一个范畴中,并且认为它们与母语中的这个范畴的相似度一样大,因而对这两个范畴不能很好地区分;(3)将 L_2 中对立的两个范畴同化到母语中的一个范畴中,但认为它们与母语中这个范畴的相似度不一样,因此能够在相当程度上区分这两个范畴,但区分率不及(1)高。[②] 本文将 Best 的知觉同化

[①] 本文原标题为"韩国、日本学生感知汉语普通话高元音的初步考察",作者王韫佳,原载《语言教学与研究》2001 年第 6 期。

[②] Best, C. T. A direct-realist view of cross-language speech perceptions. In W. Strange (eds.), *Speech Perception and Linguistic Experience: Theoretical and Methodological Issues*. Timonium, MD: New York Press. 1995, pp. 229—273.

模型作为实验设计的理论基础。

外国人学习汉语时,常常对普通话高元音系统中的某些音位和音位变体感到困惑。在普通话的高元音系统中,存在舌位前后的对立,唇形圆展的对立,前、高元音音位还有在其他语言中少见的舌尖元音变体。对语音学习影响最大的因素当属学习者的母语背景,因此,对不同母语的学习者来说,面临的问题可能是不同的。我们拟以韩国和日本学生为研究对象,对他们感知普通话高元音的特点做一个初步考察。

一 普通话、韩语和日语的高元音系统

普通话中可做韵腹和介音的高元音音素共有 5 个,它们是[i]、[u]、[y]、[ɿ]和[ʅ]。其中前高元音[i]与两个舌尖元音[ɿ]和[ʅ]的分布关系是互补的。国内的语言学家一般认为普通话中共有 3 个高元音音位,即[i]和舌尖元音[ɿ]、[ʅ]归为一个音位/i/,[u]、[y]各自成为一个音位/u/、/y/。汉语拼音方案也是这样处理的。

韩语中有长短元音的对立。如果不考虑这种对立,而仅看元音的舌位和唇形的话,韩语中存在 3 个没有争议的高元音音素[i]、[u]和[ɯ],它们也属于 3 个不同的音位。韩语中还存在一个有争议的元音音位/y/。对于这个音位,一些中国的韩语教材和韩国传统的音韵学著作都处理成单元音音位,并且将它的音值描写成[y]。① 另一种观点则认为韩语中不存在与/i/相对立的前、

---

① 郑然粲《韩国语音韵论》,开文社 1981 年版,第 129 页;北京大学朝鲜文化研究所《韩国语基础教程》,辽宁民族出版社 1993 年版,第 2 页。

高、圆唇元音,"/y/"的实际音值为[wi],是一个复合元音。① 这两种描写实际上反映了语音的社会变体,[y]是老年首尔人和媒体播音的发音,而[wi]则是中青年首尔人的发音。② 在理论上,我们当然可以将[wi]和[y]处理成音位/y/的不同变体,但[wi]和[y]中哪一个是这个音位的底层形式也是必须回答的问题。

日语中共有2个高元音音素:[i]和[u],它们的分布是对立的,因此也就有2个高元音音位。在两个高元音音素中,[i]的音值与普通话中的[i]接近,[u]的舌位比普通话中的[u]靠前,且圆唇程度不大。因此,日语中两个高元音的关系与普通话中[i]和[u]的关系是相似的,即都是对立分布,且在特征上都有舌位前后的差别,但日语仅有前后之别,而普通话则还有圆展之别。

二 研究过程

(一) 实验材料

为两国学生设计的实验材料大部分项目相同。针对韩国学生的项目包括87个单音节或双音节词,其中以元音[i]为韵母或为韵母介音的有28个,以[u]为韵母或介音的有21个,以[y]为韵母或介音的28个,以[ɿ]为韵母的和以[ɤ]为韵母的各5个。

针对日本学生的项目包括109个单音节或双音节词,其中

---

① Lee, Hyum Bok. Korean. In IPA (eds.), *Handbook of the International Phonetic Association*. Cambridge: Cambridge University Press. 1999, p. 121.

② 权英实《韩国语与韩语普通话语音的对比》,《韩国研究论集》(许维翰主编),新世界出版社1999年版,第20—52页。又另据与北京大学中文系博士研究生权英实女士的个人讨论。

第二节 韩国、日本学生普通话高元音感知的实验研究

以元音[i]为韵母或介音的也是 28 个,以[u]为韵母或介音的 30 个,以[y]为韵母或介音的 28 个,以[ɿ]为韵母的 18 个,以[ɤ]为韵母的 5 个。

所有的项目均被随机排列,以汉字形式与发音人见面。由一位普通话标准的女发音人以朗读语速在录音室发音。发音材料经计算机编辑后,项目与项目之间的间隔均为 3 秒。此为感知实验中的听觉材料。

（二）实验任务

感知实验在基础汉语听力课中进行,学生通过耳机对编辑后的发音进行双耳听辨作业。作业形式为 X(AB) 的强迫选择,即对所听到的每个词进行强迫性的选择判断。韩国学生备选的组合类型有以下几种（只列出韵母,大部分类型组内声母完全相同,少数类型由于受声韵配合关系的限制,组内声母不同）:(1) A[i]/B[u]/C[y]（或 A[ian]/B[uan]/C[yan]）;(2) A[iɛ]/B[yɛ];(3) A[ian]/B[yan];(4) A[ɤ]/B[ɿ]/C[u];(5) A[ɿ]/B[a]/C[ɤ];(6) A[ɤ]/B[ɿ]。对日本学生的实验增加了另外两种类型:(7) A[u]/B[ɤ];(8) A[ɤ]/B[a]。所有的选择均以拼音形式与被试见面。

（三）实验对象

参加实验的 7 个班级是从北京语言文化大学汉语学院和汉语速成学院随机挑选的。7 个班级中共有 68 位韩国学生,28 位日本学生。他们都报告听力正常。韩国学生学习汉语的平均时间为 11.2 个月,在中国生活的平均时间为 4.2 个月;其中 64 位报告了年龄,平均年龄为 24.2 岁。日本学生学习汉语的平均时间为 25.6 个月,在中国生活的平均时间为 12.2 个月,平均年龄

为 22.5 岁。

三 实验的初步结果

(一) 韩国学生感知的错误率[①]

5 个高元音的错误率如表 1 所示。

表 1 韩国学生元音感知错误率

元音	i	u	y	ɿ	ɤ
错误率	4.0%	3.8%	19.1%	6.8%	7.4%

对不同元音感知错误率之间的差别进行了一元方差分析（ANOVA）和 Post Hoc 检验。ANOVA 的结果表明，不同元音的错误率之间存在差别（df = (4.82)，F = 8.299，p = 0.000）。Post Hoc 检验的结果表明，[y]与[i]和[u]的差别是显著的（p = 0.000）。在 0.05 的水平上，[y]与[ɿ]和[ɤ]的差别也是显著的（p 分别为 0.026 和 0.033）。其他的组间差别则是不显著的（p＞0.05）。由于[ɿ]和[ɤ]在字表中的出现次数较少，因此，我们暂时还不能对与这两个元音相关的结果进行推论。

(二) 日本学生感知的错误率

表 2 列出了 5 个高元音的感知错误率。对不同元音感知错误率的差别作了 ANOVA 和 Post Hoc 检验。ANOVA 的结果表明，不同元音的感知错误率之间存在差别（df = (4.104)，F = 14.795，p = 0.000）。Post Hoc 检验的结果表明，[y]与其他四个元音之间的差别是显著的（p 均小于 0.01），而其他的组间差别则是不显著的（p＞0.05）。

---

① 元音错误率 = 元音感知错误人次/被试人数。

表2　日本学生元音感知错误率

元音	i	u	y	ɿ	ɤ
错误率	3.2%	5.2%	23.0%	2.8%	3.6%

四　讨论

(一) 对韩国学生实验结果的讨论

1. 韩国学生知觉范畴中/y/与/i/和/u/的关系

从感知的平均错误率看,[y]是最高的,因此,我们准备以这个元音作为讨论的重点。如果[y]是韩语中音位/y/的底层形式的话,那么韩语中就存在与普通话相似的三个范畴/i/、/u/和/y/。根据 PAM,韩国学生在感知普通话的三个高元音音位时,正确率应该是比较高的,而且3个元音的感知正确率不应有差别。但实验结果中却出现了[y]的正确率与[i]和[u]的差别。根据生成音系学的观点,语音素材外的证据(corpus external evidence)在分析音系格局时往往比素材内部的证据(corpus internal evidence)来得更重要,而 L_2 学习中所表现出的语音特点正是素材外的重要证据之一。因此,韩国学生在本次实验中[y]的错误率可以作为韩语中目前已经不存在底层形式为[y]的音位的佐证。

需要进一步探讨的是[y]的错误倾向。如果我们认为韩语中不存在与汉语相同或相近的音位/y/,那么就需要研究,新的音位/y/与母语系统中的哪一类更接近。按照区别性特征理论,音素[y]与[i]的差别是圆唇与否,[y]与[u]的差别是舌位前后,两种差别都是一个特征的差别,因此,将[y]听为[i]与听为[u]的机会应该是均等的。我们对(三)节中备选组合(1)的两种错误类型的出现率进行了比较,结果与理论的预测几乎是一致的。

表3 韩国学生[y]两种错误感知类型出现率的对比

[i]的平均感知率①	[u]的平均感知率	t	df	p
11.0%	10.9%	0.037	42	0.971

从P的数值看,我们可以认为听为[i]的比率和听为[u]的比率没有差别。但还不能就此认定实验结果证实了理论的预测。如上文所述,听测字表内有些备选组合内部声母不完全相同,例如对"不倦(bújuàn)"的备选有:

A. bújiàn B. bújuàn C. búzhuàn

"C"的第二音节声母与"A"、"B"不同是由于舌面声母不拼合口呼造成的。韩语中的塞擦音和擦音在发音部位上只有一套,部位在齿龈后。因此,从理论上来说,韩国学习者区分汉语中的舌面音和舌尖音时存在困难。而在本实验中,对于"不倦"之类的感知,如果在声母感知中出现错误,必然导致韵母选择的错误。因此,为了消除声母因素给实验结果带来的影响,我们对备选组合内声母完全相同的项目进行了方差分析,结果如表4。

表4 韩国学生在非舌面声母音节中[y]两种错误感知类型出现率的对比

[i]的平均感知率	[u]的平均感知率	t	df	p
10.6%	2.6%	2.542	11.761	0.026*②

这个结果表明,[y]与[i]的混淆率高于[y]与[u]的混淆率。也就是说,在韩国学生的知觉范畴中,新的音位/y/与/i/的相似度高于与/u/的相似度。

---

① 某种音素的感知率=感知为该音素的人次/被试人数。
② "*"表示显著水平为0.05,"**"表示显著水平为0.01。

第二节 韩国、日本学生普通话高元音感知的实验研究

从区别性特征理论看，/y/的感知错误偏向/i/似乎难以解释。但从声学语音学的角度看，这个结果却是合理的。知觉实验早已证明，元音感知最重要的声学关联物是前两个共振峰（F_1 和 F_2）的频率，① 其中，F_1 与元音的开口度相关，F_2 与元音舌位的前后相关。在普通话元音系统中，音素[i]、[u]和[y]的 F_1 相差不大，而[i]的 F_2 与[u]的差别比起与[y]的差别来大得多。也就是说，从共振峰模式看，[y]与[i]更加接近②。

值得注意的是，对于中国人语音感知的研究也表明，[y]与[i]的近似度比[y]与[u]的近似度高。③ 此外，从押韵系统中也可以找到[y]与[i]在中国人听觉上相似的证据。明清以来，北方说唱文学的押韵系统广泛采用的是"十三辙"，其中的"一七"辙包括了 i[i]和 ü[y]两个韵母，而"姑苏"辙则只包含了韵母[u]。④ [y]与[i]通押而与[u]不通押，也在一定程度上表明了韵母的音值在说话者心理上的相似性。

综上所述，无论是从元音的物理性质与元音感知的关系看，还是从普通话的用韵特征以及对普通话母语者的感知实验结果看，音素[y]都与[i]更相近而与[u]的近似度稍低，可以说，这是

---

① 吴宗济、林茂灿（主编）《实验语音学概要》，高等教育出版社 1989 年版，第 106—108 页。
② 普通话单元音的共振峰频率值参见吴宗济、林茂灿（主编）《实验语音学概要》，高等教育出版社 1989 年版，第 106—108 页。
③ Zhang, J., Lü, S., Qi, S. A cluster analysis of the perceptual features of Chinese speech sound. *Journal of Chinese Linguistics*，1982(10)，pp. 190—206.
④ 黄伯荣、廖序东（主编）《现代汉语》（增订二版），高等教育出版社 1997 年版，第 66—67 页。

人类语言的普遍性特点。因此,我们认为,韩国学生[y]的错误倾向是人类语言的共性使然。

母语的音位系统和语言的普遍语法在中介语音系形成过程中的共同作用已经得到了公认,人们感兴趣的是,两方面的因素在中介语音系中的作用有何不同。根据以上对韩国学生感知新音位的分析,我们可以假设:新的音位范畴在感知中不可能同时被均衡地归入为母语系统中的两个音位;当母语的区别性特征系统不能完全决定新音位的归属时,普遍语法将对这个音位的归属起决定作用。这个假设可以看作是对 Best 的 PAM 的一个补充或深化。它是否成立,有赖于在更多的实证研究中寻找新证据。从表1中的数据我们可以看到,[i]的感知错误率(4.0%)是很低的。在韩国学生的知觉范畴中,/i/和/y/的关系应当属于 PAM 的(3):将目标语中的两个范畴(/i/和/y/)同化到母语中的一个范畴(/i/)中,但认为它们与母语中这个范畴的相似度不同,因此能够在一定程度上区分这两个范畴。

2. 声母因素对实验结果的影响

如上节所述,是否将舌面声母的音节纳入对实验结果的统计导致了两个不同的结论,也就是说,舌面声母对音节感知的倾向性带来了影响。从逻辑上来说,舌面声母还可能对音节感知的错误率带来影响,因为导致错误的因素既有声母又有韵母。为了验证这个推测,我们对韵母或介音为[y]、声母为舌面音和非舌面音的两种音节感知的错误率进行了比较,结果与预测是吻合的。见表5。

表5　韩国学生舌面声母与非舌面声母音节感知错误率的对比

非舌面声母音节平均错误率	舌面声母音节平均错误率	t	df	P
13.1%	32.5%	-2.963	20	0.008**

对于舌面声母的音节而言,声母因素导致的错误是选择合口呼韵母的音节,元音因素导致的错误是选择齐齿呼韵母的音节。需要进一步讨论的是,哪种因素对选择结果的影响更大。我们对舌面声母音节的两种错误类型的出现率也进行了对比,结果见表6。尽管合口呼的平均感知率超过了齐齿呼,但T检验的结果却表明这种差别可能是随机误差造成的,因此,从本次实验的结果还看不出,对于声母为舌面音、韵母为撮口呼的音节来说,声母和韵母哪种因素对韩国学生听觉的影响更大。

表6　韩国学生在舌面声母音节中[y]的两种感知类型出现率的对比

齐齿呼的平均感知率	合口呼的平均感知率	t	df	P
11.6%	20.9%	-1.228	18	0.235

3. 元音[ɿ]和[ʅ]的感知问题

普通话中两个舌尖元音也是韩语中所没有的音素。韩国学生在感知时将它们纳入哪一个音位范畴也是值得探讨的。由于本次实验只是对高元音感知的一个初步考察,目的在于发掘一些值得研究的问题,因此在字表设计中只考虑了对舌尖后元音的感知问题。从实验结果中我们看到,就平均数而言,它的感知正确率高于[y]而低于母语音系中存在的[i]和[u]。但Post Hoc的结果表明这些差别有可能是抽样误差造成的。

[ʅ]的错误倾向值得注意。对于[ʅ]有两种备选类型,其一为对于[ʅ]和[ɤ]的选择;其二为对于[ʅ]、[i]和[ɤ]的选择。在

第二种情况中,由于[i]不拼舌尖后声母,因此,对[i]的选择既可能是声母听觉的错误使然(将舌尖后音听成舌面音),也可能是元音的听觉错误造成的。在对"[ɤ]/[i]/[ɿ]"的选择中,选择[ɤ]的比率是选择[i]的比率的近3倍。这个结果似乎说明,在韩国学生的听觉中,舌尖后高元音[ɿ]的音值与后、半高元音的音值[ɤ]更加接近。

由于听觉材料中含[ɿ]的音节只有5个,因此,以上结果还不能够进行统计推论。我们认为,[ɿ]的错误率和错误倾向应该另行设计足够多的项目进行研究。

4. 学习时间对感知错误率的影响

首先对学习时间和音素[y]的感知正确率之间的关系进行了相关分析。二者之间表现出一定程度的正相关(r = 0.640,p = 0.000)。为进一步研究二者之间的关系,我们又对学习时间进行了人工的等级划分,将1—6个月定义为1级,7—12个月定义为2级,12个月以上定义为3级。按照3个水平对学习时间与正确率的关系做了单因素方差分析,表7是统计结果。

表7 韩国学生学习时间与感知正确率之间的关系

平均正确率			组间差异检验			Post Hoc 检验(P)		
1级	2级	3级	F	df	p	1—2	1—3	2—3
70.8%	91.3%	91.4%	28.839	2.64	0.000**	0.000**	0.000**	0.965

结果表明,不同级别间感知正确率存在差异(p = 0.000)。Post Hoc 检验的结果表明,1级与2级、1级与3级之间差异显著,2级与3级之间差异不显著。也就是说,在12个月以内,随着学习时间的增加,感知的正确率有显著提高;但学习时间超过12个月以后,感知正确率没有显著的提高。

当新音位的感知或发音正确率达到某个标准(通常使用的标准在 80%—90% 之间①时,就可以认为在中介语的感知或发音系统中已经成功地建立了新的语音范畴。从上表中的平均正确率我们可以看到,2 级的感知正确率已达到 91.3%(如果去除声母因素造成的错误,正确率可能会更高)以上,这说明,在学习时间超过半年以后,韩国学生的知觉范畴中已经成功地建立了音位/y/。由于声母因素的作用,尽管 1 级的正确率只有70.8%,我们暂时也还不能肯定这些学生的感知正确率尚未达到建立新范畴的最低线。

(二) 对日本学生实验结果的讨论

1. [y]的感知问题和声母因素对感知结果的影响

对日本学生的实验结果作了与对韩国学生同样的分析。首先,从三(二)的实验结果中我们看到,与韩国学生的结果相近,由于[i]和[u]的音位关系在日语中和在汉语中相似,因此,日本学生感知这两个元音的正确率明显高于陌生的音素[y]。

对于[y]的两种错误倾向也进行了比较。从总的结果中看不到[i]的感知率与[u]的差别。

表8 日本学生[y]两种错误感知类型出现率的对比

[i]的平均感知率	[u]的平均感知率	t	df	p
14.9%	9.25%	1.064	42	0.260

---

① Eckman, F. R. The Structural Conformity Hypothesis and the Acquisition of Consonants Clusters in the Interlanguage of ESL Learners. *Studies in Second Language Acquisition*, 1991 (13), pp. 23—41.
李嵬、祝华、B. Dodd、姜涛、彭聃龄、舒华《说普通话儿童的语音习得》,《心理学报》2000 年第 2 期。

但是，与韩语中的情况相似，日本学生对韵母的选择可能也受到了声母的影响。日语中不存在舌尖后辅音和舌面辅音，但是存在发音部位与普通话的舌面辅音接近的舌叶辅音，所以，日本学生区分普通话的舌尖后辅音和舌面辅音也有困难。因此在分析[y]的错误倾向时也需要将舌面声母的音节与非舌面声母的音节区别对待。首先比较了非舌面声母和舌面声母含[y]音节的感知错误率，结果如表 9。

表 9　日本学生舌面声母与非舌面声母音节感知错误率的对比

非舌面声母音节平均错误率	舌面声母音节平均错误率	t	df	p
13.1%	34.6%	-2.615	20	0.017*

与韩国学生的情况相同，舌面声母音节的错误率高于非舌面声母，也就是说，声母因素对感知错误率的影响是显著的（在 0.05 的水平上）。

其次比较了[y]在非舌面声母后两种错误感知类型的出现率，结果如表 10。

表 10　日本学生在非舌面声母音节中[y]两种错误感知类型出现率的对比

[i]的平均感知率	[u]的平均感知率	t	df	p
12.2%	2.1%	2.999	12.788	0.010*

结果仍与韩国学生相似，即除去声母的影响后，[y]感知为[i]的比率高于感知为[u]的比率，即日本学生也是倾向于将/y/归入/i/的范畴。从表 2 中[i]的错误率（3.2%）看，日本学生知觉范畴中/y/和/i/的关系也应当属于 PAM 的(3)。

再次，比较了舌面声母音节齐齿呼的感知率和合口呼的感知率，结果如表 11。

表 11 日本学生在舌面声母音节中[y]两种错误感知类型出现率的对比

齐齿呼的平均感知率	合口呼的平均感知率	t	df	p
18.2%	17.9%	0.037	18	0.971

从 p 的数值看,二者存在差别的可能性很小。也就是说,对于这一类型的音节,声母和元音因素对感知类型所起的作用几乎一样大。

2. [ɿ]和[ɤ]的感知问题

同样是母语中不存在的音素,[ɿ]的感知正确率却显著超过[y],与母语中存在的[i]和[u]的感知正确率相比未表现出差别。这种情况是由于实验字表中含[ɿ]的音节数太少,还是一种可以推论的一般规律,我们目前还不能给出回答。[ɿ]的错误倾向也值得注意。在对"[ɤ]/[i]/[ɿ]"的选择中,没有选择[ɤ]的,这与韩国学生的错误倾向正好相反。对于这些问题,我们需要在作业量足够大的情况下另行研究,才能得到可靠的结论。

[ɤ]尽管不是普通话中的高元音,但对于日本学生来说,这也是一个陌生的音素,而且它的感知类型与高元音有关,因为在日语的元音系统中,与之音值最相近的是[u];由于我们在教学实践中也遇到过日本学生将[ɤ]发成[a]的情况,因此在实验字表的设计中考虑了[ɤ]与[a]的混合问题。

与[ɿ]的感知特点形成对称局面的是,在对"[ɤ]/[ɿ]/[u]"的选择中,[ɤ]也未出现感知为[ɿ]的现象。实验结果中确实出现了少量[ɤ]与[u]和[a]混淆的现象。值得注意的是,在对"[a]/[ɤ]/[u]"的选择中,[ɤ]感知为[a]的比率是感知为[u]比率的 3 倍。这是令我们感到困惑的地方,因为从音值上说,普通话的[ɤ]与日语的[u](舌位比标准元音[u]偏前、偏低、圆唇程度不大)是非常相似的,而与日语的低元音[a]相差较远。由于进行"[a]/[ɤ]/[u]"选择的项目只有3个,因此我们也不能就本次实验的结果进行统计推论,需要另行设计项目量足够大的字表对这个问题进行进一步的观察。

有趣的是,[ɤ]尽管是一个陌生的音素,它的平均感知正确率却是所有5个被研究元音中最高的,只不过与[i]、[u]和[ɿ]的差别可能是抽样误差造成的。这也是我们目前无法给出解释的问题之一。

3. 日本学生学习时间与感知正确率的关系

对学习时间和元音[y]的感知正确率做了相关分析,结果表明二者之间的相关性较弱($r = 0.433, p = 0.021$)。相关性弱的原因与学生学习时间的分布有关。由于客观条件的限制,我们所采集到的样本学习汉语的时间绝大多数在一年以上,而在一年以后,学习的僵化(fossilization)可能已经形成,因此感知正确率并不随学习时间的延长而有显著上升。

我们对日本学生的学习时间也做了3个水平的等级划分。由于1级只有1人,因此未作统计分析。2级和3级感知[y]的平均正确率分别为75.9%和80.4%,由于正确率受到声母感知错误带来的影响,因此还不能以此为证据得出2级水平的学生尚未在知觉中建立起新音位的结论。3级学生的正确率尽管超过了标准,但处于边缘状态,而且T检验的结果表明,3级与2级之间正确率的差别并不显著($p = 0.397$)。因此,也还不能就此得出3级学生已在知觉范畴中建立起新的音位的结论。

五 韩、日两国学生感知[y]的正确率的对比

从以上两部分的讨论中,我们可以看到,韩、日两国学生感知汉语高元音的特点既有相同之处,也有不同之处。以[y]为例,相同之处在于,感知中/y/的范畴归类是相似的,即两国学生都倾向于将/y/归入/i/。同时,在感知中又都受到声母发音部位的干扰,因此,实验结果中也出现了相当多的将/y/听为/u/的现象。如上文所述,这些特点既与韩语和日语的音系特点有关,也与语言的普遍性有关。

我们所要特别关注的是两国学生在感知中所表现出的不同特点。首先,日本学生感知/y/的正确率低于韩国学生。由于两国学生 2 级和 3 级的正确率均未表现出显著差别,因此,我们将 2 级和 3 级的学生混合起来,以国别分组进行了对比。参与统计的项目为所有含[y]的音节。表 12 是统计结果。

表 12　韩、日学生学习时间和感知正确率的对比

学习时间的比较					感知正确率的比较				
均值(%)		t	df	p	均值(%)		t	df	p
韩	日				韩	日			
21.7	26.5	-1.136	40.176	0.263	91.4	79.1	5.655	40.801	0.000**

结果表明,两国学生在学习时间上没有显著差别,但在感知正确率上日本学生则明显低于韩国学生。

在[y]的感知倾向上,两国学生表现出一致性,但在量上仍有差别。我们分析了以"二(二)实验任务"中的(1)作为选择类型的项目,分别比较了两国学生总的错误率、感知为[i]的比率和感知为[u]的比率,结果如表 13(表左为检验结果,表端为错

误率均值)。

表13 韩、日学生[y]感知类型的对比

	总错误率(%)		感知为[i]的比率(%)		感知为[u]的比率(%)	
	韩	日	韩	日	韩	日
	4.4	23.2	1.7	14.4	2.7	8.8
t	−4.180		−3.428		−1.747	
df	26.217		21.923		42	
p	0.000**		0.002**		0.088	

总的错误率仍然是韩国学生低于日本学生。在感知倾向上,韩国学生将[y]感知为[i]的比率低于日本学生,而两国学生感知为[u]的平均比率的差别则不显著。因此可以认为,[y]的总错误率的差别主要是由于感知为[i]的比率的差别造成的。也就是说,在日本学生的知觉范畴中,普通话[y]与[i]的相似度比韩国学生高。

从孤立的元音音位的对比看,这个现象是难以解释的,因为韩语和日语中都不存在前高元音圆唇与展唇的差别。但如果我们整体观察韩语和日语的元音系统,问题就迎刃而解了。韩语在历史上曾经存在以[圆唇]相区别的多组平行对立,今天,这种对立在前元音中仍有残留(表现为语音系统的社会变体)。此外,在后、高元音中还存在以唇形相区别的对立/u/:/ɯ/。因此,对于圆唇特征,韩国人在心理上具有一定的敏感度。而日语中完全不存在仅以唇形相区别的对立,因此,对于[+圆唇]的特征,日本人不及韩国人敏感。

两国学生的第二类差别在于舌尖后元音[ʅ]的感知错误倾向不同。对于韩国学生来说,感知为[ɤ]的比率大于感知为[i]的比率,而日本学生的情况则相反。对于这个现象我们暂时还不能给出理论上的解释。

六　结论与余论

我们对日本和韩国学生感知汉语普通话高元音的情况进行了初步考察,得到了以下的一些初步结论:(1)前、高圆唇元音[y]是两国学生感知正确率最低的一个高元音。(2)[y]的主要感知错误是被听成不圆唇元音[i],次要错误是被听成圆唇的后元音[u],因此在感知范畴的归类上,[y]与[i]是一类的。(3)对声母感知的错误在一定程度上影响了元音的感知类型。(4)日、韩学生对普通话高元音的感知模型既与母语的区别性系统相关,又与人类语音系统的普遍性相关。以此结果为基础提出了可以作为对 Best 的 PAM 补充的感知模型:新的音位不可能被均衡地同化为母语中的两个范畴;当母语的区别性特征不能完全决定 L_2 中新音位的范畴归类时,起决定作用的是普遍语法。(5)对于[y]来说,日本学生的困难大于韩国学生,日本学生的知觉中[y]与[i]相似度大于韩国学生。

从本次实验的结果中我们还发现了一些目前还不能得出结论的问题,这些问题的解决有待设计专门的实验进行进一步的研究,它们是:(1)音节感知中声母和韵母的交互作用问题。(2)舌尖元音的感知问题。

由本次实验的结果我们也得到一点有关语音教学的启示。众所周知,对韩、日学生[y]的教学是一个难点。对于这个难点,我们首先应该解决的是听觉上[y]与[i]的混淆问题;对中级水平以上的韩国学生,听觉的问题已经得到了较好的解决,主要的问题应是发音的问题。而对日本学生来说,听辨练习在中级水平以上还应该继续。此外,在语音教学中应该注意音节的整体听辨和发音练习。例如,对于撮口呼音节来说,在非舌面声母条件下,主要应该解决与齐齿呼的混淆问题;而在舌面声母条件下,既要注意与齐齿呼的区分,又要配合声母的教学,注意与合口呼的区分。也就是说,[y]的教学应该贯彻到各种不同类型的音节中去,做到具体问题具体分析。

第三节 影响外国学生汉语语音短时记忆因素的实验研究[①]

一 研究背景

(一) 关于短时记忆[②] (short-term memory)

记忆(memory)在人的整个心理活动中有着突出的作用,大量的研究认为:存在短时记忆和长时记忆(long-term memory)两种不同的子系统,它们既彼此独立又相互联系,形成统一的记忆系统(memory system)。外部信息经过感觉通道进入短时记忆,而后通过复述或精细复述进入长时记忆中贮存,因此短时记忆是信息进入长时记忆的一个容量有限的缓冲器和加工器[③]。

[①] 本文原标题为"影响外国留学生汉语语音短时记忆的因素研究",作者田靓、高立群,原载《语言文字应用》2005 年第 2 期。

[②] 对于短时记忆(short-term memory)这一概念,也有学者认为应该区别于工作记忆(working memory),但是本文不涉及其差别,因此只采用"短时记忆"这一提法。

[③] 王甦、汪安圣《认知心理学》,北京大学出版社 1992 年版。

对于短时记忆的编码①方式,研究者们也提出了不同的观点。早期的研究者认为,短时记忆编码是以语音听觉编码为主要方式,例如,Conrad(1964)对人的回忆错误所作的分析,以及Posner M. I. 用减法反应时,字母匹配任务研究的结果都为听觉编码提供了有力的证据。但随着研究的深入,人们发现短时记忆也有视觉编码(Posner,1969;莫雷,1986;刘艾伦等,1989)和语义编码(Wickens,1970,1972;张武田等,1990)。因此,有研究者(莫雷,1986)认为,短时记忆编码可能是随着情景而不断改变的一种策略。另一些研究者(刘艾伦等,1989)则提出输入通道(视觉、听觉)的改变,也会引起短时记忆编码方式的改变。

随着对短时记忆的深入探讨,一些研究者还注意到短时记忆和言语能力之间存在密切的关系。例如,Gathercole 和 Baddeley(1990)通过实验研究提出:语音记忆在语言发展中起着关键作用,语音短时记忆受损会造成语言发展的障碍。② Just 和 Carpenter(1992)认为,短时记忆在语言理解中的作用非常重要。因为理解实质上就是对(语言)符号的加工,短时记忆就是这个加工系统,这一系统的加工方式、认知容量等因素将直接作用于人们对(语言)符号的理解。

总起来说,短时记忆是认知心理学研究和记忆研究中最有意义的内容之一。在以往的研究中,研究者们对于短时记忆的

---

① 所谓"编码"是对信息进行转换,使之获得适合于记忆系统的形式的加工过程(王甦、汪安圣,1992)。

② Gathercole, S. E., & Baddeley, A. D. The role of phonological memory in vocabulary acquisition: A study of young children learning new names. *British Journal of Psychology*, 81, pp. 439—454. 1990.

研究大多关注于短时记忆存储容量、存储形式、提取方式以及它在言语加工和语言学习中所起的作用,并从不同的方面,进一步支持记忆系统中存在短时记忆这一观点。

(二) 问题的提出

综合上述研究成果,我们发现:对于影响短时记忆的相关因素的研究,尤其是针对第二语言学习者的研究还很少,因此,本文在以往研究的基础上,探讨影响留学生汉语语音短时记忆的因素,希望能对汉语作为第二语言教学和研究有一点参考价值。

二 实验研究

(一) 实验设计

实验使用非词重复作业测量留学生的汉语语音短时记忆,采用 3×2×2×2 四因素混合设计,其中母语、汉语水平和性别为被试间因素,短时记忆水平为被试内因素。

(二) 被试

被试均为北京语言大学汉语学院留学生(见表1)。初级水平指入校四个月,已完成汉语拼音学习,具备一定识字量;中级水平指已完成本科二年级的学习任务,具备相当识字量。

(三) 实验材料

材料为16段汉字串,每段字串由5个汉字组成,分为A、B两组,每组8段字串。其中4段字串是相互押韵的(即韵母相同),4段字串不押韵;在押韵字串中,2段字串押韵并声调相同,2段字串押韵但声调不同。A、B两组材料的汉字完全相同,只是排列不同,A组中押韵字在B组中不押韵,A组中不押韵字在 B 组中押韵。一半被试接受 A 组测验,另一半被试接受 B 组测验。

(四)计分方式①

每一个汉字分为声韵配合和声调两个项目记分,正确项目得 1 分,错误项目得 0 分,最高得分为 80 分。

(五)成绩指标

将被试在作业中的错误率作为成绩指标:错误率 = 得 0 分的项目数/该组作业总项目数。

(六)实验程序

用录音机以每个汉字间隔一秒的速度呈现实验材料。一段字串呈现完毕后,要求被试立即复述,主试对被试复述情况进行记录。整个实验采用实验室单独测试的方法。

表 1　被试基本情况

被试	总数	母语类型			性别	
		日本	欧美	东南亚	男	女
初级	26	9	10	7	13	13
中级	24	8	10	6	10	14
总数	50	17	20	13	23	27

三　研究结果

(一)短时记忆综合成绩分析

对短时记忆作业所有项目错误率(见表 2)进行单因素方差分析(Univariate Analysis of Variance)表明:母语主效应显著[$p = 0.000$];汉语水平与性别因素交互作用显著[$p < 0.01$]。

---

① 考虑到留学生的汉语水平,本研究没有将复述顺序作为记分因素。

对押韵字串、不押韵字串的方差分析表明:母语主效应显著[p=0.000];作业类型主效应显著[p=0.000];作业类型、汉语水平和性别因素三者交互作用显著[p<0.05],汉语水平与性别因素交互作用显著[p<0.01]。

表2 留学生短时记忆作业错误率

被试类型		所有项目	不押韵字串	押韵字串
国籍	日本	0.332 (0.093)	0.359 (0.116)	0.609 (0.242)
	欧美	0.228 (0.100)	0.259 (0.118)	0.395 (0.234)
	东南亚	0.127 (0.059)	0.142 (0.093)	0.223 (0.176)
汉语水平	一年级	0.240 (0.116)	0.266 (0.139)	0.426 (0.253)
	二年级	0.235 (0.122)	0.259 (0.139)	0.420 (0.285)
性别	男	0.236 (0.101)	0.256 (0.112)	0.429 (0.287)
	女	0.238 (0.131)	0.260 (0.155)	0.423 (0.266)
所有被试		0.237 (0.118)	0.263 (0.138)	0.423 (0.266)

(二) 押韵记忆成绩分析

分析押韵字串中不同类型作业(见表3),母语主效应显著[p=0.000];作业类型主效应显著[p=0.000]。汉语水平和性别因素交互作用达到显著值[p<0.01]。

表3 留学生短时记忆中押韵作业错误率

被试类型		押韵字串	押韵声调同	押韵声调异
国籍	日本	0.609 (0.242)	0.209 (0.170)	0.400 (0.125)
	欧美	0.395 (0.234)	0.110 (0.117)	0.285 (0.180)
	东南亚	0.223 (0.176)	0.042 (0.060)	0.181 (0.152)
汉语水平	一年级	0.426 (0.253)	0.120 (0.126)	0.306 (0.170)
	二年级	0.420 (0.285)	0.132 (0.157)	0.288 (0.183)
性别	男	0.429 (0.287)	0.112 (0.112)	0.302 (0.177)
	女	0.423 (0.266)	0.136 (0.160)	0.293 (0.177)
所有被试		0.423 (0.266)	0.126 (0.141)	0.297 (0.175)

(三) 声韵①声调成绩分析

对留学生在短时记忆声韵及声调项目的错误率(见表 4)进行方差分析的结果:母语主效应显著[p=0.000];母语和作业类型交互作用显著[p=0.000];汉语水平和性别因素交互作用显著[p<0.01]。我们对每类短时记忆作业的声韵和声调项目作了进一步的方差分析,结果表明:母语主效应显著[p=0.000];作业类型主效应显著[p=0.000];母语和作业类型交互作用显著[p<0.05];汉语水平和性别因素交互作用显著[p<0.01]。

表 4　留学生短时记忆中声韵及声调错误率

被试类型		所有项目	声韵	声调
国籍	日本	0.332 (0.093)	0.299 (0.097)	0.378 (0.118)
	欧美	0.228 (0.100)	0.227 (0.121)	0.239 (0.098)
	东南亚	0.127 (0.059)	0.154 (0.081)	0.104 (0.053)
汉语水平	一年级	0.240 (0.116)	0.237 (0.108)	0.251 (0.147)
	二年级	0.235 (0.122)	0.228 (0.126)	0.251 (0.141)
性别	男	0.236 (0.101)	0.233 (0.102)	0.252 (0.124)
	女	0.238 (0.131)	0.232 (0.127)	0.250 (0.157)
所有被试		0.237 (0.118)	0.232 (0.116)	0.251 (0.143)

(四) 分析讨论

1. 对短时记忆综合成绩的分析

从短时记忆综合成绩结果来看,我们认为,留学生的汉语词语短时记忆能力主要受到两方面因素的影响:一是母语差异(见图 1),二是汉语水平和性别因素的交互作用(见图 2)。

---

① 所谓"声韵"是指音节形式只有声母与韵母拼合组成,而没有声调。

首先考察图1,被试对于不押韵字串的短时记忆要好于对押韵字串的短时记忆,说明在汉语词语短时记忆过程中,被试受到语音相似性的干扰。这一点与研究者们在汉语母语者的短时记忆研究中所得到的结论相同。东南亚被试在短时记忆上的错误率最低,其次是欧美被试,而日本被试的错误率最高。通过比较母语背景差别,我们发现:(1)东南亚被试大都为华裔,具有汉语粤方言和闽方言的听力基础,因此东南亚被试对于声调的记忆明显优于其他两类被试。(2)日本被试与东南亚、欧美被试的成绩差异达到显著水平,说明母语类型和语音经验对于第二语言学习者的语音短时记忆存在显著的影响。日语是一种音节文字,在记忆汉语音节时,被试倾向于使用音节为单位记忆,因而也很容易受到日语音节的干扰,而东南亚语言和欧美语言均为字母文字,学习者倾向使用音位作为语音记忆的单位,使用拼合规则,因而受母语的影响也较小,对语音的记忆更为精确。

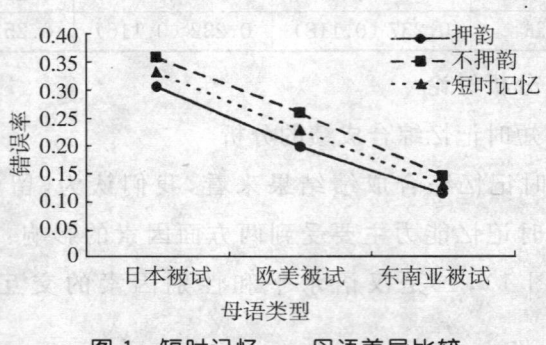

图1 短时记忆——母语差异比较

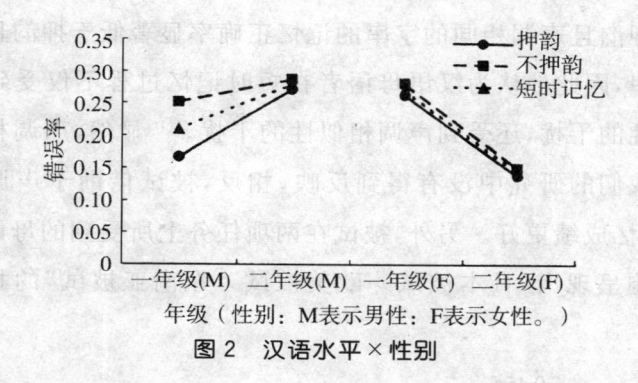

第三节 影响外国学生汉语语音短时记忆因素的实验研究

```
                                    ●— 押韵
                                    ■-- 不押韵
                                    ▲···· 短时记忆
```

年级（性别：M表示男性；F表示女性。）

图 2　汉语水平 × 性别

其次,在数据分析过程中我们发现,对汉语词语短时记忆的不同作业,学习者的汉语水平与其性别间存在有趣的交互作用。图 2 清晰地反映了这种交互作用。通过方差分析和图 2 的描述,我们可以作出以下推断:(1)从性别的发展角度看,女性的短时记忆水平受其语言水平的影响显著,呈现出随着汉语水平的提高而提高的趋势;男性的汉语水平对其短时记忆水平的影响不显著。(2)从记忆作业类型的角度看,汉语水平相同的女性被试在短时记忆的押韵作业和不押韵中的表现差异都不显著;而汉语水平相同的男性被试在短时记忆押韵作业和不押韵作业上的差异显著(一年级男性被试在押韵作业上的错误率显著低于不押韵作业,二年级男性被试在两项作业上的差异则不显著)。

2. 对押韵记忆成绩的分析

分析被试的错误率差异(见图 3),我们得到以下结果:对于押韵记忆而言,被试在押韵声调同作业中的错误率显著低于押韵声调异作业。这一结果与以往的相关研究结论有较大差异。姜涛(1998)在研究汉语母语者的词语短时记忆状况时发现,被试对押韵且声调相同的字串的记忆正确率显著低于押韵且声调异字串,因此他认为汉语母语者在短时记忆过程不仅受到语音相似性的干扰,还受到声调相似性的干扰。① 显然,声调相似干扰在我们的研究中没有得到反映,相反,被试借助于声调的线索,记忆成绩更好。另外,被试在两项任务上所受到的母语差异的影响呈现出"日本被试＞欧美被试＞东南亚被试"的相同模式②。

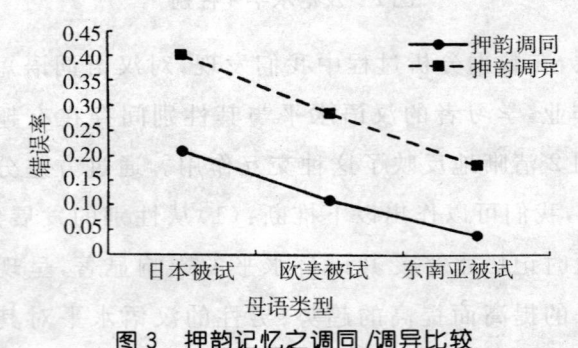

图 3 押韵记忆之调同/调异比较

3. 对声韵和声调成绩的分析

对留学生短时记忆作业中声韵母和声调错误率进行分析的结果表明:母语影响显著。在声调项目的错误率上,与我们在押韵记忆作业中得到的结果相同,出现了"日本被试＞欧美被试＞东南亚被试"的模式,而且两两之间的差异达到显著水平。在声韵项目的错误率上,日本与东南亚被试差异显著,而欧美被试与二者均无显著差异,但观察它们的平均数可以发

---

① 姜涛《汉语的语音意识及其与语言能力的关系》,北京师范大学出版社1998年版。
② "＞"表示"错误率高于"。

现,欧美被试的错误率仍然介于二者之间,也就是说,在声韵项目中同样存在有趣的"日本被试＞欧美被试＞东南亚被试"的模式。

其次,我们通过分析相同母语被试在各声韵、声调项目上的具体情况发现:东南亚被试在每一对声韵声调项目上几乎不受汉语水平和性别的影响;一年级日本被试在押韵声调同的声调项目上受到性别差异的影响显著,二年级日本被试在每一对声韵声调项目上却不受性别差异影响;欧美被试情况复杂,一年级被试只在押韵声调同的声韵声调项目中性别差异不显著,其余都达到显著水平,二年级被试押韵声调异的声韵项目中性别差异显著。事实上,二年级被试成绩在汉语水平和性别中表现出的交互作用就比一年级要弱得多,也就是说,随着被试汉语水平的提高,性别对于语言能力的影响渐趋消失。当然,我们的分析也注意到不同母语背景的学习者呈现的模式有所差别。

四 综合讨论及结论

短时记忆在言语加工中的作用得到了许多研究者的关注,他们试图从不同的角度证明短时记忆尤其语音短时记忆在言语加工和阅读理解上具有重要作用。Mann & Liberman（1984）考察儿童的语音意识、短时记忆和阅读能力的关系时发现,儿童的短时记忆和语音意识及阅读成绩显著相关,儿童对于非押韵字串的记忆成绩要好于对押韵字串的记忆成绩,而非押韵字串对预测语音意识和言语能力的作用更大。Baddeley 等人针对短时记忆的工作方式提出了语音回路的模型。该模型认为,存在一个语音回路(phonological loop),它涉及言语的生成,负责操作以语音为基础的信息。假定该系统有两部分构成,一部分是语音储存装置,语音编码存储于其中,并随时间而不断衰减或消失;另一部分是语音复述装置,它不断地通过复述加强正在衰减的语音表征,从而使有关项目保留在记忆中。语音回路的存在得到了语音相似性效应(phonological similarity effect)的支持。因为语音回路子系统是依赖语音进行编码的,若各项目间的发音相似,富有特色的语音特征就减少了,因而容易混淆和遗忘。

本研究结果显示,被试在押韵项目上的成绩显著地低于不押韵项目,表现出了语音相似干扰效应。实验作业通过听觉呈现字串,要求被试立即复述,因此,被试必须在语音回路的语音存储装置中编码并储存,在语音复述装置中不断地重复以作出正确反应。那些彼此押韵的字串在语音上相似,区分度小,因而在编码、复述、提取上容易相互干扰而发生混淆。有趣的是,虽然留学生在短时记忆的押韵和非押韵项目上的表现受语音相似性效应的影响,这一结果与汉语母语者一致,但是他们在押韵声调同和押韵声调异两项作业中的表现并不受语音相似性的干扰。恰恰相反,被试在押韵声调同作业中的短时记忆成绩好于押韵声调异中的记忆成绩。我们认为,这样的结果涉及留学生汉语语音短时记忆的编码单位和容量。

我们知道,短时记忆最突出的特点是其信息容量的有限性和相对固定性。1956年Miller明确提出了短时记忆的容量为7 ± 2,这不是以特定的物理单位来计算,而是以"组块(chunk)"

来计算。短时记忆的信息量可以通过组块而得到扩充和提高，"组块"的水平不同，或信息的编码方式不同，则相应的组块包含的信息量也不同。"组块"实际上是一种信息的组织或再编码。人们利用贮存于长时记忆的知识对进入短时记忆的信息加以组织，使之成为他们熟悉的有意义的较大单位，因而"组块"在很大程度上依赖主体的知识经验。针对本研究中留学生在押韵声调同和押韵声调异作业上的表现，我们假设，留学生汉语语音短时记忆的"组块"容量小于汉语母语者，主要表现为母语者将整个音节（包括声韵调）组成一个"组块"，而留学生对汉语声调的熟悉度低，知识经验少，在对听觉信息进行编码时，会将声韵组成一个"组块"，而将声调另行组成一个"组块"，因而在记忆时，如果声调相同，则构成的"组块"数少，记忆成绩就好；如果声调不同，构成的"组块"数多，记忆成绩就差。对于母语者而言，由于相应的知识经验多，"组块"的容量大，但是"组块"的复杂性增加，短时记忆容量倾向于降低。那么，在押韵声调同作业上会受到语音相似性的干扰，而在押韵声调异作业上的成绩反而较好。

综合本研究分析讨论，我们认为，留学生汉语语音短时记忆受到语音相似性干扰，这与汉语母语者具有一致性；但是他们的汉语语音短时记忆"组块"容量小于汉语母语者，声调可能被作为单独"组块"编码。

第四节 不同母语背景外国学生汉语语音意识发展研究[①]

一 语音意识研究回顾

(一) 语音意识与语言能力的发展

语音意识是个体对言语音位片段的反应与心理控制能力，它先独立于基本的听说技能而发展，以后又在听说技能的基础上进一步得到发展。大量的研究表明，作为拼音文字的语音意识和学习者语言能力的发展之间具有密切的关系。Mann，Stanovich，Vellutino，Tunmer 和 Herriman 等都发现了儿童的语音意识水平与其阅读能力有着极其密切的关系。在汉语语音意识方面的研究虽然不多，也不系统，但也已经有了一些初步的研究成果。Huang 等对台湾和香港儿童进行的语音意识研究表明，汉语儿童的语音意识对他们的阅读能力的发展起一定的作用。[②] Holm 等也发现，接受过汉语拼音教学的被试要比未经过教学的被试有更好的汉语语音意识，并且有更好的词语作业

[①] 本文原标题为"不同母语外国留学生汉语语音意识发展研究"，作者高立群、高小丽，原载《云南师范大学学报》(对外汉语教学与研究版)2005 年第 3 期。

[②] Huang, H. S. & Hanley, J. R. Phonological awareness, visual skills and Chinese reading acquisition in first graders: A longitudinal study in Taiwan. *Sixth International Symposium on Cognitive Aspects of the Chinese Language*, September. 1993.

和阅读成绩。① 姜涛通过对大陆汉语儿童和成人语音意识的研究，发现汉语语音意识和语言能力的发展有着显著的相关。②

还有研究对语音意识与第二语言能力发展的关系进行了探讨。丁朝蓬对汉语儿童的第二语言的语音意识进行研究发现，汉语儿童的英语语音意识在英文单词拼读中起着重要的作用；③Mick 研究发现在拼音文字中，语音意识与第二语言的词汇习得及口语能力具有较高的相关。④

语音意识的研究离不开测量语音意识的工具。Candace 等和 Dodd 等人在进行了大量研究的基础上，归纳制定了一些测量语音意识的方法，其中包括统一性判断、替换练习、切分与计数等方法。⑤ 在汉语语音意识研究方面，姜涛依据拼音文字语音意识测量的方法并结合汉语本身的特点，制定了汉语语音意识的测量方法，主要包括三部分：音节意识的测量、首音——韵脚意识的测量、音位意识的测量。通过实际检验，证明这些测量方法具有较高的信度和效度，是很好的汉语语音意识测量工具，这就基本解决了汉语语音意识测量这一重要的方法学问题，为

---

① Holm, A. & Dodd, B. The effect of first written language on the acquisition of English literacy. *Cognition*. 1995.

② 姜涛《汉语的语音意识及其与语言能力的关系》，北京师范大学出版社 1998 年版。

③ 丁朝蓬《汉语儿童英语语音意识与拼写》，北京师范大学出版社 1996 年版。

④ Mick Randall. Orthographic knowledge, phonological awareness and the teaching of English: an analysis of word dictation errors in English of Malaysian secondary school pupils. *Relc Journal*, Vol. 28. No.2.

⑤ Candace L. Goldsworthy Ph. D. *Source Book of Phonological Awareness Activities*. San Diego. London: Singular Publishing Group, Inc. 1998.

Dodd, B. *Differential Diagnosis and Treatment of Children with Speech Disorder*. London: Whurr Publishers. 1995.

汉语语音意识的深入研究奠定了技术基础。

（二）汉语作为第二语言教学中的语音意识研究

在汉语作为第二语言的教学中，语音教学是非常关键的一环。留学生在学习汉语语音的过程中，始终面临着许多困难和问题，有些语音问题直到留学生学习的中高级阶段仍然难以克服。研究留学生学习汉语语音的过程，分析他们学习中的语音难点及其原因，将会大大提高对外汉语语音教学的针对性和有效性。许多研究者（李培元、倪彦等，沈晓楠、余蔼芹等）已经对留学生学习汉语语音的难点进行了研究、归纳和分析工作，并取得了一些成果。例如，李培元发现外国学生在汉语声母中的送气音、舌尖前音（卷舌音）、舌面音，韵母中的 i、e、ü、er 及前后鼻韵母，声调中的二声和三声等方面存在困难。[①]

以上这些研究成果都是通过对外国留学生语音能力的考察得到的，从语音意识角度对留学生汉语语音意识发展情况进行定量研究目前还属空白，而以往的研究表明，语音意识和语音能力以及其他语言能力之间存在密切的关系。因此，我们在前人研究的基础上，对留学生的汉语语音意识发展进行了系统、定量的实验研究，以进一步揭示外国学生学习掌握汉语语音的规律。

在前期的实验研究中，我们对母语为英语、日语和韩语的外国留学生的汉语语音意识发展进行了对比研究。研究主要使用语音同一性判断作业对音节意识、声母意识、韵母意识和声调意识进行了考察，结果显示：(1)在控制学习年限的情况下，留学生的母语对其汉语语音意识的发展有着显著的影响；(2)三种母语

---

① 李培元《汉语语音教学的重点》，《世界汉语教学》1987 年预刊第 1 期。

外国留学生语音意识发展具有相同的模式:音节意识首先发展,声母意识和韵母意识次之,声调意识发展最晚;(3)学习年限对三种母语外国留学生在声母意识、韵母意识和声调意识内部的发展方面表现出不均衡性影响。

由于以上研究主要采用视觉作业的方式,我们的实验结果不可避免地会受到汉字的影响,因此,我们决定采用听觉作业的方式再次进行实验,以求对外国留学生的汉语语音意识发展作进一步的考察和分析。

二 实验

(一) 方法

1. 研究设计

本研究采用 2×5 两因素的混合设计。其中汉语水平因素为被试间因素,分为两种水平,初级水平(A班)和中级水平(C班);作业类型因素为被试内因素,分为五种水平——声母判断、韵母判断、声调判断、双声判断和叠韵判断。这五种作业中,声母判断和双声判断用来测量被试的声母意识,韵母判断和叠韵用来判断测量被试的韵母意识,声调判断用来测量被试的声调意识。

2. 被试

本实验的被试都是在北京语言大学学习汉语的在校留学生,共 38 人,其中母语为韩语的 20 人,印尼语 7 人,日语 4 人,泰语 3 人,法语和阿拉伯语各 2 人。所有被试中,初级水平 22 人,8 男 14 女,都是汉语学院一年级一册班(简称 A 班)留学生。他们都是从零开始,在语言大学学习了一个半月左右;中级水平

16人,7男9女,都是速成学院 C 班留学生,他们都有一定汉语学习基础,在本国或中国学习过六个月以上的汉语。

3. 实验材料

实验材料共分五部分:

(1) 声母判断。在提示音后,被试会听到两个音节,被试的任务是判断这两个音节的声母是否相同。例如:留—料(√);见—真(×)等。这一部分共包括 64 对音节,声母相同的 34 对,其中包含了汉语普通话中所有的 21 个声母以及零声母;另外 30 对声母不同。

(2) 韵母判断。在提示音后,被试会听到两个音节,被试的任务是判断这两个音节的韵母是否相同。例如:飞—盘(×);来—论(×)等。这一部分共有 80 对音节,韵母相同的 40 对;另外 40 对韵母不同。

(3) 声调判断。在提示音后,被试会听到两个音节,被试的任务是判断这两个音节的声调是否相同。例如:从—人(√);八—马(×)等。这一部分共有 48 对音节,其中 24 对声调相同,另外 24 对声调不同。

(4) 双声判断。在提示音后,被试会听到一个双音节词,被试的任务是判断这个词是否为双声词。例如:乒乓(√);清明(×)等。共有 48 个双音节词,是双声词的 27 个,其中包含了普通话中所有的 21 个声母以及零声母;另外 21 个为非双声词。非双声词的声母大多发音相似或易混淆。

(5) 叠韵判断。在提示音后,被试会听到一个双音节词,被试的任务是判断这个词是否为叠韵词。例如:大量(×);逃跑(√)。共有 58 个双音节词,是叠韵词的 29 个,另外 29 个为非叠韵词。非叠韵词的韵母大多发音相似或易混淆。

4. 实验步骤

实验均在听力教室以班为单位进行,由本班听力教师做主试。由于题量较大,主试教师根据上课的时间安排,分两次进行。实验时间共约 35 分钟。实验前,由主试教师确定每个学生都对问卷中姓名、性别、母语、学习时间、每周学习时数等项目进行如实的填写,并对学生做必要的说明,如说明什么是双声词等,并举 4—5 组例子作为练习,确保学生明白要做什么之后,开始播放录音,由被试完成所有练习。

(二) 结果

1. 被试各项语音意识总体发展分析

实验结束后,我们得到了 38 份有效问卷,对得到的数据进行了综合分析和统计。

表1 被试各项语音意识测验成绩(错误率)

	人数	声调	韵母	叠韵	双声	声母
A 班	22	0.1181	0.2208	0.2512	0.2917	0.3497
C 班	16	0.0378	0.1516	0.1573	0.2109	0.2832

利用 REPEATED MEASURES[3]/ANOVA 对 38 名被试五项语音意识测验的错误率进行了分析。结果显示,年级的主效应显著[$F(1,35) = 13.73$,$p = 0.001$]。语音意识类型的主效应显著[$F(4,140) = 44.68$,$p = 0.000$],二者的交互作用不显著。这说明 C 班的语音意识成绩优于 A 班,并且在不同的语音意识类型中被试的成绩有明显的差异。

进一步的统计分析显示,在 A 班被试中,语音意识类型的主效应显著[$F(4,80) = 25.75$,$p = 0.000$];两两比较分析显示,被试在声调判断上的错误率低于韵母,在叠韵判断上的错误率低于双声,在双声判断上的错误率又低于声母。

C班被试中,语音意识类型的主效应显著[$F(4,60)=19.66, p=0.000$];两两比较分析显示,被试对声调判断的错误率低于韵母与叠韵,在韵母与叠韵上的错误率又低于声母与双声。

2. 各项语音意识成绩内部分析

为了进一步考察被试在各种语音意识类型内部的发展情况,我们对他们的声调意识、声母意识和韵母意识的听辨判断成绩分别进行了分析。

(1)声调意识内部分析

A. 否定判断分析

表2 被试对不同声调的否定判断成绩(错误率)

母语背景	水平	人数	一/二声	一/三声	一/四声	二/三声	二/四声	三/四声
韩语	A班	11	0.1364	0.0227	0.0909	0.2500	0.0682	0.0000
	C班	9	0.0000	0.0000	0.0000	0.0833	0.0000	0.0000
其他母语	A班	11	0.1136	0.1136	0.1364	0.2500	0.1136	0.0909
	C班	7	0.1071	0.0000	0.0714	0.2500	0.0000	0.0000

利用 REPEATED MEASURES[3]/ ANOVA 对38名被试对不同声调的否定判断情况进行了分析(见表2),结果显示,A班被试声调判断的错误率高于C班;被试对不同声调类型的判断成绩有差异。

利用 ONE WAY ANOVA 对各个项目的成绩进行了两两对比,结果显示,被试对二/三声判断的错误率最高,三/四声的错误率最低,对其他类声调的判断错误率居于二者之间。

第四节 不同母语背景外国学生汉语语音意识发展研究

B. 肯定判断分析

表3 被试对相同声调的肯定判断成绩(错误率)

母语背景	汉语水平	人数	一声	二声	三声	四声
韩语	A班	11	0.1212	0.0909	0.0303	0.0758
	C班	9	0.0185	0.0926	0.0000	0.0556
其他母语	A班	11	0.1515	0.2121	0.1061	0.2121
	C班	7	0.0714	0.0476	0.0000	0.0000

利用 REPEATED MEASURES [3]/ANOVA 对 38 名被试对相同声调肯定判断的成绩进行了分析(见表3)。结果显示，年级的主效应显著[$F(1,34)=5.61$，$p=0.024$]，母语的主效应不显著，类型的主效应显著[$F(3,102)=3.47$，$p=0.019$]。

利用 ONE WAY ANOVA 进行的分析显示，被试对三声判断的错误率低于一声、二声和四声。这说明被试对三声的肯定判断成绩优于对其他声调的判断成绩。

(2) 声母意识成绩内部分析

A. 否定判断分析

实验材料中有 28 对音节的声母不同，我们依据每对声母的不同类型，将其分为 4 类：1) 卷舌音(舌尖后音)与不卷舌音(舌尖前音)(简称卷舌，包括 zh-z、ch-c、sh-s 等组合)；2) 舌面音与舌尖后音(简称舌面，包括 j-zh、q-ch、x-sh 等组合)；3) 送气音与不送气音(简称送气，包括 b-p、d-t、g-k 等组合)；4) 其他易混淆的声母(简称其他，包括 n-l、r-l、f-h、m-n、f-p 等组合)。

利用 REPEATED MEASURES [3]/ANOVA 将 38 名被试对不同声母的否定判断成绩进行了分析(见表4)，结果显示，A班被试的错误率高于 C 班；而不同母语被试在不同声母类型上的判断成绩有差异。

表 4 被试对不同声母的否定判断成绩（错误率）

母语背景	汉语水平	人数	送气	卷舌	舌面	其他
韩语	A班	11	0.0909	0.3939	0.2614	0.4545
韩语	C班	9	0.0741	0.2037	0.0417	0.4028
其他母语	A班	11	0.2424	0.3939	0.2614	0.4205
其他母语	C班	7	0.1667	0.2143	0.1964	0.1786

ONE WAY ANOVA 的简单效应分析显示，被试对送气音/不送气音、舌面音/卷舌音的判断优于对卷舌/不卷舌和其他类声母的判断。

B. 肯定判断分析

实验材料中声母相同的音节共 34 对，我们按照声母发音方法的不同将其分为塞音、擦音、塞擦音、其他（包括鼻音和边音）四类，加上零声母音节，一共五类。

利用 REPEATED MEASURES [3] / ANOVA 对 38 名被试对相同声母肯定判断的成绩进行了分析（见表 5）。结果显示，年级的主效应不显著，声母类型的主效应显著[$F(4,144)=42.87$，$p=0.000$]，说明被试对不同声母类型的判断成绩上有差异；声母类型与年级两种因素的主效应也显著[$F(4,144)=4.47$，$p=0.002$]，说明不同年级的被试在不同声母类型的判断成绩上存在差异。

表 5 被试对相同声母的肯定判断成绩（错误率）

汉语水平	人数	塞音	擦音	塞擦音	零声母	其他
A班	22	0.3636	0.3961	0.2500	0.5852	0.3485
C班	16	0.1786	0.3482	0.2500	0.6719	0.3021

利用 ONE WAY ANOVA 进行了简单效应分析。结果显示，A班被试中，零声母的错误率高于其他各类声母，塞擦音的

错误率低于其他各类声母。这说明 A 班被试对零声母基本不能掌握(错误率接近 50%),对塞擦音的掌握较好,对其他各类声母的掌握情况居于二者之间。C 班被试中,零声母的错误率高于其他各类声母,塞音的错误率低于其他各类声母。这说明 C 班被试对零声母仍然不能掌握(错误率接近 50%),对塞音的掌握最好,对其他各类声母的掌握情况居于二者之间。

(3) 韵母意识内部分析

A. 否定判断分析

实验材料中共有 40 对音节的韵母不同,我们根据每对韵母的不同类型,将其分为 5 类:1)单韵母发音不同的(简称单韵母,包括 o-e、i-ü、u-ü 等组合);2)前鼻韵母与后鼻韵母(简称鼻韵母,包括 en-eng、un-ong、in-ing、an-ang 等组合);3)韵头不同的(简称韵头,包括 ian-üan、ai-uai、un-ün、ie-üe、ao-iao 等组合);4)开口度宽窄不同的(简称开口度,包括 ai-ei、ia-ie、ang-eng、ian-in、üan-ün 等组合);5)其他易混淆的韵母(简称其他,包括 ao-ou、u-ou、ou-uo 等组合)。

表6 被试对不同韵母的否定判断成绩(错误率)

母语背景	汉语水平	鼻韵母	单韵母	开口度	其他	韵头	人数
韩语	A 班	0.2727	0.2879	0.1273	0.1667	0.3884	11
	C 班	0.0972	0.3704	0.0222	0.1481	0.3131	9
其他母语	A 班	0.3750	0.3333	0.1636	0.0758	0.2479	11
	C 班	0.2143	0.1905	0.0571	0.0238	0.3117	7

利用 REPEATED MEASURES [3]/ ANOVA 对 38 名被试对不同韵母否定判断错误率的分析显示(见表6),年级的主效应边缘显著[$F(1,34) = 3.77$,$p = 0.061$],说明 A 班韵母意识的错误率从总体上高于 C 班;韵母类型的主效应显著

$[F(4,136)=16.94,p=0.000]$,母语与韵母类型的交互作用显著$[F(4,136)=3.01,p=0.020]$,说明不同母语的被试在不同韵母类型上的成绩有差异。

进一步分析显示,被试对开口度不同的韵母和其他类韵母(ao-ou、u-ou、ou-uo 等)的判断成绩优于对鼻韵母、单韵母,以及韵头不同的韵母的判断。

B. 肯定判断分析

实验材料中共有 40 对音节的韵母相同,我们按照韵母发音的口型,将其分为开口呼、齐齿呼、合口呼、撮口呼四类。

表7 被试对相同韵母的肯定判断成绩(错误率)

汉语水平	人数	开口呼	齐齿呼	合口呼	撮口呼
A班	22	0.2500	0.1818	0.2348	0.2409
C班	16	0.2109	0.0625	0.1528	0.1375

对 38 名被试对相同韵母肯定判断成绩的分析显示(见表7),年级的主效应显著$[F(1,36)=4.95,p=0.033]$,说明 A 班被试的总体错误率高于 C 班;韵母类型的主效应显著$[F(3,108)=5.51,p=0.001]$,说明被试在不同韵母类型上的判断成绩有差异;两种因素的交互作用不显著。

进一步分析显示,A 班被试和 C 班被试对齐齿呼韵母的掌握均优于其他类型的韵母。

三 讨论

(一)被试各项语音意识总体发展

从对全体被试各项语音意识成绩的总体分析来看,听辨测试中,不同母语不同汉语水平的被试在各项语音意识的总体发展模式上基本相同,都是声调意识优于韵母意识,韵母意识又优于声母意识。被试的语音意识水平明显受到汉语水平(汉语学习时间)的影响,C 班学生在各项语音意识类型上的成绩都明显优于 A 班学生。

本研究得出的被试语音意识发展模式与我们视觉呈现实验得出的模式有明显的不同,我们认为主要有两个原因:第一,被试的差异。我们前后两次实验的被试有很大的差异,被试间的个体差异会对实验结果带来一定的影响。第二,作业任务的差异。实验一中我们考察的是被试对汉字的读音进行语音判断的能力,被试需要首先默读出汉字的发音,然后才能根据作业要求对这个音作出判断;而实验二则是考察被试对语音的听辨能力。被试只需直接对听到的语音作出判断即可。两次实验作业任务的差异造成了被试的语音加工机制不同。Stanovich 等[1]及崔吉元[2]的研究中,也都采用了不同的作业方式对被试的语音能力进行考察,得到的结果同样出现了差异。因此,我们认为,作业的差异是造成我们两次实验结果不同的主要原因。这同时提示我们,在研究被试语音意识发展的过程中,对作业任务的选择和控制是非常必要的。

值得注意的是,声调—韵母—声母这一发展顺序与母语儿童习得汉语语音的顺序完全相同。Zhu Hua & Barbara 用"语音突出性"理论(phonological saliency)来解释儿童的语音习得

---

[1] Stanovich, K., Cunningham, A. E., Cramer, B. B. Assessing Phonological Awareness in Kindergarten Children: Issues of Comparability. *Journal of Experimental Child Psychology*. 1984, 38.

[2] 崔吉元《〈韩汉中介语研究〉评介》,《汉语学习》1993 年第 2 期。

顺序。① 衡量语音突出性高低的标准为：是否是音节必要的成分（必要成分的突出性高于不必要的成分）；是否有区别意义的作用及其作用的大小（作用越大，突出性越高）；语音成分在音节中可能的选项数目多少（选项越少，突出性越高）。依据这些标准，汉语普通话中声调的突出性最高，韵母次之，声母的突出性最低（因为声母不是汉语音节中的必要成分）。Zhu Hua & Barbara 认为，语音成分在语音系统中的突出性越高，越容易被儿童优先习得。我们认为，突出性理论也可以解释留学生语音听辨意识的发展顺序。就声调而言，它是汉语音节中必要的成分，能够区别词义，并且只有四种可能的选择，这种较高的语音突出性使得留学生在听辨作业中易于对声调的异同作出判断。而就声母和韵母而言，韵母的突出性高于声母，而且发音时都是声母在前，韵母在后，并且韵母的发音持续时间较声母长，都使得被试对韵母的判断成绩优于声母。

（二）声调、声母、韵母意识内部发展

1. 声调意识内部发展

在声调意识的听辨测试中，韩语被试和其他母语的被试都难于区分二声和三声，对三声和四声则分得非常清楚（错误率都接近0）；而在对相同声调的判断中，被试却最易辨别出相同的三声。我们认为，这可能是汉语声调本身的特点造成的。汉语的二声是一个升调，三声是一个降升调，二者有相似之处，因此容易产生混淆；而四声是一个高降调，它的音长在四个声调中又

---

① Zhu Hua & Barbara Dodd. The Phonological Acquisition of Putonghua (Modern Standard Chinese). *Journal of Child Language*, Vol.27, No.1. 2000.

是最短的,因而与音长最长的三声区别较大,易于分清。也正是由于三声音长最长,又是唯一一个有"曲折"的声调,特征较为明显,因此也最容易作出相同的判断。

2. 声母意识内部发展

在声母意识的听辨测试中,母语因素、汉语水平因素和声母类型因素对被试声母意识内部发展都存在一定影响;C班被试的声母意识成绩在总体上优于A班被试,但对部分类型声母的判断上,C班被试的成绩较A班被试没有明显的发展,甚至在较低水平上出现了停滞现象(包括被试对擦音、鼻音和边音的肯定判断)。

对不同声母的否定判断中,被试对送气音与不送气音、舌面音与卷舌音的判断成绩普遍优于对卷舌音与不卷舌音的判断,说明被试对卷舌音和不卷舌音的区分是一个普遍的难点;对相同声母的肯定判断中,我们设计了8对零声母音节,包括以半元音y、w开头的和以其他韵母开头的。被试对这些音节的判断错误率都接近50%,说明他们对零声母没有确切的概念。另外,被试对塞音的掌握普遍优于其他各类声母,这与汉语儿童的语音习得顺序(Zhu Hua & Barbara)以及汉语儿童语音意识发展的顺序(姜涛)一致。塞音在世界语言中分布非常广泛(李嵬等),因此对塞音的优先掌握可能在各种语言中具有普遍性。

3. 韵母意识内部发展

韵母意识的听辨测试中,总体来看,母语因素、汉语水平因素和韵母类型因素对被试韵母意识内部发展都存在一定影响;C班被试的韵母意识成绩在总体上优于A班被试,但在对部分类型韵母的判断上,C班被试的成绩较A班没有明显的发展(包括被试对韵头不同的韵母的否定判断等),说明被试对这些韵母仍然混淆不清。

对不同韵母的否定判断中,被试对开口度不同的韵母判断普遍较好,对韵头不同的韵母判断较差,说明被试在听辨中,难于区分韵头的不同声母;对相同韵母的肯定判断中,被试对齐齿呼类韵母的判断成绩普遍优于其他各类韵母,而姜涛对汉语儿童的语音意识发展研究则发现,汉语儿童对开口呼的掌握最好。我们推测,留学生对齐齿呼的韵母容易作出肯定判断,可能与汉语语音本身的特点和被试母语的影响都有一定关系。开口呼韵母的内部差异较大,合口呼和撮口呼都以圆唇音开头,而圆唇音在被试的母语中可能较少或分布不普遍,因此被试判断起来都有一定困难,只有齐齿呼韵母相对来说更易于判断。

四 结论

本研究以听辨测试的作业方式,对38名被试的语音意识发展情况进行了考察,通过对实验结果的统计分析,我们可以得出以下结论:

被试在声母、韵母、声调三方面的语音听辨意识发展模式基本一致,即声调意识优于(或早于)韵母意识,韵母意识又优于(或早于)声母意识。

被试在声母、韵母、声调意识的发展趋势以及各项语音意识内部的发展上都受到汉语本身特点的影响;母语因素对被试语音意识的总体发展没有显著的影响,但对各项语音意识内部的发展有一定影响。

被试的语音意识水平在总体上随着学习时间的增长表现出了显著的进步,但在某些具体的语音上存在着发展迟滞现象。

第二章

汉语词汇认知研究

第一节 生词重现率对欧美学生汉语词汇习得的影响[①]

一 问题的提出

近年来,有不少文章谈到生词重现率(或复现率)问题,认为提高生词重现率有助于学生记忆生词,[②]并提出编写汉语教材时要考虑这个问题,要尽可能使生词在教材中重复出现。[③] 所谓的生词重现率,一般是指生词在教材中重复出现的次数,包括在生词表、课文、练习、解释等教材内容中出现的次数。生词重现率与汉语频率词典统计的词频有联系也有区别,一般说来,在教材中出现次数很多的词(即重现率高的词),常常也是其他书面材料中出现次数多的词(即高频词),例如"的"、"是"等处于频

[①] 本文原标题为"生词重现率对欧美学生汉语词汇学习的影响",作者柳燕梅,原载《语言教学与研究》2002年第5期。

[②] 江新《词汇习得研究及其在教学上的意义》,《语言教学与研究》1998年第3期。
吴世雄《认知心理学的记忆原理对汉字教学的启迪》,《语言教学与研究》1998年第4期。
周淑清《英语阅读中的词汇问题》,《语言教学与研究》1999年第1期。

[③] 陈贤纯《对外汉语中级阶段教学改革构想——词语的集中强化教学》,《世界汉语教学》1999年第4期。

率高端的词。在任何书面材料中都经常出现但频率低的词,情况就不一定,①教材中重现率很低的词,外国学生对其熟悉程度不高,但对中国人来说却可能是常见词。

如果我们把词在汉语教材中出现次数的多少(即教材词频)用词的重现率来表示,那么重现率的高低,是否会影响外国学生对汉语词的认知加工和学习呢?由于教材受体例、内容、课文安排等因素的影响,有时生词的重现次数不会很多,那么在教材里某些词只重现一、两次,是否会有积极的意义呢?

本文通过两个实验来研究生词重现率对外国学生汉语词汇学习的影响,实验一的主要目的是检验"生词重现率高的词是否比重现率低的词学习得好",实验二主要考察"采用提高生词重现率的教学方法是否比不采用此种方法教学效果好"。

二 实验一

(一)实验方法

1. 实验设计:实验采用单因素被试内设计。自变量为词的重现率,分为3个水平:高重现率、中重现率和低重现率,因变量为被试的词汇测验成绩。

2. 被试:北京语言文化大学速成学院速成系零起点班的8名学生,除1人来自泰国外,其他7名学生均来自欧美国家(德、英、法、意),其中男生5人,女生3人,他们的年龄在18—40岁之间,平均年龄25岁。测试时所有被试已学完了教材《实用汉语课本》第1、2册(刘珣等,1986),《现代汉语教程听

---

① 张必隐《阅读心理学》,北京师范大学出版社1992年版。

力课本》第 1 册(李德津等,1993)以及自编教材《初级汉语口语》。

3. 实验材料:从学生学习过的以上教材中选取重现率不同的 110 个词。其中出现 1 次的词 31 个(低重现率),如"父母"、"宾馆"、"西瓜"、"进口"等;出现 2 次的词 36 个(中重现率),如"新鲜"、"香蕉"、"同意"、"还是"等;出现 3 次的词 43 个(高重现率),如"便宜"、"旅行"、"注意"、"苹果"、"照相"等。重现率等于出现次数减去 1。在统计生词重现率时,我们只统计词在生词表中正式出现的次数,没有对词在教材所有内容中出现的频率进行统计,主要是由于教学中关于词汇的学习主要集中于对生词表的学习,生词表中的词比较受重视,而练习或解释中的词容易被忽略。

4. 实验程序:采用纸笔测试的方式,将 110 个词打印在纸上发给被试,请被试根据词形写出拼音,相当于默读。测试时间为 50 分钟,使被试能有充分的时间对列出的词进行回想。对所有被试进行集体测试,由任课教师记分。

(二) 结果

计算被试在重现率不同的 3 种词上的平均分数,如表 1 所示。

表 1 被试在不同重现率的词上的平均分数

出现 3 次(n=43)	出现 2 次(n=36)	出现 1 次(n=31)
36.0	24.1	15.4

方差分析结果显示,重现率的主效应非常显著,$F(2,14)=112.4$,$p=0.000$。多重比较结果显示,出现 3 次的词的成绩显著比出现 2 次的好,出现 2 次的词的成绩比出现 1 次的好,差异

非常显著(p=0.000)。这个结果表明,重现次数对被试的词汇成绩有影响,重现率高的词比重现率低的成绩好。

(三) 讨论

实验一发现,母语学习中的词频效应,在外国学生的词汇学习中也存在,外国学生对高重现率的词学习得比低重现率的词要好。生词的出现次数虽然只有一次的差别,但词的学习结果却有很大不同,也就是说,在词汇学习中,生词的每一次正式出现(在生词表中)都对学习者学习记忆生词产生影响,生词的重现率越高,学习记忆效果越好。这与英语的一些实验结果是一致的,与新加坡学者周清海等关于小学生汉语学习的研究结果[1]也是一致的。

由于参加实验的被试除一人外,都是欧美国家的学生,因此这个结果对其他欧美学生应该也适合。下面主要讨论欧美学生的词汇学习问题。我们认为,词汇的高重现率可以增加欧美学生对生词的熟悉度,加强生词对他们的视觉、听觉上的刺激。而欧美学生在学习词汇时需要的正是这一点,因为对他们来说,记忆生词非常难,尤其是生词的形。欧美学生记忆汉语生词与我们记忆英语单词不同,前者需要掌握义与形、义与音、形与音的三方面联系;而后者只需要掌握义与形、音的一方面联系,因为英语单词的发音和拼写有必然的联系,知其一相当于知其二。可以说,前者比后者的学习需多付出两倍的精力。尽管汉字具有很强的表意性,70%以上的汉字是形声字,但是对于没有汉字

---

[1] 周清海、梁荣基《字词频率与语文学习成效的相关研究》,《第四届国际汉语教学讨论会论文选》,北京大学出版社1995年版。

基础的初级欧美学生来说,声旁和形旁对他们可能并没有太大的帮助,只有在他们掌握了一定量汉字的基础上,他们才能利用声旁和形旁来为记忆汉字服务。这里,生词的形最为关键,词汇的高重现率正可以使学生对生词的形更为熟悉,所以对他们学习和掌握词汇更有意义。

欧美学生学习汉语的最大障碍就是对汉语字词记忆力不强,如果所学词语重现率不高,就"不符合记忆规律,也不符合成年人记忆的特点"①。"记忆的牢固性既取决于认知层次,又取决于呈现频率。……在汉字教学中努力利用认知科学的新成果来改进教学,提高学生对字词处理的认知层次,并且在教案的编写中确保新教的字词可以在短期内有较高的复现率,可以显著地提高习得效率和记忆效果。"②

词的重现率越高,学生掌握得越好,这个结果提示我们,在教学中可以采取提高生词重现率的方法,来促进学生对词汇的学习。

三 实验二

(一)实验方法

1. 实验设计

实验采用被试间设计。自变量是教学方法,有两个水平:对实验组采用了提高生词重现率的教学方法,对照组则没有采用。因变量为被试的词汇测验成绩。

---

① 胡鸿、褚佩如《集合式词汇教学探讨》,《世界汉语教学》1999年第4期。
② 吴世雄《认知心理学的记忆原理对汉字教学的启迪》,《语言教学与研究》1998年第4期。

2. 被试

被试为北京语言文化大学速成学院速成系零起点班的16名学生,将被试分为两组,每组8人。第一组被试与实验一相同。第二组学生除1人来自泰国外,另7人也均来自欧美国家(德、英、加拿大、瑞典、芬兰),其中男生6人,女生2人,他们的年龄在20—37岁之间,平均年龄24.75岁。第一组为实验组,所学教材同"实验一",第二组为对照组,测试时所有被试学完了教材《速成汉语初级教程综合课本》第1、2册(郭志良,1996)。两组学生都是自然教学班。

3. 实验程序

对实验组的学生,采取提高生词重现率的教学方法。即在教学中有意识地增加词汇重复出现的次数,包括课型间的互补和课堂教学两个方面的词汇出现率的提高。首先,我们为实验组设置了三种课型:语法、口语和听力,分别使用三本不同的教材,使部分基础词汇在三本教材中重现的次数比较高。其次,我们在课堂教学中也通过刻意安排来提高词汇的正式出现次数,即采取短时重现与定时重现相结合的办法。短时重现是以复习上一次课的生词为主,定时重现是在一定的时间段中对此阶段的词汇进行重复。

对对照组的学生进行一般的传统教学,即只采用了一本综合教材,设置一种课型,教学中不安排生词的重现。

两组被试学习了相同长度的时间后,从教材的生词表中随机选取90个词对他们进行词汇测试,测试方法同实验一。测试完成后,对两组被试的测试成绩进行对比分析。

(二) 结果

计算实验组和对照组词汇测验的平均分数,如表2所示。

表2 实验组和对照组的词汇测验的平均分数

组别	平均分数
实验组	75.75
对照组	56.42

表2的结果显示,实验组的分数明显好于对照组。另外,在对比中我们还发现实验组的学生中有两人正确率达91%,而对照组最好的学生仅达74.7%。这在一定程度上表明,实验组采用的提高生词重现率的教学方法,对学生的词汇学习有积极的影响。

(三) 讨论

实验二和实验一表明,生词重现率对学生的词汇学习有影响,采取提高生词重现率的教学方法,能够促进学生的词汇学习。

生词重现率对欧美学生的词汇学习有着特别重要的意义。由于欧美学生和日韩学生已有的关于汉语词汇的知识结构不同,所以面临的词汇学习任务也不同。认知学习理论认为,学生学习的过程就是认知结构不断变化的过程,而外国学生原有认知结构中汉语词汇的知识的有无或汉语知识的多少,是决定他们学习汉语难易和快慢的关键因素。在初级阶段,与日韩学生相比,欧美学生在记忆生词、理解词义上常常处于劣势,因此对欧美学生的词汇教学应当引起我们特别的重视。本文报告的实验研究表明,在对欧美学生的词汇教学中,提高重现率的教学方法可能是一个比较有效的方法。通过提高词汇的重现率,会使学生较快地熟悉所学词汇,从而弥补他们原有母语认知结构与汉语差异较大的不足。汉语教师和汉语教材编写者应当设法提高生词在教学或教材中重现的次数。"我们要使每一个新词语都在不同的上下文中反复出现",通过一定数量的重新"唤起"使学生通过反复记忆掌握该词。

提高生词重现率,可以从以下方面入手:一是在课程设置与教材选取上,采用多课型、多教材,使一些常用的基础词汇可以在多个课型、多种教材间得以重现。但是选用的教材也不宜过多,以免增加学生负担,并且在选用前要对教材中的词汇进行统计,以确保通过多教材的选用达到提高生词重现率的目的。二是在教学安排上,增加与词汇相关的教学环节,如生词预习、生词复习、生词练习等,使词汇在不同的教学环节中多次重现。三是在重现方式上,生词应以完整的形、音、义结合体出现,某些重点词或难词可以采用短时重现和定时重现的循环方式,加强它们对学生视、听觉的刺激。四是在教学手段上,可利用多种教具来重现生词,如传统的生词卡片、高科技的多媒体演示等,并根据词的常用性、重要性或难度等,对重现的次数、重现时持续的时间进行控制,从而做到有的放矢、因"词"施教。此外,当生词重复出现时教师适时提醒学生注意,也是提高学生词汇敏感度、促进学习的有效方法。① 总而言之,在教学中,采用提高生词重现率的方法,词汇教学的效果会更好,既定的词汇教学目标也会更好地实现。

---

① 刘颂浩《阅读课上的词汇训练》,《世界汉语教学》1999 年第 4 期。

四 结论

两次实验都说明了"生词重现率"是学生学习词汇的一个关键变量,它能增强学生对词汇的熟悉度。因此,在对欧美学生的词汇教学中,我们应采取提高生词重现率的方法,来促进学生对词汇的记忆。

但是,值得注意的是,实验一中采用的不同重现率的词,除了重现率这个因素外,可能还存在其他因素上的差异,例如笔画数、结构类型、日常读物和教学中出现的次数等等,这些因素的差异可能导致实验结果的差异。实验二中的实验组和对照组,是两个自然的教学班,还不能保证除了教学方法外,其他可能影响结果的变量没有差异。而且,仅采用给生词注音的方法来测量词汇学习效果,这种测量还不够充分、完善。所以,关于生词重现率在学生词汇学习中的作用问题,还要做进一步的研究。

第二节 欧美学生汉语词汇结构意识实验研究[①]

一 研究背景

西方拼音文字语言系统中多数的合成词是由词根或词干加

[①] 本文原标题为"中级汉语水平留学生的词汇结构意识与阅读能力的培养",作者冯丽萍,原载《世界汉语教学》2003年第2期。

上词缀(前缀与后缀)构成的词缀词①,包括词根与词缀构成的派生词(derivational word)和词干加词缀构成的屈折词(inflectional word),而汉语词汇系统中占多数的是由词根与词根组合构成的复合词。根据《现代汉语频率词典》(北京语言学院出版社,1986)的统计,中文里70%以上的词汇都是由两个或两个以上词素构成的合成词。汉语的合成词不仅数量众多,而且构词方法多样,词素与词素按照不同的语义语法关系可以构成联合、偏正、主谓、动宾、补充等多种结构的复合词,中文也正是利用其丰富的结构关系弥补了形态的缺乏。

关于合成词的词汇结构在词汇加工中的作用,近年来的实验研究发现:词汇结构不同词素的激活方式也不一样;②以汉语为母语的小学生在学习早期便具有词汇结构意识;③学习者构词意识的强弱是预测其词汇获得和阅读水平的重要指标。④ 有关失语症的研究也发现:病人在无法提取词汇语音和语义的情况下,仍然保留词汇结构的知识,二者在大脑中是可以独立存储

---

① 在许多汉语语法著作中将词根加词缀构成的合成词称为派生词,但由于在拼音文字中存在着词根加词缀的 derivational word(派生词)和词干加词缀的 inflectional word(屈折词),为了避免混淆,我们将它们统一称为词缀词。

② 冯丽萍《词汇结构在中外汉语学习者中文词汇加工中的作用》,北京师范大学2001年博士学位论文。
Zhang Bi Yin & Peng Dan Ling. Decomposed storage in the Chinese lexicon. *Language processing in Chinese* 37. 1992.

③ 徐彩华、宋凤宁等《汉语儿童复合词构词意识的发展和阅读理解》,《心理学报》2000年增刊。

④ Lewis., D. J. & Windsor., J. Children's analysis of derivational suffix meaning. *Journal of speech and hearing research* 39. 1996.

的。[1]

在第二语言学习中存在着迁移理论,即母语背景影响目的语的学习。那么对以汉语为外语的欧美学生来说,其母语是一种形态化的、词缀丰富的语言,从语言环境与认知结构关系的角度讲,这些成年学习者已经形成了与其母语语言特性相适应的词汇认知结构与识别方式,因此当他们学习汉语这样一种性质完全不同的语言时,是其母语的词汇结构背景还是中文的词汇结构知识起着更大的作用? 他们是否具有中文合成词的词汇结构意识? 根据其构词意识的特点如何进行阅读能力的培养? 在本文中我们选取一批汉语水平中等、母语与汉语性质完全不同的、以汉语作为外语的欧美学生为被试,以词汇结构这个极富汉语语言特点的内容为研究角度,将他们的反应结果与中文母语被试进行比较,以此来考察欧美学生对汉语合成词词汇结构的意识并进而讨论字词教学中阅读能力的培养。

二 实验研究

(一) 实验一

1. 实验方法

实验在北京师范大学心理系的认知实验室以 Demaster 程序完成,采用前掩蔽条件下的词汇判断任务,因为这一方法能较好地反映被试词汇加工的心理过程。其具体程序是:首先在屏幕中央呈现一排"♯"200 毫秒作掩蔽图形,图形消失后呈现启动词,启

---

[1] Margarette Delazer. The processing of compound words: a study in aphasia. *Brain and Language* 1. 1998.

动词的呈现时间根据研究目的而定。这里我们根据目前已有的研究成果首先选择56毫秒,它可以反映词汇加工的早期阶段。启动词消失后,在原来的位置呈现目标词,目标词与启动词采用不同字体以消除视觉上的前后影响。被试的任务是对目标词做真假词的判断。该实验方法的原理是在学习者的心理词典中相关单元之间存在着连接,按照词汇加工中的激活扩散理论,预先呈现的启动词首先得到加工,其被激活的语义扩散至相关的词汇或词素单元,对目标词产生促进或干扰作用。而在启动词之前呈现掩蔽图形可以限制被试对启动词的有意识加工和对策略的运用,从而反映在无意识状态下词汇识别的心理过程。在实验中我们选择联合式与偏正式两种结构的合成词为启动词,对同一组启动词,分别有首词素和尾词素相关的两组目标词与之对应。

2. 实验材料

我们选择汉语中数量较多的联合式与偏正式合成词各20个为启动词,全部为单音单义的中低频透明词,透明度在20名中国大学生中以7点量表方式评定,全部实验材料的透明度均在4.0以上。目标词分别为与启动词首尾词素相关的两组合成词。如对偏正式合成词"花园"分别有首词素相关的"花草"和尾词素相关的"公园"与之对应。启动词和目标词的笔画数、语义关系均经过控制。除此之外,还加入相应数量的无关词和假词以防止被试形成反应策略。两组目标词在被试间进行了匹配,使每一个被试都可以看到数量相同的首尾词素相关目标词,但同一个被试不会两次看到与同一个启动词相关的两组目标词。

3. 被试的选择

(1)全部为非汉字背景的欧美留学生,包括英、法、德三种母语背景。(2)在中国的大学学习汉语一年半左右,汉语达到中级水平。被试的中文听说读写水平经过教师评定,大体一致。之所以要做这种评定,是因为由于学生学习方式与学习目的不同,部分学生存在口语能力与书面语能力严重脱节的现象,此类被试在本实验选择范围之外。(3)被试者年龄没有太大差异,平均年龄在22岁左右。最后共确定被试10名。

4. 实验假设

被试对合成启动词的加工可以有三种方式:将合成词作为一个整词单元进行加工,词素不被激活;词素被激活,但按照自左至右的空间位置顺序;词素被激活,但激活方式受词素构词功能的影响。在实验中,如果经过整词通路或按照自左至右的顺序完成词汇识别,词汇结构不起作用,那么在各种条件都严格控制的情况下,两种结构的启动词词汇加工方式一样,它们对目标词的启动方式也应该是一样的。如果在词汇加工过程中词汇结构起作用,那么联合式和偏正式两种启动词中首尾词素的激活方式应该是不同的,因此两种结构的启动词对各自的首尾词素相关的目标词启动效应的大小也应该有所差异。

5. 实验结果

见表1。

表1 56ms掩蔽启动条件下词汇判断结果

联合式合成词		偏正式合成词	
首词素相关组	尾词素相关组	首词素相关组	尾词素相关组
1166	1258	1172	1196
0.24	0.29	0.25	0.27

注:表中上排为被试反应时结果,单位为毫秒;下排为错误率结果。下同。

6. 数据分析

两名被试的错误率超过50%,数据被剔除。对其余被试的反应时结果作符号等级的非参数检验表明:联合式合成词首词素相关目标词的反应速度显著快于尾词素相关组($T=0$, $p<0.05$),偏正式合成词首词素相关组的反应显著快于尾词素相关组($T=1$, $p<0.05$)。对错误率结果做被试分析和项目分析,效应均不显著。

在该实验之前,我们曾使用同样的实验材料和实验范式,以汉语母语者为被试进行了实验研究,结果显示:在56ms条件下由于词素位置和词素功能的共同作用,联合词中首词素的作用强于尾词素,而偏正词中尾词素的作用强于首词素。与汉语母语被试相比,留学生被试对两种结构合成词的反应都出现了首词素激活强于尾词素的现象,对这一现象可有两种解释:第一,欧美学生的中文词汇加工过程中词汇结构不起作用,词素激活方式受空间位置的影响,因此在不同结构的合成词中首词素激活强度都大于尾词素;第二,56ms对外国学生来说加工时间不充分,而且词汇熟悉度较低,被试无法对词汇进行充分加工,因此词汇结构的作用没有显示出来。为了进一步分析其原因,我们将启动词的呈现时间延长至300ms,并且增加一组高频启动词进行了实验二。

(二)实验二

1. 实验设计

这是一个三因素的被试内设计,三个因素分别为启动词的整词频率(高、低)、启动词的词汇结构(联合、偏正)、目标词相关词素的位置(首词素相关和尾词素相关)。

2. 实验程序

同实验一,但启动词的呈现时间延长至300ms。

3. 实验材料

启动词和目标词的选择标准同实验一,只有启动词的整词频率分为高低两组,高频词的选择范围在 30—120/百万,低频词的选择范围在 5—20/百万。词汇频率的确定依据北京语言学院出版社 1986 年出版的《现代汉语频率词典》,由于该书出版年代较早,且统计主要是以正式的书面语为材料进行的,而本实验的被试为外国留学生,因此对材料的选择我们同时参考了《汉语水平词汇与汉字等级大纲》中对词汇等级的规定。

4. 被试

10 名英、法、德母语背景的二年级学生参加了实验。

5. 实验结果

见表2。

表2 300ms 掩蔽启动条件下词汇判断结果

	首词素相关目标词		尾词素相关目标词	
	联合式	偏正式	联合式	偏正式
高频词	1240	1172	1246	1127
	0.15	0.16	0.16	0.12
低频词	1220	1233	1282	1104
	0.19	0.18	0.22	0.16

6. 数据分析

一名被试的错误率超过 50%,数据被剔除,其余 9 名被试的结果参与了计算。对反应时结果做非参数检验:高频联合词首尾词素相关组差异不显著,而低频联合词中首词素相关目标组的反应显著快于尾词素相关组($T=4$, $p<0.05$),在高低频偏

正词中首词素相关目标词的反应都显著慢于尾词素相关组（$T_1=0$，$p<0.05$；$T_2=1$，$p<0.05$）。在两种结构中词汇频率和词素位置间都没有出现交互作用。

此前我们用同样的实验材料和实验范式、以汉语母语者为被试所做的实验（冯丽萍，2001）发现：300ms时在高低频联合词中首尾词素相关组的差异都不显著，在高低频偏正词中尾词素相关组的反应都快于首词素，词素的构词功能对词素激活模式有很大影响。与中文母语被试相比，留学生被试在两种不同结构的合成词中出现了词素激活模式的差异，说明词素的构词功能在他们的中文合成词加工中起了作用，但是其词汇加工深度明显较弱，这主要表现在联合词中。对中国学生来说，在300ms条件下，联合词中构词功能相等的首词素与尾词素在高低频词中都得到同等程度的激活，但是对外国学生来说，这种同等程度的激活只有在启动词高频的条件下才可得到。也就是说，对熟悉度较高的高频词，由于加工速度较快，允许首尾两个词素的信息都得到提取，因此构词功能相等且意义相近的两个词素得到了同等程度的激活。但是在熟悉度较低的低频词中，信息提取速度相对较慢，当在扫描顺序上占有优势的首词素被首先激活后，尾词素的加工就被暂时抑制。

三 讨论

（一）中级汉语水平外国留学生对中文合成词的词汇结构意识的特点

1. 在中文合成词的加工过程中，词汇结构影响词素提取的方式，因此在联合式与偏正式合成词之间出现了不同的词素激活方式。

2. 词汇结构的作用随加工时间的延长、词汇加工深度的增加而表现得越来越充分,词汇结构对词素激活方式的影响是一个随加工时间的延长而动态变化的过程。

但是与汉语母语者相比,外国学生在词汇加工速度、词素激活强度和广度方面都明显表现出劣势。这体现在:

1. 在56ms时中文母语被试对词汇的加工已经能通达语义,因此词素的构词功能影响词素激活方式。而外国留学生的词汇加工主要停留在字形扫描阶段,因此词素的空间位置决定词素的作用方式。

2. 在300ms时中文母语者的高低频联合式合成词中首尾词素可得到同等激活,而留学生被试中首尾词素的同等激活只在熟悉度高的联合词中表现出来,在低频词中词素的空间位置仍部分起作用。

通过上述实验结果和分析,我们可以看出中级汉语水平的欧美学生在经过一定时间的汉语学习和一定数量的词汇积累以后已经具有中文合成词词汇结构的意识,并且这种意识影响词汇加工中词素提取的方式,因此对联合式与偏正式两种词素关系不同的合成词,词素激活方式也不一样。但是与汉语母语者相比,词汇结构对欧美学生词汇识别的影响只有在词汇熟悉度较高、加工时间充分的条件下才可表现出来。以汉语作为外语的学习者与汉语母语者之间在合成词加工方式上的差异表现在量(激活速度与强度)的层次,二者之间没有质的不同。

(二) 词汇结构意识与阅读能力的培养

中级汉语水平的欧美学生在经过一定时间的汉语学习之后

已具有中文合成词的词汇结构意识,无论是否有意识提取,词汇结构都作为一种潜在的因素存在于其心理词典的词汇表征系统中并影响其词汇加工方式,而构词法丰富正是汉语词汇系统的特点之一。中文里大量的词汇是由少量的词素构成的,并且这些词素大多具有独立的形音义,一个词素可通过不同的方式与其他词素结合,形成互相联系的一个词汇家族,这是中文区别于西方形态语言很重要的一点。按照周有光先生的"汉字出现频率不平衡规律",在汉语中使用频度最高的 1 000 字,其覆盖率达 90% 以上,以后每增加 1 400 字覆盖率增加十分之一,掌握了 2 400 个常用汉字,其书面语的覆盖率可达到 99% 以上。在《汉语水平词汇与汉字等级大纲》中收录了 2 905 个汉字,其中仅甲级字就有 800 个,这 800 字中相当大的一部分是可以用来构词的词素(当然,我们并不能说词素与合成词的数量是等比增加的)。在汉语教学中,如果能够结合汉语自身的特点,重视词素这一基本结构单位,有效地组织字、词、句以及文化的教学,其潜在的内容是相当丰富的。

目前许多从事阅读教学与研究的学者都发现:词汇量缺乏是学生在阅读理解方面最大的障碍之一,而对这一障碍的逾越既依赖于学习者词汇量的扩充,又依赖于我们的教学方式和教学内容对学习者阅读能力和阅读技能的培养,既要授之以"鱼",更要授之以"渔"。根据前面实验发现的中级汉语水平留学生词汇结构意识的特点,我们认为在对外汉语字词教学中结合阅读能力的培养应该考虑以下几点:

1. 重视"部件—字(词素)—词—句"各语言单元间的综合教学,帮助学生了解汉语语言体系的特点,培养他们的汉语语言意识。在教学中不仅要注重对语言系统内各层次单元自身的教学,更要重视帮助学生了解各单元的作用与功能,更好地理解和运用所学的语言要素。例如对词素这一个重要的语言单位,在教学中至少要帮助学生明确:

(1) 词素在形音水平上表现为字,而汉字是一种音义文字,因此在阅读中要充分利用形旁和声旁所提供的信息来理解词义。

(2) 词素是一个构词单位,同一个词素可与不同的词素结合形成一个词汇家族,在阅读中要充分利用该家族中其他成员的意义来帮助理解所要识别的新词。

(3) 汉语是一种词序严格的孤立语,词素与词素的组合也与词素的语义关系和语法功能有关。例如一个名词性词素和一个动词性词素的组合,如果是动前名后所形成的一般是动宾式合成词,而动后名前形成的则可能是主谓结构。

(4) 帮助学生区分词素的不同意义。在我们的实验研究中曾发现许多外国学生在学习初期对"桌子"、"刀子"等词缀词的识别表现出困难,其原因实际上来源于"子女"中有实际词汇意义的词根词素"子"对词缀词中仅有语法意义的词缀词素"子"的干扰。汉语中有意义相关的多义词素和意义无关的同形词素,在教学中要帮助学生区分,避免因错误系联造成的词义理解错误。

2. 构词意识的培养应该从基础阶段开始。虽然本文的实验结果是根据中级汉语水平的留学生得出的,但实际上基础汉语阶段词素构词意识的培养不仅是必要的,而且也是可能的,这种可能首先来源于我们的课程设置。目前在基础阶段一般都依语言技能而开设读写、口语、听力,不同课程所学的词汇有很大的交叉性,运用相关词素就可以把同一词汇家族中的成员系联在一起并有助于更好地理解词素和词汇的意义;其次,他们生活在目的语环境,生活中大量接触的事物为他们理解和生成汉语词汇提供了很好的条件。

3. 在阅读中要帮助学生利用词素信息来跳跃生词障碍。阅读中遇到没学过的生词是常见的现象,在这种时候除了要利用该生词的上下文语境来猜测词义外,构成该词的词素本身也提供了很多信息。首先是词素本身的形旁、声旁、部件;其次是由该词素构成的同一家族中的其他相关词汇;第三是两个或多个构词成分间的组合关系。如果学习者在阅读中在利用上下文语境的同时能充分利用词素本身的信息,词义猜测的准确性就会大大提高。

对外汉语教学发展至今,在理论建设、教学法的探讨、教材的编写等方面都取得了许多成果,并逐步结合汉语自身的特点进一步向系统化、规范化的方向发展。在字词教学中,加强词素教学的呼声越来越高,新的研究成果和教学方法不断推出。对于中文这样一种重意合而轻形态、句法与词法结合紧密的孤立语来说,如果在教学中能针对汉语的语言性质和词汇系统的特点,充分利用学生所认识的汉字和他们生活的语言环境,加强字词教学,培养学生的词素意识与词汇结构的意识,对于帮助学生进一步认识汉语的语言性质、理解和记忆中文词汇、提高阅读能力乃至综合语言能力都将会有很大的作用。

第三节　日本学生伴随性词汇学习的个案研究[①]

无论是第一语言(L_1)还是第二语言(L_2),都有两种词语学习途径:专门的词语教学和阅读中的伴随性学习。和以英语或其他西方语言为 L_2 的学习者一样,以汉语为 L_2 的学习者无论水平高低,都能通过阅读附带地学会一些在阅读前不会的词语。[②] 阅读中的伴随性词语学习主要是通过猜测词义的方式完成的。学习者在阅读文章时,遇到不认识的词语时,就会运用已有的知识猜测出自认为符合文章意思的词义。

猜测词义是外语学习者增加词语知识、扩大词汇量的一个重要途径。因此词义猜测是研究者所关注的一个重要课题。钱旭菁和朱勇等的研究都考察了猜测过程中语境线索的影响,主要涉及语境线索的强弱、目标词与语境线索之间的距离、语境线索的位置(在目标词之前还是之后)等。这里的语境线索实际上指的都是上下文的线索。刘颂浩对学习汉语的学生语境中猜测词义的调查表明,除了上下文以外,词的内部构造、词的多义性也会影响猜测结果。[③] 学习者在猜测的过程中,除了利用上下文、词语构造知识以外,是否还利用了其他

[①]　本文原标题为"词义猜测的过程和猜测所用的知识——伴随性词语学习的个案研究",作者钱旭菁,原载《世界汉语教学》2005 年第 1 期。

[②]　钱旭菁《汉语阅读中的伴随性词汇学习》,《北京大学学报》2003 年第 4 期。
朱勇、崔华山《留学生阅读中的伴随性词语学习研究》,国际汉语教学讨论会论文,北京 2002 年。

[③]　刘颂浩《关于在语境中猜测词义的调查》,《汉语学习》2001 年第 1 期。

语境线索？利用不同的语境线索都需要哪些方面的知识？在猜测时，从识别词语，到利用语境线索和已有的知识，再到理解词语的意思，这是一个怎样的过程？这些都是本文试图探讨的问题。

一 研究方法

钱旭菁(2003)关于日本学习者阅读中伴随性词语学习的研究采用的是测试调查的方法，让 28 名日本学生阅读文章后完成有关阅读理解的练习，然后再用母语写出目标词的意思。该研究发现学习者能够在阅读中通过猜测附带地学会一些词语，但对学习者猜测词义的过程，包括猜测中使用了哪些线索，运用了哪些已有的知识等问题未作考察。为了更深入地了解学习者猜测词义的过程，本文采用了个别访谈的个案研究方法。

本文的研究对象 Z 是北京大学哲学系的进修生，日本某大学中国历史专业的研究生。来中国以前学过汉语。来中国以后，先在北京大学汉语中心学习了半年汉语，后入哲学系学习中国哲学史。

我们每周对 Z 进行一次访谈，从 2002 年 4 月到 6 月，共进行了 6 次。每次的程序是先让 Z 阅读一篇文章，阅读的同时标出文章中所有他不认识的词语。读完以后完成有关文章内容的理解性练习，包括多项选择题和问答题。练习完成以后，我们从 Z 不认识的词中选出 5 个，要求他说明意思。除了让 Z 解释 5 个他不认识的词以外，我们还从 Z 知道的词中选出 5 个让他说明意思[1],这5个词的选取标准是研究者根据经验预测对 Z 来说可能会有困难的词语。每个词一般问以下两个问题:"这个词是什么意思?""你是怎么知道这个意思的?"我们对6次访谈都进行了录音,并将录音转写成了书面材料。

二 结果

表1 Z不认识的词语的比例

	第一次	第二次	第三次	第四次	第五次	第六次	平均
文章长度(词数)	213	326	364	257	169	266	265.83
不认识的词数	10	15	15	17	3	9	11.5
百分比	4.69%	4.60%	4.12%	6.61%	1.78%	3.38%	4.20%

我们选用的文章平均长度为266个词,平均每篇大概有4.2%的词语 Z 不认识,但实际比例要大于4.2%,因为我们从每篇文章里 Z 自认为认识的词中抽取了5个词要求他说出意思,结果发现这些词中有41.7%(的词)Z 只是自以为认识,而其实并不认识。换句话说,我们每篇文章所测的 Z 自认为会的5个词中,有2个词他实际上并不会。[2] 由此可见每篇文章中 Z 不认识的词所占平均比例要超过4.2%。

表2 Z不认识的词语在《(汉语水平)词汇等级大纲》中的分布

	甲级词	乙级词	丙级词	丁级词	超纲词
数量	2	23	5	13	26
百分比	2.90%	33.33%	7.25%	18.84%	37.68%

---

[1] 其中第五次被试不认识的词只有3个。第六次文章比较容易,只测了5个被试不认识的词,没有测他以为认识的词。

[2] 但不能就此推论被试实际知道的词语只有他自己估计的60%,因为我们选取的都是比较难的、估计会对他形成障碍的词语,而不是随机抽取词语来测他的。

从上表可以看出，Z 不认识的词以《(汉语水平)词汇等级大纲》中的丁级词和该大纲以外的超纲词为主。不过该表也显示，有相当部分的乙级词 Z 尚未掌握，而且这部分词所占比例不低，占所有他不认识的词的 1/3。这说明 Z 的语言水平虽然已经较高，但很多常用词还没有完全掌握，这是词汇教学需要注意的地方。

Z 一共猜测了 38 个不认识的词语的意思，其中 28 个是他明确指出不认识的词，还有 10 个是他以为会但实际不会的词语。有些词语 Z 猜测得完全正确，比如他猜"缺乏"是"应该有，不过没有"。有些词语 Z 的猜测只涉及词语的部分意思，如他猜"往事"是"故事"，像这样的我们就算部分正确。猜测正误率见表 3。

表 3　猜测正误率

	第一次	第二次	第三次	第四次	第五次	第六次	平均
正确	12.5%	50%	14.28%	42.86%	40%	40%	33.27%
部分正确	25%	16.67%	28.57%	14.28%	20%	20%	20.75%
错误	62.5%	33.33%	57.14%	42.86%	40%	40%	45.97%

我们此前的研究(2003)中，学习者的猜测正确率为 19.29%，与之相比，本研究中的猜测正确率(33.27%)高了许多。这可能有两个原因，一是学习者的水平不同。本研究中的学习者 Z 在日本学过汉语，并且已在中国学习了半年汉语，其汉语水平已达到入系的程度。而此前研究中的学习者只在日本国内学习过 1—2 年，从未在中国长期学习过，因此语言水平比 Z 要低得多。而语言水平会影响学习者利用语境线索猜词的能力。另一个原因可能是两个研究所用的方法不同。前一个研究

是让学习者写出目标词的意思。用这种方法研究者和被试之间没有交流,学习者一感到困难可能就会放弃。而在本次研究中,研究者和 Z 面对面的交谈对他的猜测有鼓励作用,Z 不会轻易放弃猜测。这也可能使猜测的正确率增加。

三　讨论

前面我们简单介绍了学习者有哪些不认识的词以及对不认识的词的猜测结果。下面我们讨论猜测的具体过程和学习者在猜测时运用了哪些已有的知识。

(一) 猜测词义的两种主要加工方式

阅读时猜测不认识的词语主要有两种方式,一种是提取词语(sense selection),一种是归纳词义(sense creation)[①]。提取词语就是用学习者已知的某个词语的意思来确定目标词的意思。学习者看到目标词的文字形式或听到它的语音形式时,就会激活心理词典中某个和目标词相关联的 L_1 或 L_2 的词语。这是一个快速、自动的过程。(Fraser,1999)

(1) 研究者(以下简称"研"):"向往"是什么意思?(原句:这说明青少年是向往大自然的。)

Z:什么意思?什么意思?向往,向往……追求,追求。

(2) 研:"往事"是什么意思?(原句:每当回忆起童年那段往事……)

[①] Fraser, C. A. Lexical processing strategy use and vocabulary learning through reading. *Studies in Second Language Acquisition* 21, pp.225—241. 1999. Kintsch, W. and Mross, E. F. Context effects in word identification. *Journal of Memory and Language* 24, pp.336—349. 1985.

> Z：往事……往事，故事。
>
> 研：故事是什么？
>
> Z：episode。

在例(1)中，Z看到"向往"以后，他心理词典中和"向往"有关联(association)的 L_2 词语"追求"被激活了，因此他就用"追求"来解释"向往"。在例(2)中，目标词"往事"除了激活了 L_2 的词语以外，还激活了一个英语——学习者所掌握的另一种 L_2 ——中的词语。

归纳词义是指学习者根据上下文语境提供的线索归纳推断出目标词的意义。和提取词语的加工方式比起来，这种加工方式的自动化程度没有那么高，是一种有意识的加工。

> (3)研："忽视"是什么意思？（原句：家庭与社会越来越重视对孩子智商的培养，忽视了基本生活能力的锻炼。）
>
> Z：家庭、社会，嗯，忽视。
>
> 研：还是猜不出来，是吗？
>
> Z：忽视，忽视，轻视。
>
> 研：为什么是"轻视"呢？
>
> Z：家庭、社会越来越重视对孩子智商的培养，重视重视孩子智力的，不重视，不重视，生活能力的锻炼。
>
> (4)研："拮据"是什么意思？（原句：我来到这个世界的时候，正是我们家经济拮据的时候。妈妈不得不马上继续去做自己的工作，以维持家庭的经济收入。）
>
> Z：拮据、拮据，不好，紧张。
>
> 研：为什么是不好、紧张？
>
> Z：前后的几句话，我猜。

在例(3)中,Z 从"忽视"前后的句子归纳推断出"家庭、社会重视孩子的智力,不重视生活能力的锻炼",从而猜测"忽视"是"不重视"的意思。在例(4)中,Z 直接就告诉研究者,他是根据"拮据"前后的句子猜出这个词的意思的。

Z 猜测 38 个词的词义时使用的两种加工方式的频次见表 4[1]。从表 4 看,Z 使用提取词语的加工方式略多,但两种方式的差别不是很大。此处两种加工方式的总频次都不大,因此到底哪种加工方式学习者使用得更多,还需要更多的材料才能得出一个比较准确的结论。如果能以更多材料为基础,还可以进一步比较哪种加工方式的猜测正确率更高。

表 4 Z 使用两种加工方式的频次

加工方式	提取词语	归纳词义
频次	26	19
百分比	57.78%	42.22%

提取词语和归纳词义是猜测词义的两种主要加工方式,但这两种加工方式不是猜测活动的第一个环节。词语的加工可以分成两个阶段:一个是前词汇加工(prelexical access),一个是后词汇加工(postlexical access)。在前词汇加工阶段,文字的视觉刺激或者语音的听觉刺激激活心理词典中词语的形码和音码表征,并激活所有可能的语义。在后词汇加工阶段,进一步整合被激活的表征,通达语义。[2] 提取词语和归纳词义都属于后词

---

[1] 这 38 个词语中,有的词语,虽然研究者多次鼓励猜测,但 Z 还是放弃了猜测。有的词语 Z 提取词语和归纳词义两种加工方式都用了。因此两种加工方式的频次总和不是 38。

[2] 舒华、孙燕《阅读中语境效应的研究》,彭聃龄主编《汉语认知研究》,山东教育出版社 1997 年版。

汇加工阶段。如果前词汇加工阶段就出现错误,那么后词汇加工阶段的提取词语和归纳词义也会随之出错,造成理解的失误。在本研究中,由于前词汇加工错误而导致猜测错误的主要是多音词的问题。Z将"那是个阴森恐怖的大洞,里面藏着无数的魔鬼"这句话中的"藏"读作 zàng,解释为"保管东西的地方"。"藏"是一个多音多义词。读 cáng 时有两个意思,一个是"躲藏"、"隐藏",另一个是"收藏"。读 zàng 的时候,意思是"储存大量东西的地方"。Z 的母语日语中"藏"的意思对应于汉语的"收藏"义。Z 之所以选择"收藏"义有几个可能。第一个可能是他只知道 zàng,不知道 cáng,因此将"藏"解释为"保管东西的地方"。第二个可能是他知道 cáng,但是他只知道"收藏"义,不知道"藏"还有"躲藏"的意思,因此在前词汇加工阶段,激活的只有"收藏"这个意思。第三个可能是 Z"收藏"、"躲藏"两个意思都知道,但记忆中保存的一般都是最常用的意义[1],而其母语中"藏"是"收藏"的意思,因此 Z 解释为"保管"。在另一个句子中,Z 将"为其他的孩子着想"中的"着"读成 zhe,因此他根本就未意识到"着想"对他来说是个新词。而当研究者追问他"着想"是什么意思的时候,他才发现这个词他不知道。总之,上述两例猜测失败都不是提取词语或归纳词义的错误,而是在前词汇加工阶段就已经出现了错误。分清错误发生的阶段有助于我们更好地认识和对待猜测错误。

---

[1] Haynes, M. and Baker, I. American and Chinese readers learning from lexical familiarization in English text. In Huckin, T., Haynes, M. and Coady, J. (eds.), *Second Language Reading and Vocabulary Learning*. Norwood, New Jersey: Ablex Publishing Corporation. 1993.

（二）Z 猜测词义所用的知识

在用提取词语和词义归纳加工方式猜测词语时，Z 运用了多方面的知识（见表 5）。

表 5　Z 猜测词义所用的知识

句法知识	构词知识	词语知识	L_1 或其他 L_2 的知识	语言以外的知识
2.38%	42.86%	40.48%	11.90%	2.38%

1. **句法知识**　根据"句法自推假说（Syntactic Bootstrapping Hypotheses）"，一个词句法方面的特征也能反映这个词语意义的重要信息。年龄很小的儿童就能利用词性方面的信息猜测新词的意思。[①] L_2 学习者在阅读中遇到不认识的词时，也会利用句法方面的知识猜测词义。

（5）研："泛泛"是什么意思？（原句：书既读完，就不能只说些泛泛的美词。）

Z：巧言。

研：为什么你觉得是这个意思？

Z："美词"，"美词"，"美词"的前边。

研：因为它在"美词"的前边，所以你觉得它是"巧言"？

Z：不是。"泛泛"是形容词。

研：你觉得是形容词？

Z：对。

[①] de Bot，K., Paribakht，T. and Wesche，M. Towards a lexical processing model for the study of second language vocabulary acquisition: evidence from ESL reading. *Studies in Second Language Acquisition* 19, pp.309—329. 1997.
Schmitt，N. and McCarthy，M. (eds.) *Vocabulary: Description, Acquisition and Pedagogy*. Cambridge: Cambridge University Press. 1997.

研:"巧言"究竟是什么意思?

　　Z:一个名词。意思是"孔子曰"这样的话。

　　研:所以你觉得"泛泛"是……

　　Z:"泛泛"的名词是"巧言"。

从例(5)可以看到,Z 在猜测"泛泛"的意思时,利用了"泛泛"是形容词这一句法信息。在 38 个词的猜测中,Z 运用句法知识的次数最少,只有上面第(5)例。而且在这个例子中,句法方面的知识也未能帮助他成功地猜测出"泛泛"的意思。可见,对 Z 来说,利用句法知识猜测词义的能力还比较薄弱。

　　2. 构词知识　学习者遇到一个不认识的词时,如果不能马上从心理词典中提取一个和目标词相关联的 L_1 或 L_2 词语,他们常常会利用自己已有的构词知识来分析词的组成成分,从构成词的成分来推测整个词的意思。

　　(6)研:"致谢"什么意思?(原句:其中一位过了两个月才来信致谢。)

　　Z:回答,回答,不是。回信,回信,哎哟,不是。致谢,致谢,回答感谢,回答谢,回答感谢。

　　(7)研:"弊端"是什么意思?(原句:高层建筑的弊端渐渐显露。)

　　Z:不好的事。

　　研:为什么是这个意思?

　　Z:我知道这个字(指"弊"),所以猜出来的。

例(6)中,Z 先将"致谢"分解成"致"和"谢",然后分析"致"是"回答"的意思,"谢"是"感谢"的意思,最后推测"致谢"是

"回答感谢"的意思。例(7)中,Z根据"弊"猜出"弊端"的意思。

3. 词语知识　要成功猜测某一不认识的词语,了解它前后其他词的意思很重要(Schmitt and McCarthy,1997)。利用已知的词语知识,实际上就是利用上下文提供的语境线索。只有具备了一定的词语知识,才能理解上下文提供的语境线索,才能进一步猜测不认识的词语的意思。上文在介绍归纳词义的加工方式时,举的例(3)和例(4),利用的都是词语知识。如例(3)中,Z正是因为知道"重视"是什么意思,才推测出"忽视"是"不重视"的意思。钱旭菁(2003)对日本学生阅读中的伴随性词语学习的研究发现,词汇量和猜测正确率有显著的相关关系。学习者的词汇量越大,他在阅读文章时不认识的词越少,猜测词语的正确率也就越高。Sheffelbine的研究也表明,学习者猜测词义的主要困难之一是不知道相同语境中其他词语的意思(转引自Schmitt and McCarthy,1997)。Z的猜测也存在这个问题。如果和目标词紧邻的词语Z不知道的话,那么这个词就无法猜出来。例如:(加点的词是Z猜测的目标词,画线的词是其他不知道的词。)

(8)每天晚上,爸爸、妈妈又是哄又是逼地让我去睡觉……

(9)楼梯坡度要平缓。

(10)……抛弃了那种宏伟、富丽、华而不实的风格。

(11)我……抱着我的小毯子,不住地和它嘀咕,直到困倦不堪。

例(8)中的"逼"是要猜的目标词,而"逼"前边的"哄"Z也不知道是什么意思。例(9)、(10)、(11)这三个句子中,除了目标词以外,Z 不认识的词语还不止一个。不了解目标词以外的词语的意思,增加了猜测的难度。有 11 个目标词,其所在句子中和目标词紧邻的词语 Z 不知道。这 11 个词中,Z 只有 2 个猜测部分正确,另外 9 个完全不正确。

4. L_1 和其他 L_2 的知识 Z 在猜测词义时,还利用了他自己的母语日语的知识和他掌握的另一种第二语言——英语的知识。例如 Z 猜测"焦虑"是"着急"的意思,因为日语里"焦"是紧张的意思。他还用 episode 解释"往事",用 balance 解释"和谐"。日语中有许多和汉语意思相同或相近的词语,这对 Z 来说是一个有利的方面。利用日语知识猜测的目标词一共有 4 个,这 4 个有 3 个猜测完全正确,1 个部分正确。可见,母语知识对 Z 的猜测起到了促进作用。

5. **语言以外的知识** 语言以外的知识主要是有关世界的百科知识。

(12)研:"兴冲冲"是什么意思?(原句:自己的新书出版,兴冲冲地寄赠了一些朋友。)

Z:自豪。

研:为什么是这个意思?你怎么知道是这个意思?

Z:不知道,所以猜猜。

研:为什么猜这个意思?

Z:"新书出版",然后"我写了一本书",自豪,自豪的。

Z 猜"兴冲冲"是"自豪",而文章中并没有提示"兴冲冲"是"自豪"这个意思的语境线索。因此他很可能是根据常情推理,觉得"写了一本书"以后,应该觉得很"自豪",据此推测"兴冲冲"是

"自豪"的意思。这里他利用的是语言以外有关世界的一般知识。不过,在 Z 所有利用的知识中,和句法知识一样,语言以外的世界知识也是利用得最少的,只见此一例。这可能有两个原因,一是我们所选择的文章,专业性不太强,所以不需要很多语言以外的专业知识。如果是一篇专业性很强的文章,理解其中和专业有关的词语就需要有该专业方面的背景知识。例如猜测一个和动物有关的词语,就需要生物学方面的知识。另一个原因可能是 Z 利用语言以外的知识的能力不够。如果是这一种原因,就需要我们给予足够的重视。因为成年 L_2 学习者在利用语境附带地学习词汇时,在语言水平方面处于劣势,但其优势是有着丰富的世界知识。因此要培养他们利用这一优势来弥补其在语言能力方面的不足。

以上五种知识可以分为三类:语内知识、语际知识和超语言知识。[1] 句法知识、构词知识和词语知识属于语内知识,都是学习者有关目的语的知识。语内知识中的词语知识主要是利用上下文语境线索的依据。句法知识主要是用于确定目标词的形式类别。例如汉语名量词后边一般都是名词,助词"了"、"着"、"过"前一般都是动词。识别了词的形式类别并不意味着就理解了这个词,但增加了这个词的确定性,减少了其他的可能性。而且确定了词的形态类别后,学习者还可能根据这个形态类别查

---

[1] Carton, A. S. Inferencing: A process in using and learning language. In Pimsleur, P. and Quinn, T. (eds.), *The Psychology of Second Language Learning*. Cambridge: Cambridge University Press. 1971.

Morrison, L. Talking about words: A study of French as a second language learners' lexical inferencing procedures. *The Canadian Modern Language Review* 53.1, pp.41—75. 1996.

找新的语境线索。构词知识则既有确定形式类别的作用,又有提示词义的作用。如果学习者知道联合式结构中一个成分的句法功能,那么就可以根据这一线索判断另一个成分的句法功能是什么,从而知道整个联合式结构的句法功能。这是形式类别的确定。同理,如果学习者知道联合式结构中一个成分的意义,那么这个意义就对整个结构的意义有提示作用。

学习者的 L_1 或已掌握的其他 L_2 的知识属于语际知识。语际知识对猜测成功的作用大小取决于两种语言的历史渊源关系。L_1 是日语时,对猜测汉语词语的帮助可能比 L_1 是英语的情况帮助要大。

语言以外的有关世界的知识则是超语言知识。语内知识的运用需要学习者具备一定的目的语水平。有关世界知识的运用就没有这一限制。有研究发现,学习者的经历、知识越丰富,猜测能力越强。一个人知道得越多,学得也越多。

学习者在猜测某个词语的意思时,不一定只运用一种知识,而是可能综合运用几种知识。例如 Z 猜测"和谐"的意思时(见例13),首先运用构词知识。对"和谐"进行了分析,然后猜测"谐"时利用了已有的词语知识,他知道"音谐"的意思。在猜测"谐"的意思时,还激活了已有的英语知识,他知道"谐"有 balance 的意思。因此在猜测"和谐"的时候,Z 运用了语内(构词知识和词语知识)和语际(英语)两类知识。

提取词语和归纳词义这两种加工方式所用的词语知识也不同。提取词语这一加工方式利用的知识主要是构词知识、L_2 词语知识、L_1 和其他的 L_2 的知识。学习者用提取词语的加工方式猜测词语的时候,利用 L_1、L_2(汉语或其他的 L_2)的知识,从心理词典中提取和目标词相关联的 L_1、L_2 词语。在分析构词成分的意义时,从心理词典中提取和该构词成分相关联的词语,这也是提取词语的加工。学习者归纳词义的时候主要利用句法知识、词语知识和语言以外的知识。

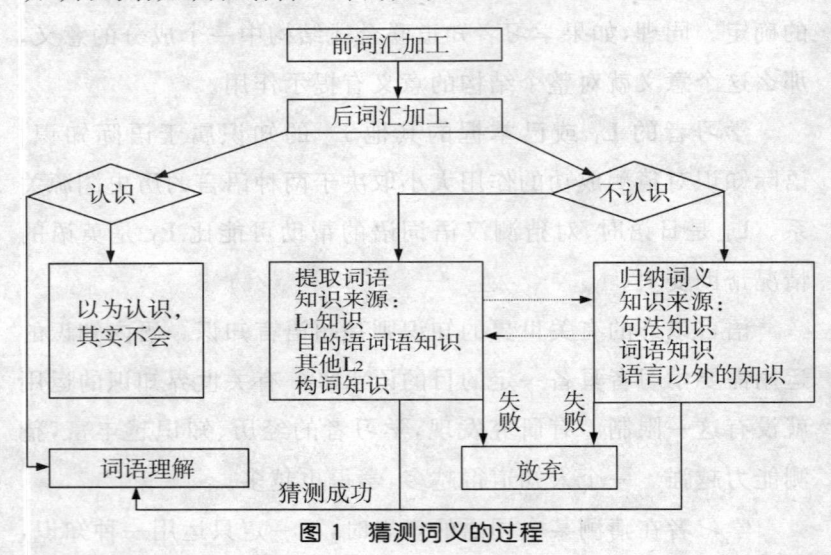

```
                        ┌─────────────┐
                        │  前词汇加工  │
                        └──────┬──────┘
                        ┌──────┴──────┐
                        │  后词汇加工  │
                        └──────┬──────┘
              ┌────────────────┼────────────────┐
           ◇认识◇                            ◇不认识◇
              │                ┌───────┴───────┐
              ↓                ↓               ↓
        ┌──────────┐    ┌──────────┐    ┌──────────┐
        │以为认识,│    │提取词语  │    │归纳词义  │
        │其实不会  │    │知识来源: │    │知识来源: │
        └──────────┘    │L₁知识    │←──→│句法知识  │
              ↑         │目的语词语│    │词语知识  │
              │         │知识      │    │语言以外的│
              │         │其他L₂    │    │知识      │
              │         │构词知识  │    │          │
              │         └────┬─────┘    └────┬─────┘
              │              │失败       失败│
              │              ↓               ↓
        ┌──────────┐         └──→┌──────┐←──┘
        │词语理解  │←────────────│ 放弃 │
        └──────────┘   猜测成功   └──────┘
```

图 1　猜测词义的过程

(三) 猜测词义的过程

学习者在阅读中遇到一个词语时,首先进行前词汇加工。词语的文字形式激活学习者心理词典中的形码表征和音码表征,并激活所有可能的语义。然后进入后词汇加工阶段,整合被激活的表征,通达语义。即使在前词汇加工阶段出现了错误,阅读者也会根据错误的表征继续后词汇加工。后词汇加工可能出现两种结果,一种是学习者认识这个词语,能顺利地通达这个词的语义。但这又分两种情况,一是学习者确实正确地理解了这个词语,这是 Z 在阅读中大部分词语加工的情况。另一种情况是学习者以为自己认识这个词语,但实际上并不知道这个词的意思。因而可能通达的是一个错误的语义,例如 Z 以为"岁月"是"几个月"的意思。后词汇加工的另一种结果是学习者不能顺利地通达这个词的语义,这时他就会利用提取词语或归纳词义的方式猜测词义。猜测过程中,他可能会利用 L_2 词语知识、L_1 或其他的 L_2 知识、构词知识等,从心理词典中提取一个和目标词相关联的词语;也可能利用句法知识、L_2 词语知识和语言以外的知识来归纳词义。有时,猜测同一个词语的时候同时运用两种加工方式。Z 猜测"忽视"一词时,先利用汉语的词语知识,根据上下文归纳出"忽视"是"不重视"的意思,然后还是利用汉语的词语知识,从他的心理词典中提取"轻视"这个词来解释"忽视"。Z 猜测"缺乏"的时候,先从心理词典中提取了"缺点"一词,但很快发现不对,所以又根据上下文归纳出"缺乏"是"应该有不过没有"的意思。当用提取词语和归纳词义两种方式成功地猜测出词语的意义时,阅读者就理解了这个词语。如果猜测失败,学习者就会放弃。在我们的访谈中,有好几次 Z 用提取词语或归纳词义的方式经过多次尝试以后,仍然猜不出来,他就直接告诉研究者,他不知道这个词语的意思。例(13)就反映了 Z 猜测"和谐"时的加工过程(其中黑体字是笔者的说明)。

(13)研:这个是(指着"和谐")……(原句:高层建筑破坏了城市的和谐,给人以一种恐怖的感觉。)

Z:和—— **前词汇加工**

研:héxié,意思明白吗?

Z:现在也不明白。   **后词汇加工——不认识**

Z：城市环境的和，城市环境的和，合适。　　**提取 L₂ 词语——"合适"**

研：为什么是合适？

Z：高层建筑破坏、破坏城市环境环境的……噢，给人一种恐怖的感觉，这是那个，右边有那个，啊，怎么念？和…… **分析构词**

研：xié。

Z：和谐和谐，是那个汉字谐的音谐，也可以说音谐，那个 balance，所以说 balance 是那个和谐。　　**提取英语词——balance**

当研究者指着"和谐"问 Z 的时候，他看到"和谐"的字形开始前词汇加工，这时他不能激活"谐"的音码表征。当研究者告诉他读音后，他继续后词汇加工，但他不能通达"和谐"的词义，因此他告诉研究者他不明白这个词的意思。随后他用"合适"解释"和谐"的意思，这应该是他一系列猜测加工活动的结果。他首先运用构词知识对"和谐"进行了分析，然后利用已有的词语知识——他知道"音谐"的意思——和他的英语知识猜测"谐"的意思，最后从心理词典中提取了"合适"来解释"和谐"的意思。

四　结语

本文对日本留学生 Z 猜测不认识词语的过程进行了个案分析。在阅读中，遇到不认识的词语时，Z 主要采用两种加工方式猜测：提取词语和归纳词义。在猜测时，主要用了三类五种已有的知识：语内知识（句法知识、构词知识、词语知识）、语际知识（学习者的 L_1 或其他的 L_2 知识）和超语言知识（语言以外的有关世界的一般性知识）。在本研究中，我们只考察了 Z 一个人的情况，其他学习者的猜测模式和 Z 是否一样？不同的学习者采用两种加工方式的倾向性如何？不同的加工方式与猜测正确率的关系如何？不同的知识来源与猜测正确率又有怎样的关系？这些问题都还有待进一步的研究。

第三章

汉字认知研究

第一节 外国学生汉字构形意识发展模拟研究[①]

一 汉字构形意识发展的相关研究

(一)"汉字构形意识"的含义

在汉字认知与习得研究领域,汉字正字法意识发展的研究是一个重要的研究领域。因为汉字正字法意识的研究对揭示学习者汉字认知与习得机制具有重要的理论和实践意义。但国外有学者认为,"正字法"这一概念只适用于拼音文字,不适用于音节文字,更不适用于表意文字。(Richards 等,2000:325)[②]因为"正字法"这一概念实际上指的是拼音文字的"拼写法"(spelling)。国内学者认为,不同文字系统有不同的正字法内容。但国内学者通常所说的正字法是指"有关文字的书写规则"。(陈天泉,1985)[③]而本文研究的是汉字构件及其组合规则。为避免概念上的混淆,本文不采用"正字法"这一概念,而采用"汉字

---

① 本文作者王建勤,原载《世界汉语教学》2005年第4期。
② Richards, J. C., John Platt & Heidi Platt《朗文语言教学及应用语言学词典》,外语教学与研究出版社2000年版。
③ 陈天泉《汉字正字法》,湖北教育出版社1985年版。

构形"及"汉字构形意识"这两个概念来描述和定义我们的研究对象。

所谓"汉字构形"是指汉字"因义而构形"的规则而言的。其中包括汉字构件的构形和汉字构件的组合规则。"汉字构形意识",我们认为,主要包括汉字构件的意识和汉字构件单元之间的组合规则意识。关于汉字构形意识及其发展的研究,主要集中在儿童汉字认知研究领域。(Peng and Li, 1995;① Chen and Huang, 1995;② 舒华、刘宝霞,1997;③李娟等,2000④)关于外国人汉字构形意识发展的研究则比较少。

(二)外国学生汉字构形意识发展的相关研究

近年来,关于汉语作为第二语言的学习者汉字构形意识发展的研究逐渐引起学者们的关注。Chuanren Ke 等(2003)系统地考察了汉语作为外语的学习者汉字构形意识发展的过程,将学习者汉字构形意识⑤发展分为三个阶段,即"前成分加工阶段"(pre-component processing stage)、"成分加工阶段"(com-

---

① Peng, D. L., & Li, Y. P. Orthographic information in identification of Chinese characters. Paper presented to the 7th International Conference on Cognitive Aspects of Chinese Language. University of Hong Kong. 1995.

② Cheng, C. M. and Huang H. M. The acquisition of general lexical knowledge of Chinese characters in school children. Paper presented to the 7th international conference on the cognitive processing of Chinese and other Asian languages. The Chinese university of Hongkong. 1995.

③ 舒华、刘宝霞《汉字结构的意识及其发展》,载彭聃龄主编《汉语认知研究》,山东教育出版社 1997 年版。

④ 李娟等《学龄儿童汉语正字法意识发展的研究》,《心理学报》2000 年第 2 期。

⑤ 作者在原文中使用的是 orthographic awareness 这一概念,即通常所说的"正字法意识"。为了行文统一,本文一律采用"汉字构形意识"这一概念。

ponent processing stage）及"自动成分加工阶段"（automatic component processing stage）。① 在"前成分加工阶段"学习者的汉字习得基本上是"整字习得"（learn characters as wholes）。他们还不能把汉字分解为其组成部分，只能采取机械记忆的方式学习汉字；在"成分加工阶段"，学习者已经具备了一定的部件意识，能够把部件知识运用到汉字学习中去，能够准确地猜测规则形声字声符和意符；在"自动成分加工阶段"，学习者已经具有与母语使用者相类似的汉字构形意识。已经能够正确地识别生字是否合乎汉字构形规则。Chuanren Ke 的研究系统地描述了外国学生汉字正字法意识发展的不同阶段。为考察外国学生汉字构形意识发展提供了一个比较清楚的理论框架。

王建勤（2004）1999 年对零起点欧美留学生汉字部件特征的认知效应进行了检验。② 实验结果表明，经过 3 个月的汉字教学，两种不同教学方式（部件教学和笔画教学）并没有使欧美学生的汉字认知方式发生本质的变化，汉字识别水平还仅限于字与"非字"（图形）层面。

江新（2003）通过真、假、非字判断的作业方式，对 9 名美国学生的汉字构形意识发展进行了考察。③ 实验结果表明，初学

---

① Jackson, N. E., Everson, M. E. & Ke, Chuanren Beginning readers' awareness of the orthographic structure of semantic-phonetic compounds: lessons from a study of learners of Chinese as a foreign language. In Catherine McBride-Chang and Chen Hsuan-Chih（eds.），*Reading Development in Chinese Children*. Praeger Publishers: London. 2003.

② 王建勤《欧美学生汉字部件认知效应的实验研究》，《汉语研究与应用》第二期，中国社会科学出版社 2004 年版。

③ 江新《初学汉语的美国学生汉字正字法意识的试验研究》，载赵金铭主编《对外汉语研究的跨学科探索》，北京语言大学出版社 2003 年版。

汉语不到半年的美国学生已经具备了明显的汉字构形意识。但这种意识仅限于上下结构的汉字。在左右结构假字和非字的识别上，美国学生没有表现出明显的汉字构形意识。尽管江的结论与母语儿童汉字构形意识发展的实验研究的结论有所不同（见李娟等，2000），但江新的实验结论将欧美学生汉字构形意识萌发时间推进到半年。

目前，考察外国学生汉字构形意识发展时间跨度最长的是鹿士义的实验报告。鹿士义（2002）以母语为拼音文字的汉语学习者为实验对象，考察了初中高 3 个年级的被试在汉字结构类型及真假非字的认知效应。[①] 鹿的基本结论是，初级阶段（汉语学习年限为 0.5—1 年）汉语学习者的汉字构形意识基本没有形成；中级阶段（1—1.5 年）被试的汉字识别水平与初级阶段的被试几乎没有什么差异，但结构类型意识已经初现端倪；高级阶段（1.5—2.5 年）的汉语学习者汉字构形意识已经萌发，而且汉字构形意识的萌发在三种结构类型上是同步的。鹿的研究表明，外国学生汉字构形意识萌发的时间需要 2 年左右。

从上述实验研究可以看出，Chuanren Ke 的研究提出了外国学生汉字构形意识发展的 3 个阶段，其结论具有一定的普遍性。但外国学生汉字构形意识发展的阶段与其语言水平发展的关系如何尚不清楚。其他学者试图澄清二者之间的关系，但由于被试的母语背景、语言水平的划分等方面的差异，目前还难以

[①] 鹿士义《母语为拼音文字的学习者汉字正字法意识发展的研究》，《语言教学与研究》2002 年第 3 期。

得出一致的结论。

(三) **本文研究的问题与模拟研究的意义**

基于上述实验研究,本研究试图另辟蹊径,即通过联结主义自组织模型的模拟研究,进一步探讨外国学生汉字构形意识发展以及与其语言水平发展的关系;与此同时,通过模型汉字结构类型的认知效应检验,进一步考察汉字结构类型对外国学生汉字构形意识发展的影响。

本研究之所以选择人工神经网络的模拟方法,是因为,基于自组织模型的模拟研究一方面可以避免行为实验研究被试选择的个体差异,其模拟结果相对客观;另一方面,由于自组织模型具有一定的生物学基础,因而其模拟结果具有一定的代表性和外推性。通过模拟研究,我们试图为外国学生汉字构形意识发展过程建立一个参照系。

二 汉字部件识别模型的建构与模拟方法

近年来,"联结主义"(connectionism)认知理论的重新崛起,推动了基于人工神经网络的语言习得与认知模拟研究的发展,特别是基于"自组织模型"(self-organizing model)的模拟研究。(Miikkulainen,1993、1997;[①] Ping Li, 1993、1996、1999、

[①] Miikkulainen, R. *Subsymbolic Natural Language Processing: an Integrated Model of Scripts Lexicon, and Memory*. Cambridge, MA: MIT Press. 1993.

Miikkulainen, R. Dyslexic and category-specific aphasic impairments in a self-organizing feature map model of the lexicon. Brain and Language Vol. 59, No. 2. 1997.

2000;①Li & Shirai, 2000;②Li & Farkas, 2001、③2002④）国内基于自组织模型的模拟研究还不多见。目前能够见到的是邢红兵（2002）关于中国小学生形声字命名的模拟研究。邢利用自组织模型成功地模拟了中国小学生汉语形声字的认知效应和习得过程。模拟结果与汉语儿童的行为实验研究结果非常相似。比如，模型采用了与中国小学生相同的策略来命名形声字，表现出形声字命名的规则性效应、频度效应和过分规则化的情况。邢红兵的模拟研究将自组织模型引入汉字习得研究领域，为今

---

① Li, P. Crypotypes, form-meaning mappings, and overgeneralizations. In. E. V. Clark, ed., *Proceedings of the 24th Child Language Research Forum*. Center for the Study of Language and Information. Stanford University. 1993.

Li, P. and MacWhinney, B. Crypotype, overgeneralization, and competition: a connectionist model of the learning of English reversive prefixes. *Connection Science*, 8. 1996.

Li, P. Generalization, representation, and recovery in a self-organizing feature map model of language acquisition. In M. Hahn and S. C. Stoness (eds.) *Proceedings of the Twenty First Annual Conference of the Cognitive Science Sociaty*. Mahwah, NJ: Lawrence Erlbaum. 1999.

Li, P. The acquisition of lexical and grammatical aspect in a self-organizing feature map model. In. L. Gleitman and Aravind K. Joshi, (eds.) *Proceedings of the Twenty Second Annual Conference of the Cognitive Science Society*. Mahwah, NJ: Lawrence Erlbaum. 2000.

② Li, P. & Shirai, Y., *The Acquisition of Lexical and Grammatical Aspect*. Berlin and New York: Mouton de Gruyter. 2000.

③ Li, P. and Farkas, I. A self-organizing connectionist model of bilingual processing. In R. Heredia and J. Altarriba (eds.) *Bilingual Sentence Processing*. North Holland: Elsevier Science Publisher. 2001.

④ Farkas, I. and Li, P. Modeling the development of the lexicon with a growing self-organizing map. In H. J. Caulifield et al. (eds.), *Proceedings of the Sixth Joint Conference on Information Science*. Association for Intelligent Machinery, Inc., 2002.

后的模拟研究奠定了基础。到目前为止,就笔者所见,我们尚未发现将自组织模型用于汉语作为第二语言的习得研究。因此,我们构建了一个汉字识别的自组织模型,试图在模拟外国学生汉字构形意识发展研究方面作一些初步的尝试。

(一) 自组织特征映射网络的基本特征

为便于理解我们构建的汉字部件识别模型,在此简要地介绍一下"自组织特征映射网络"(self-organizing feature map network)的基本特征。自组织特征映射网络自上世纪 80 年代初由 Kohonen 提出之后,在语言习得与认知研究领域运用得越来越广泛。(Kohonen,1982)[①]许多模拟研究都是在这个模型的基础上进行的。这主要是因为自组织特征映射模型主要有以下几个基本特征:

首先,自组织特征映射网络具有一定的生物学基础。生物神经网络的研究发现,生物大脑皮层本质上是二维拓扑空间的网络结构,神经元呈二维空间排列。每个神经元对应于神经网络中的一个节点。不同层面的神经元之间通过 Hebb 学习规则相互联结,其功能主要是获得和传递外部输入信息。同一层面的神经元之间则是通过侧反馈的方式联系在一起。其功能是通过神经元之间的"竞争"机制来实现人脑神经系统中的"近兴奋远抑制"特性。由于自组织特征映射网络是以人脑的生物神经网络联结特征为基础的,因而具有一定的生物有效性和心理现实性。

---

① Kohonen, T. Self-organized formation of topologically correct feature maps. *Biological Cybernetics* 43. 1982.

其次，Kohonen自组织特征映射网络具有拓扑结构保持特性。生物大脑皮层具有一种将高维输入空间转换为二维输出空间的映射功能。经过转换后的输入信息在二维空间上仍然保持了其概率分布及结构特性。这就是所谓"拓扑保持映射"(topology-preserving mapping)特性。自组织模型正是基于生物大脑皮层这种特性建构的，并通过这种特性实现网络的自组织学习的。

第三，自组织特征映射网络的学习过程是通过两个互相联系的基本过程实现的，即竞争过程和合作过程。所谓"竞争过程"就是最优匹配神经元，或"获胜神经元"的选择过程。网络神经元通过竞争确定获胜神经元之后，需要对邻域神经元的权值进行调节，即"自组织"(self-organize)。这就是所谓"合作过程"。自组织是Kohonen网络的一个重要属性。通过自组织，网络可以对相似的表征对象进行"聚类"(cluster)。聚类的特点是求同存异，并以此实现对象的分类和识别。

由于自组织特征映射网络与人类大脑某些特定的结构和功能具有一定的相似性，自组织模型通常被用于模拟人的语言习得与认知过程的研究。本研究的汉字部件识别模型正是基于自组织特征映射模型的结构和功能构建的。

（二）汉字部件识别模型的结构

"汉字部件识别模型"(the model of component recognition of Chinese characters，简称"CRCC模型")在本质上是一个自组织特征映射网络。"CRCC模型"的结构主要受美国Richmond大学心理系李平教授和赵晓巍博士正在开发的"儿童初期词汇发展自组织神经网络"(the self-organizing neural network model of early lexical development)简称"DevLex-II模型"的启发建构的。其主要功能是汉字的自组织学习和汉字部件识别与分解。为了实现这两个功能,"汉字部件识别模型"的结构主要由两层网图构成:第一层为输入层,是一个"标准的自组织网图";第二层为输出层,是由 James and Miikkulainen (1995)开发的"SARDNET 网图",即"序列激活的保持与衰减网络"(Sequential Activation Retention and Decay Network)。① 模型的结构见下图:②

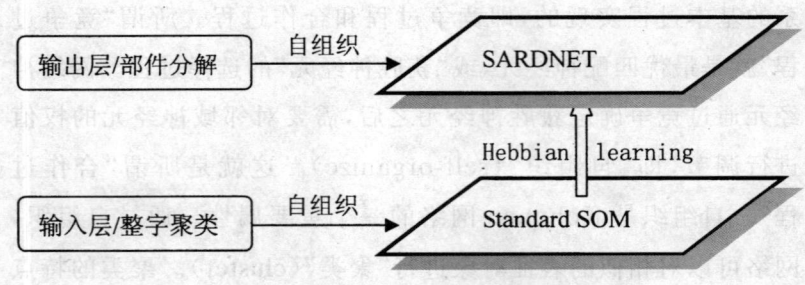

图 1 "汉字部件识别模型"结构示意图

图 1 中的输入层,即"标准的自组织网图",作为汉字的整字表征层,用于汉字的整字加工。它的一个重要功能就是通过自组织对具有相似特征的汉字进行聚类。由于本研究模拟的是外国学生汉字构形意识发展,因此,汉字表征是关于汉字字形属性的表征。网络则根据汉字的字形属性进行聚类,如汉字的结构类型、汉字的部件属性以及汉字的视觉特征等。通过汉字的聚

---

① James, D. L. and Miikkulainen, R. SARDNET:A self-organizing feature map for sequence. In G. Tesauro and D. S. Touretzky and T. K. Leen (eds.), *Advances in Neural*.

② Processing Systems7. 1995.

类结果,我们可以考察网络的部件识别效应。也就是说,网络通过自组织学习,可以识别具有相同部件以及相同结构类型的汉字。其原理与算法①与 Kohonen 自组织特征映射网络是一致的。当一个汉字的输入向量得到一个神经元的最大响应时,这个神经元便成为获胜神经元,也就是说,与其对应的汉字在网图上产生一个映像。由于获胜神经元与自组织网图上其他相邻神经元存在侧反馈连接,获胜神经元便对与其距离最近的邻域内的神经元呈强兴奋性侧反馈。其结果是,代表相同特征汉字的映像单元便聚集在一起,形成一个以获胜神经元为中心的局部兴奋区域。相同部件或结构类型的汉字正是通过这种机制排列在一起的。

  本模型的输出层,实际上是一个部件序列加工网络。这个网络的主要功能是将汉字分解为部件。其原理与 James and Miikkulainen 开发的 SARDNET 网络是相似的。在输出层,首先被激活的部件获得最大权值,成为获胜神经元。当后续部件被依次激活后,先前激活的神经元权值开始衰减,即,这个神经元不再对后续激活的神经元做出响应。后续神经元依次获胜,然后衰减。这种衰减机制使汉字部件的映像单元被依次分布在网图不同的区域,从而使汉字的部件被依次分解。输出层这种分解功能可以使我们进一步检验模型的部件识别能力。如果网络进行了充分的训练,模型就能够完整、正确地将整字拆分为部件;

---

  ① 为避免复杂的技术细节,关于"CRCC 模型"的算法本文不作介绍。有兴趣者可参阅笔者的博士论文《外国学生汉字构形意识发展的模拟研究——基于自组织特征映射网络的汉字习得模型》,北京语言大学 2005 年。

如果网络的训练不充分,就会出现部件拆分不完整、拆分错误或者无法拆分。我们利用模型的这一特性来模拟外国学生汉字部件识别的过程。

(三)"CRCC 模型"的训练和模拟方法

为了模拟外国学生汉字构形意识发展的过程,按照"CRCC 模型",我们分别建立了 3 个子模型:1 年级子模型、2 年级子模型和 3 年级子模型。这 3 个子模型与学过《汉语教程》一、二、三册的外国学生的汉字习得水平相对应。3 个子模型的训练样本是根据《汉语教程》在各年级出现的字种,按照汉字结构类型随机抽取的。1 年级子模型的训练样本共 229 个汉字,2 年级子模型训练样本共 329 个汉字,3 年级子模型训练样本共 429 个汉字。其中,2 年级子模型包含 1 年级子模型学过的汉字,3 年级子模型包括 2 年级子模型学过的汉字。以保持 3 个子模型汉字知识获得与发展的连续性。

在训练方法上,我们没有采用模型通常的训练方法。训练样本完全采用自然语料。模型训练的程度以《汉语教程》中各年级汉字实际出现的频次为依据分别对 3 个子模型进行训练。使每个子模型能够真实地反映各年级外国学生不同的汉字习得水平。此外,在模型的训练过程中,去掉了汉字结构类型的表征,目的是为了真实地模拟外国学生在汉字构形知识缺乏的情况下汉字习得的过程。3 个子模型经过训练后,基本达到了预期的目的。在此基础上,我们对 3 个子模型进行了汉字构形规则性效应进行了检验。

关于模型训练样本的表征方案,我们基本上采纳了邢红兵(2002)汉字表征方案中的字形表征方法,而且根据外国学生汉字认知的特点增加了汉字部件位置的表征。① 限于篇幅,在此不作详细介绍。

三 "CRCC 模型"汉字构形规则认知效应检验

"CRCC 模型"汉字构形规则认知效应检验主要包括两个方面:一是汉字构形规则的认知效应模拟;二是汉字结构类型认知效应模拟。实验任务为识别真、假、非字。这是行为实验研究通常采用的实验任务。真字具有音义,形体符合构字规则;假字虽无音义但符合构字规则;非字不仅无音义,而且不符合构字规则。假字与非字的区别就在于是否符合构字规则。因此,通过假字与非字的识别任务,可以考察外国学生汉字构形意识的萌发与发展。行为实验研究还表明,结构类型对学习者汉字构形意识发展具有一定的影响。(李娟,2000)因此,我们还将检验3个子模型的结构类型认知效应。

(一) 模拟研究 1:汉字构形规则认知效应模拟

模拟研究 1 的目的是对 3 个年级的子模型进行汉字构形规则认知效应的检验,即所谓正字法规则效应检验。

1. 实验材料

实验材料是从 3 个年级子模型的训练字表中抽取的。也就是说,用于测试模型的汉字都是模型学过的汉字。在 3 个子模型的训练字表中,我们按照 3 种汉字结构类型(左右结构、上下结构、包围结构)选择真字 30 个,每种结构类型 10 个。为了控

---

① 邢红兵《小学语文教材形声字表音情况统计分析及小学生形声字命名的自组织模型》,北京师范大学 2002 年博士学位论文。

制所选汉字的无关因素,我们分别对 3 个子模型的 3 种结构类型真字的部件数、笔画数进行 ONEWAY 检验,差异均不显著。与此同时,我们对所选汉字的频率按照模型训练字表中的实际频次进行匹配。我们将大于等于 20 次的汉字定义为高频字,小于等于 15 次的汉字定义为低频字。本次模拟研究选择的 30 个真字的频次都属于低频字。

此外,我们分别在 3 个子模型的训练字表中选取一定量的汉字造假字、非字各 30 个,每种结构类型各 10 个。非字通过真字部件位置调换的方法获得。如"破"组合为"皮+石"。上下结构采取上下调换位置的方法获得。包围结构也采取部件位置调换的方法构成。但在实际的非字表征文件中只是将结构位置属性中位置表征置换。假字采取两个合法位置部件的组合获得,如将"破"中的"石"与"玲"中的"令"组合为"石+令"。

2. 模拟与测试结果

模拟的目的:利用测试字表分别对 1、2、3 年级子模型对假字与非字、真字与假字、真字与非字的识别效应进行测试。

模拟步骤:将测试各年级子模型的真字、假字、非字的字表进行表征,然后输入经过训练的 3 个子模型。3 个子模型运行后得到测试结果。基于 3 个子模型真字、假字、非字识别结果的正确率进行差异显著性检验。

由于模拟研究的特殊性,我们采取的测试方法和测试指标与通常的行为实验方法有所不同。一是,我们无法采取反应时的测试方法,只能对汉字识别的正确率进行统计。二是,行为实验通常以拒绝假字、非字的正确率作为测量指标,而对模型只能以假字、非字的正确识别率作为测量的指标。

测试结果：根据上述测量指标，我们对 3 年级的子模型进行了测试。并对该模型识别假字与非字的正确率进行了差异显著性检验（Man-Whitney 检验）。测试与检验结果见表 1。

表 1　3 个子模型真假字识别正确率差异显著性检验

	真字	非字	Sig.	真字	假字	Sig.	假字	非字	Sig.
1 年级	42.03	18.97	p=0.000	40.17	20.83	p=0.000	40.17	20.83	p=0.000
2 年级	44.47	16.53	p=0.000	43.08	17.92	p=0.000	37.83	21.17	p=0.000
3 年级	45.12	15.88	p=0.000	42.08	18.92	p=0.000	37.68	23.32	p=0.000

测试与检验结果表明，1 年级子模型对假字和非字识别的差异非常显著（$p=0.000$），真字与非字，真字与假字识别的差异也非常显著（$p=0.000$）；2 年级子模型假字和非字的正确识别率差异非常显著（$p=0.000$），真字与非字，真字与假字的正确识别率差异也都非常显著（$p=0.000$）；3 年级子模型在假字和非字的正确识别率上差异非常显著（$p=0.000$），真字与非字，真字与假字的正确识别率差异同样非常显著（$p=0.000$）。

3. 统计分析及结论

根据上述测试结果及统计分析，我们可以得出以下初步结论：

(1)统计分析表明，1 年级子模型汉字构形规则认知效应非常显著。这意味着，学过《汉语教程》一年级课程的外国学生，其汉字构形意识已经萌发。这一点与鹿士义（2002:55）的实验结果部分吻合。鹿的实验结果表明，以正确率为因变量，初级水平的外国学生在假字、非字的识别上差异非常显著（$F=47.885$，$p=0.000$）。也就是说，学习汉语 0.5—1 年的外国学生汉字构形意识已经萌发。这一点二者是相同的。不同的是，如果以反应时为因变量,鹿的被试在真字与非字的识别上差异不显著。这一结果使鹿对其被试汉字构形意识是否萌发的评价大打折扣。鹿认为,假字与非字之间的识别差异"只是一种假象"。我们认为,这一结果可能与鹿的被试个体差异以及学习时间长短差异比较大有关。

(2)统计分析表明,2年级、3年级子模型汉字构形规则的认知效应非常显著。由此我们可以推论,学过《汉语教程》的2、3年级学生,其汉字构形意识已经确立,而且达到较高的水平。这一点与鹿的实验研究关于中级水平和高级水平的学习者对假字和非字识别的结果是基本一致的。由于鹿的中级水平被试在真字与非字的识别上差异不显著,鹿认为,中级水平的外国学生汉字构形意识发展与初级学习者的没有什么差异。这一点与2年级子模型的表现差别较大。

(二)模拟研究2:汉字结构类型认知效应模拟

汉字的结构类型是汉字字形的一个重要特征。结构类型的认知效应能够反映学习者汉字组合规则的意识。以往关于学习者汉字构形意识发展的研究都把汉字结构类型作为一个重要的考察内容。模拟研究2的目的主要是考察汉字结构类型对汉字构形规则认知的影响。

1. 实验材料

模拟研究2的实验材料和模拟研究1的实验材料相同。我们分别选取3种结构类型(左右结构、上下结构、包围结构)的假字30个,每种类型10个;非字30个,每种结构类型10个。

2. 模拟目的和步骤

模拟目的:模拟研究1没有考虑汉字结构类型对汉字构形

意识发展的影响。因此,模拟研究 2 拟从字的种类(假字与非字)和汉字结构类型两个方面考察模型汉字构形规则的认知效应。

模拟步骤:将 3 种结构类型的假字和非字的表征文件输入 3 个年级的子模型。模型运行后得出模拟结果。然后,根据模型的模拟结果,即模型对 3 种不同结构类型的假字和非字识别的正确率进行统计分析。

3. 模拟与测试结果

根据模拟结果,我们利用克-瓦氏检验(Kruskal Wallis Test)方法分别对 3 个年级子模型对 3 种结构类型的假字和非字识别正确率的差异显著性进行了检验。检验结果见表 2。

表 2　3 个子模型 3 种结构类型假字非字识别正确率差异显著性检验

	左右结构	Sig.	上下结构	Sig.	包围结构	Sig.
1 年级	$x^2=4.691$	$p=0.030$	$x^2=1.762$	$p=0.184$	$x^2=1.000$	$p=0.317$
2 年级	$x^2=4.318$	$p=0.038$	$x^2=6.239$	$p=0.012$	$x^2=4.684$	$p=0.030$
3 年级	$x^2=10.365$	$p=0.001$	$x^2=2.283$	$p=0.131$	$x^2=3.333$	$p=0.068$

从上表可以看出,1 年级子模型假字、非字的识别在左右结构水平上差异显著;在上下结构和包围结构水平上差异不显著。由此可知,汉字结构类型对 1 年级子模型汉字构形规则的认知产生了一定的影响。也就是说,1 年级子模型汉字构形规则认知效应仅限于左右结构类型。

2 年级子模型汉字结构类型识别的差异显著性检验结果显示,该模型假字非字的识别在 3 种结构类型上差异均显著。也就是说,该模型所反映的 2 年级外国学生汉字构形意识的发展在 1 年级子模型的基础上有了较大的提高,因为 2 年级子模型汉字构形意识的发展已经不限于左右结构；此外，2年级子模型所表现的汉字构形意识在3种结构类型上的发展是同步的。

检验结果还显示，3年级子模型假字、非字识别仅在左右结构类型上差异显著；在上下结构和包围结构上差异均不显著。这表明，3年级子模型汉字构形规则认知水平在3种结构类型上的发展是不同步的。按照模型汉字识别能力的发展逻辑来看，3年级子模型所表现的汉字构形意识发展在上下结构和包围结构上没有达到应有的发展水平。

4. 统计分析与初步结论

根据上述测试结果及统计分析，我们的初步结论是：

(1)1年级子模型的汉字构形规则认知效应明显受到结构类型的影响。这一结果与鹿士义的实验结果不一致。鹿的实验结果表明，初级水平的外国学生的汉字构形意识发展不受汉字结构类型的影响。然而，1年级子模型的模拟结果与李娟(2000)关于汉语儿童正字法意识发展的实验结果相吻合。李发现，汉字结构类型对1年级儿童汉字识别有影响。即，"被试对左右结构正字法比对上下结构和半包围结构的更为敏感。"李认为，"这可能是由于左右结构类型的字在汉字中所占比例最高，因此积累的有关左右结构汉字的识字经验最为丰富，相应地对这种结构类型的正字法也就最敏感。"为了证实这种分析，我们对3个子模型训练字表中的左右结构类型汉字所占的比例作了一个统计。统计结果发现，1年级子模型学习的汉字中，左右结构的汉字占54.1%；2年级子模型中占54.7%；3年级子模型中占55.9%。因此，1年级子模型的模拟结果似乎可以从左右结构汉字在模型中所占比例比较高得到解释。

(2)与1年级子模型相比,2年级子模型的汉字识别水平得到很大的提高。模型对假字、非字的识别能力已经不限于左右结构,而且在3种结构中得到同步发展。这一点与鹿士义的实验研究结果不同。鹿的实验结果表明,中级水平的外国学生的汉字正字法意识发展相对迟缓,即结构类型的认知效应不显著($F=0.248, p=0.781$)。结构类型与字的种类之间的交互作用也不显著($F=0.982, p=0.45$)因此也谈不上汉字构形意识的同步发展。之所以产生两种不同的结果,可能是由于被试水平的差异造成的。从发展水平和实验结果看,2年级子模型的汉字认知水平相当于鹿的实验研究的高年级被试(1.5—2.5年)的认知水平。因此,我们认为,2年级子模型的模拟结果是符合其汉字认知水平的发展的,也符合模型自身发展的内在逻辑。

(3)汉字结构类型对3年级子模型汉字构形规则的认知产生了较大的影响。这种影响主要表现在左右结构假字与非字的识别上。这一模拟结果与鹿士义的实验结果不相吻合。鹿的实验结果表明,高级水平的外国学生假字、非字的识别在三种结构上差异显著或接近显著(左右结构 $p=0.0317$;上下结构 $p=0.0460$[①];半包围结构 $p=0.0510$)。3年级子模型假字、非字的识别在左右结构上差异显著($p=0.001$),其他结构均不显著($p=0.131, p=0.068$)。这个模拟结果似乎不符合模型3年级子模型汉字认知发展应有的水平。

(三)关于模拟研究结果的讨论

模拟研究1和模拟研究2分别对模型汉字构形规则认知效

[①] 原文为 $p=0.46$。可能是笔误或印刷错误。(见鹿士义,2000:55)

应以及汉字结构类型认知效应进行了检验,并得出了初步结论。针对上述结论,我们将讨论以下几个与外国学生汉字构形意识发展有关问题。

1. 关于外国学生汉字构形意识发展与语言习得水平的关系问题

目前,关于汉字构形意识发展的行为实验研究,由于被试选择的差异,我们很难确定外国学生汉字构形意识发展与其语言习得水平的关系。但是,根据模拟研究1的初步结论,结合行为实验研究的结论,我们似乎可以就二者之间的关系作出某些推论。

首先,根据模拟研究1的初步结论,我们得出的第一个推论是:外国学生汉字构形意识的萌发似乎晚于中国小学1年级儿童。证据是,模拟研究1的检验结果表明,1年级外国学生[①]的汉字构形意识的萌发接近李娟等关于中国1年级小学生汉字构形意识萌发的水平。李娟(2000:123)的实验表明,如果以正确率为指标的话,"一年级儿童已萌发了正字法意识,而且这种萌发在三种结构类型之间是同步的"。但若以反应时为指标,1年级儿童的正字法意识萌发尚不明显,而且受到结构类型的影响。这一结论与我们1年级子模型的模拟结果是相接近的,只是程度有所不同。因为,以正确率为指标,1年级子模型汉字构形规则的认知效应还仅限于左右结构,尚未达到在3种结构类型上同步发展的水平。基于这种分析,我们认为,外国学生要达到中国1年级小学生汉字构形意识发展的水平,至少需要1年左右。

---

① 本文指学过《汉语教程》1年级课程的外国学生。

其次,如果上述推论成立的话,据此我们可以推断,外国学生汉字构形意识从萌发到确立大约还需要经历1年左右的时间。根据2年级子模型的模拟结果,我们认为,2年级外国学生经过又一个学年的学习,汉字构形意识已经确立。这就是说,外国学生汉字构形意识从萌发到确立的时段大约是1年。这两个阶段加在一起一共是两年。这一推论与鹿士义的结论大致相近。不同的是,鹿所说的是"从初识汉字"到汉字构形意识"萌发"需要两年左右。问题出在对"萌发"和"确立"这两个概念的理解上。在模拟研究中,我们是根据模型假字、非字识别在3种结构类型上是否同步这一标准来定义汉字构形意识"萌发"和"确立"这两个概念。如果模型的假字、非字识别仅限于某种结构类型,这只能看作汉字构形意识处于萌发阶段;如果假字、非字的识别在3种结构类型上是同步的,说明模型所模拟的外国学生的汉字构形意识已经确立。按照这个标准,我们认为,鹿的实验研究中的高级水平被试已经处于汉字构形意识的确立阶段。因为,他的实验表明,高级水平被试对假字、非字的识别在3种结构类型上差异均显著($p = 0.0317, 0.0460, 0.0510$)。

如果我们作进一步的比较的话,我们发现,2年级子模型与中国小学3年级学生汉字构形意识发展水平具有一定的可比性。李娟等(2000:124)的研究将中国小学生汉字构形意识萌发和成熟年龄分别推进到小学1年级和5年级,同时发现3年级是发展的转折年龄。这就是说,3年级是中国小学生汉字构形意识确立的年龄。由于2年级子模型已经具备与中国3年级小学生相似的汉字构形意识发展的特点和水平,因此,我们认为,2年级子模型大致相当于中国3年级小学生汉字构形意识发展的水平。

2. 关于外国学生汉字构形意识发展与识字量的关系问题

在模拟研究中,我们发现,汉字构形意识的发展不仅与学习者的语言水平有关,而且与学习者的识字量有关。3 个年级子模型的汉字认知效应表明,汉字构形知识的获得是一个知识不断积累的过程。这个积累过程与学习者的识字量密切相关。换句话说,汉字构形意识的发展要以足够的识字量为基础。据邢红兵(2002:37)统计①,中国小学 1 年级学生第一学年的汉字识字量为 919 个。由此我们可以推知,中国小学 1 年级学生汉字构形意识萌发的识字量大约在 900 字左右。那么,外国学生的汉字构形意识萌发的识字量是多少呢?根据 1 年级子模型的模拟文本的统计②,学习 1 个学年汉语的外国学生的识字量应为 2 200 字左右。根据这个数字,我们可以推知,外国学生汉字构形意识萌发的识字量应该在 2 200 字左右。由此可见,外国学生与中国小学生汉字构形意识萌发所需识字量差异巨大。这显然是由于汉字与拼音文字的"正字法距离"比较大造成的。因此,对于母语为拼音文字的外国学生而言,其汉字构形意识的发展需要积累足够的识字量。与中国小学生相比,外国学生的汉字习得任重而道远。

3. "特征分布频次"与"任务频次"对汉字构形意识发展的影响

从模拟研究 2 的初步结论可以看出,3 个年级子模型的汉字结构类型的认知效应存在着明显的差异。也就是说,汉字结

---

① 统计数据来源于北京师范大学出版社 1999 年出版的《九年义务教育五年制小学试用课本》。

② 统计数据来源于北京语言文化大学出版社 1999 年出版的《汉语教程》1 年级课本。

构类型对模型的汉字构形规则的认知产生了不同的影响。那么,我们如何解释这种差异?

首先,我们可以从汉字结构类型的"特征分布频次"(feature distribution frequency)来解释结构类型对模型汉字构形规则认知的影响。1年级子模型的汉字构形规则认知之所以在初级阶段仅限于左右结构的汉字,一方面是该模型的汉字识别能力还有限,左右结构的汉字比较容易识别,因此,其汉字构形知识的获得首先是左右结构的汉字;另一方面,统计分析表明,左右结构汉字在3个子模型训练样本中的比例都在50%以上(见图2)。这种特征分布频次意味着左右结构类型的汉字得到了充分的训练,模型积累了较多的左右结构汉字的知识。因而在左右结构汉字的识别上具有明显的认知效应。这是左右结构特征分布频次对模型学习产生的直接影响。模拟研究还表明,2年级子模型处于汉字识别能力发展的高峰期,左右结构汉字识别效应显著是必然的。3年级子模型在左右结构上的认知效应也是因为左右结构的汉字占的比例最高,受到结构类型这一特征分布频次的直接影响而产生的结构类型效应(见图2)。

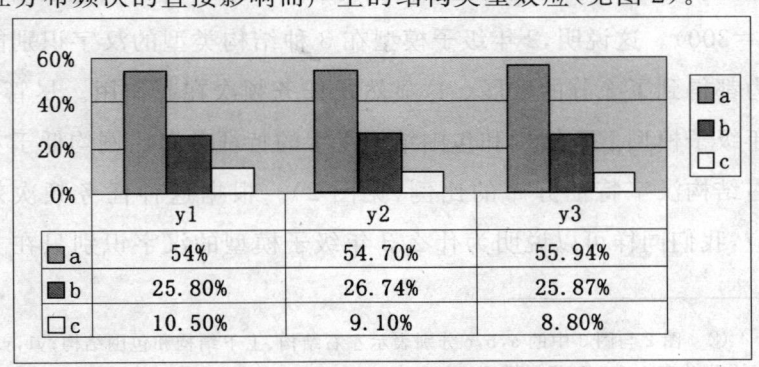

	y1	y2	y3
a	54%	54.70%	55.94%
b	25.80%	26.74%	25.87%
c	10.50%	9.10%	8.80%

图2 3个子模型汉字结构类型特征分布

从图 2 可以看出,单从结构类型分布的比例看,3 个年级子模型在 3 种汉字结构类型特征分布的比例上差异并不大。左右结构类型占优势也只能说明左右结构类型汉字的认知效应。但我们无法解释 2 年级子模型汉字构形认知效应在 3 种结构类型上同步发展的问题。为此,我们对 3 个年级子模型的结构类型"任务频次"(task frequency)进行了统计(见图 3)。

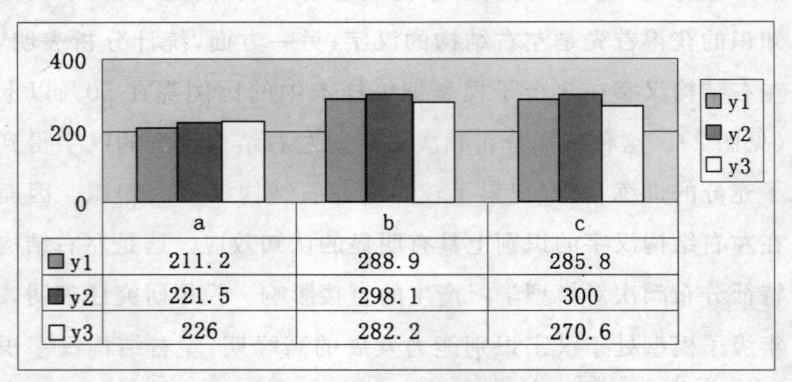

	a	b	c
y1	211.2	288.9	285.8
y2	221.5	298.1	300
y3	226	282.2	270.6

图 3 3 个子模型汉字结构类型任务频次分布①

从图 3 可以看到,2 年级子模型上下结构和包围结构的任务频次在 3 个子模型中是最高的(上下结构 f=298.1;包围结构 f=300)。这说明,2 年级子模型在 3 种结构类型的汉字识别能力都得到了充分的发展。这显然是任务频次在起作用。尽管 2 年级子模型上下结构和包围结构汉字的特征分布比例均低于左右结构汉字特征分布的比例(见图 2)。根据这种任务频次效应,我们同样可以说明为什么 3 年级子模型的汉字识别只在左

---

① 图 2 与图 3 中的 a,b,c 分别表示左右结构、上下结构和包围结构;y1,y2,y3 分别代表 1、2、3 年级子模型。

右结构水平上差异显著。3年级子模型汉字构形规则的认知之所以在上下结构和包围结构上没有得到充分的发展,是因为其任务频次比2年级子模型低(上下结构 f = 282.2;包围结构 f = 270.6)。

上述分析表明,仅仅从汉字结构类型特征分布或者仅仅从任务频次的角度来分析2年级子模型和3年级子模型的发展模式是不够的。我们必须从结构类型特征分布和任务频次两个角度来分析这些因素对模型汉字构形规则认知发展的影响。从图2与图3可以看到,左右结构类型在3个子模型中虽然占有较高比例,但是左右结构类型汉字的任务频次普遍低于上下结构和包围结构。同样,虽然上下结构和包围结构的任务频次都高于左右结构,但这两种结构的比例却明显低于左右结构。因此,我们认为,3个年级子模型汉字构形规则认知的发展不仅仅是结构类型特征分布决定的,而是结构类型特征分布与任务频次,即模型与汉字频次的交互作用,共同决定的。由此可见,汉字结构特征分布作为一种潜在的知识对模型汉字构形知识的获得会产生直接的影响。但是,这种潜在的知识的"浮现"(emergent)还要受到"任务频次"因素的影响。

四 模拟研究对汉字教学的意义

利用"CRCC自组织模型",我们模拟了外国学生对汉字构形规则的认知效应。我们认为,"CRCC模型"的模拟结果及初步结论不仅对外国学生汉字构形意识发展的研究具有一定的现实意义,而且对对外汉字教学也具有一定的参考价值。

在模拟研究中,我们发现,"CRCC模型"训练样本潜在的汉字知识对模型汉字知识的获得具有重要的影响。但是,在对外汉字教学中,教材中潜在汉字知识往往被忽视。如汉字的结构类型、汉字的频次分布、汉字的部件位置信息等等。在外国学生汉字习得过程中,往往是这些潜在汉字知识和信息在起作用。在汉字教学中,如果我们只注重常用汉字的频度,忽视汉字实际出现频次,即任务频次,就难以取得良好的教学效果;如果我们只注重汉字教学的循序渐进,而忽视汉字结构特征的分布,汉字教学必然事倍功半。因此,对外汉字教学应该重视潜在的汉字结构类型的特征分布与汉字任务频次对外国学生汉字构形意识发展的影响。

模拟研究结论表明,对外汉字教学应该重新认识汉字频次对学习者汉字知识获得的重要影响。研究表明,学习者对频次是非常敏感的。汉字字形特征的获得是通过频次效应来实现的。汉字习得是一种"受频次左右"(frequency-biased)的习得过程。如汉字结构类型的频次效应,汉字部件位置的频次效应等都表明,汉字特征的获得是受频次左右的。对外汉字教学要注重汉字局部特征信息的频次效应的影响。因此,我们在教学设计上要增加相应的教学环节,凸显汉字结构特征的教学。巧妙地利用汉字识别的频次效应为学习者提供丰富的汉字特征信息的输入环境,提高对外汉字教学效率。

此外,对外汉字教学不仅要注重汉字基础部件和常用汉字的教学,而且还要重视汉字识字量对汉字构形意识发展的影响。

对于母语为汉语的中国小学生而言,少量的汉字基础部件和常用汉字的教学就可以使学习者较早地萌发汉字构形意识,因而比较容易形成举一反三的能力。外国学生虽然具有成人的认知能力,但其汉字构形意识的萌发却需要中国小学生 2 倍以上的汉字识字量。因此,集中识字更有利于外国学生汉字识别与书写能力的提高。提高汉字识字量是培养外国学生汉字构形意识的重要途径。

第二节 日本学生心理词典表征结构实验研究[①]

一 心理词典研究回顾

(一)心理词典

研究者认为,心理词典(mental lexicon)是词的意义在人心理中的表征,它由许多词条组成。[②] 早期的理论认为心理词

[①] 本文原标题为"日本留学生心理词典表征结构的实验研究",本文作者高立群、孟凌、刘兆静,原载《当代语言学》2003 年第 2 期。

[②] Treisman, A. M. Contextual cues in selective listening. *Quarterly of Experimental Psychology* 12, pp. 242—248. 1960.

Morton, J. Interaction of information in word recognition. *Psychological Review* 76, pp. 165—178. 1969.

Taft, M. and K. I. Forster. Lexical storage and retrieval of polymorphemic and polysylabic words. *Journal of Verbal Learning and Verbal Behaviour* 15, pp. 607—620. 1976.

Marslen-Wilson, W., L. K. Tyler, R. Waksler and L. Older. Morphology and meaning in the English mental lexicon. *Psychological Review* 101, pp. 3—33. 1994.

典是词条的存储场所,词条对应的是词,其划分依据是视觉模式。在以后的理论模型中,心理词典的内涵不断扩大,形、音、义都被纳入其中,表征结构也不断复杂化,亚词汇水平的分化也越来越细。尽管在细节上还存在着许多争议,但大多数心理语言学家认为心理词典中存在形、音、义三个方面的信息,而形、音、义之间存在着相互联系(见图1)。

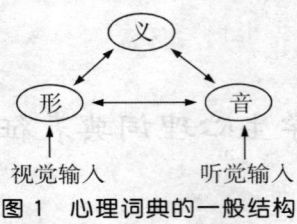

```
        义
       ↙ ↘
      ↕   ↕
     形 ↔ 音
     ↑   ↑
   视觉输入 听觉输入
```

图1 心理词典的一般结构

(二) 双语者心理词典结构的研究

双语者是指掌握并能使用两种或两种以上语言的人。当人们学习第二语言成为一个双语者时,其心理词典是一个语言系统还是两个语言系统呢?病理语言学的研究显示,当双语者发生脑损伤时,他们可能会表现出一些特定的失语症类型的特征。[①] 有的双语失语症患者会失去所有语言能力,而有的病例仅在一种语言上表现出语言障碍,而另一种语言则保存完好,另外有些患者会在某段时间仅说一种语言(L_1),而在另一段时间则说另一种语言(L_2),这些现象似乎都表明双语者的大脑中存在两种语言系统的表征。还有许

---

① Fabbro, F. *The Neurolinguistics of Bilingualism: An Introduction*. pp. 225—254. Hove, UK: Psychology Press. 1999.

多认知心理学的研究分别利用词汇联想作业①、词汇回忆作业②和 Stroop 效应③对双语者的心理词典表征结构进行了研究,其结果也都支持两种语言是分别表征的观点,即双语者存在两个心理词典。

(三) 双语者心理词典表征结构的影响因素和三种表征模型

如果双语者存有两个心理词典,那么它们之间是如何联系的呢？什么因素会影响这种联系的表征形式呢？对此许多研究者经过研究认为,第二语言的熟练程度和两种语言的相似性会

---

① Kolers, P. A. Interlingual word associations. *Journal of Verbal Learning and Verbal Behavior* 2, pp. 291—300. 1963.

Taylor, I. How are words from two languages organized in bilingual's memory? *Canadian Journal of Psychology* 25, 3, pp. 228—240. 1971.

② Kolers, P. A. and Gonzalez. Memory for words, synonyms, and translations. *Journal of Experimental Psychology: Human Learning and Memory* 6,1, pp. 53—65. 1980.

Anooshian, L. J. and P. T. Hertel. Emotionality in free recall: language specificity in bilingual memory. *Cognition and Emotion* 8, 6, pp. 503—514. 1994.

Paivio, A., J. M. Clark and W. E. Lambert. Bilingual dual-coding theory and semantic representation effects. *Journal of Experimental Psychology* 14, pp. 163—172. 1988.

③ Magiste, E. Stroop tasks and dichotic translation: the development of interference patterns in bilinguals. *Journal of Experimental Psychology: Learning, Memory and Cognition* 10, pp. 304—315. 1984.

Chen, H. C. and C. Ho. Development of stroop interference in Chinese-English Bilinguals. *Journal of Experimental Psychology: Learning, Memory and Cognition* 3, pp. 397—401. 1986.

Altarriba, J. and K. M. Mathis. Conceptual and lexical development in second language acquisition. *Journal of Memory and Language* 36, pp. 550—568. 1997.

对双语者的两个心理词典的表征结果产生影响。[1] Markus (1998)利用 Stroop 效应的实验范式对语言相似性和目的语熟练度两个因素进行了更为全面的考察,认为这两个因素共同影响了双语者的心理词典表征。在此基础上,Markus 又结合前人的研究成果,提出了双语者心理词典的三种表征模型。[2] Markus 认为低熟练程度双语者,无论母语和目的语是否相似,其第二语言的词汇和语义(概念)之间都没有直接联系,必须通过母语的相应词汇来和语义形成联结,因此其心理词典表征结构是词汇联结模型(lexical association model,见图 2A);两种不相似语言而高熟练度的双语者,其两种语言中的相应词汇没有直接的联系,要通过语义上的联结才能形成联系,其心理词典结构为语义中介模型(semantic mediation model,见图 2B);两种相似语言高熟练程度的双语者,其心理词典既不是词汇联结模型,也不是语义中介模型,而是多通路模型(multiple access model,见图 2C)。Markus 认为,第二语言初学者根据词汇联结模型来学习单词,第二语言中的词汇在其意义被接受之前首先要被翻译成母语的词汇,但随着第二语言的熟练度不断增加,第二语言的词条会逐渐与语义形成直接联结,而不需要通过母语词汇的中介,形成多通路模型。

---

[1] Keatley, C. W., J. A. Spinks, and De Gelder, J. A. Asymmetrical cross-language priming effects. *Journal of Experimental Psychology: Learning, Memory and Cognition* 22, pp. 70—84. 1994.

[2] Brauer, M. Stroop interference in bilinguals: the role of similarity between the two languages. In Healy, A. F. and L. E. Bourne, eds., *Foreign Language Learning*. N. J.: Lawrence Erlbaum Associates. 1998.

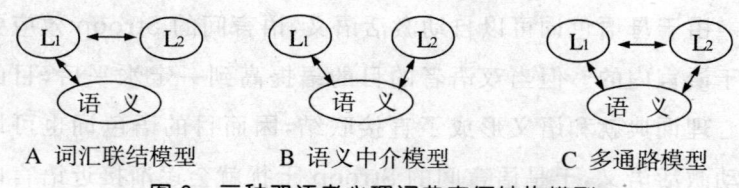

```
   L₁ ⟷ L₂           L₁    L₂          L₁ ⟷ L₂
     ↓ ↙              ↘    ↙            ↘   ↙
    语 义              语 义              语 义
 A 词汇联结模型      B 语义中介模型       C 多通路模型
```

图 2　三种双语者心理词典表征结构模型

二　双语的 Stroop 效应问题

Stroop 效应又称为色词干扰效应，就是给被试呈现一个颜色词，例如："红"，但用与之不同的颜色书写，如用蓝色书写。被试的任务是忽略这个词的意义而说出墨水的颜色。(例如说："蓝色")通常，命名词、色不一致色词的反应时间和错误率要多于词、色一致的色词，这种现象被称为 Stroop 效应，Stroop 效应是阅读中语义自动激活的有力证据。双语的 Stroop 效应实验则是利用两种语言的色词，要求被试用母语和第二语言分别对两种语言的色词进行颜色命名，然后根据语言间（命名语言和色词是不同语言）和语言内（命名语言和色词是同一种语言）的不同干扰效果推论出双语者的心理词典表征结构。研究表明，双语者语言内和语言间的 Stroop 效应模式与目的语的熟练度有着重要的关系（Chen et al., 1986; Markus, 1998）。对非熟练双语者来说，无论是语言内还是语言间，母语颜色词对命名总是具有更大的干扰作用，但是，随着目的语水平的提高，颜色词对语言内的命名比对语言间的命名干扰就增大。研究者认为主要是因为在非熟练双语者的心理词典中，字体颜色的语义通达和目的语颜色词的语义激活过程不同，字体颜色可以直接激活相应语义，目的语颜色词则要通过母语中介才能激活相应的语义。由于母语色词可以自动激活语义,语言间的 Stroop 效应要小于语言内的。但当双语者的目的语提高到一定水平后,目的语心理词典就和语义形成了直接联结,因而目的语色词也可以自动激活语义,于是语言间的 Stroop 干扰就会逐渐接近语言内的干扰。研究（Markus,1998）还发现,目的语熟练度并不是唯一起作用的因素,两种语言的相似性也会影响语言内和语言间的 Stroop 干扰模式,就是当第一语言和第二语言的书写非常近似时,语言熟练程度起作用;当第一语言和第二语言的书写完全不同时,目的语熟练度就不起决定性作用。

目前我们看到的研究大多涉及西方拼音文字或者拼音文字和汉语,关于汉字圈第二语言学习者的心理词典结构尚缺乏系统研究。在汉字圈中,日语具有一定的特殊性。日语在发展过程中受汉语影响很大,可以说它是来源于汉语。日语的假名是在中文汉字的基础上形成的。假名的楷书叫片假名,是取某些中文汉字的一部分而成的,它的草书叫平假名,也是从中文汉字蜕化而来的。假名形成于 7 世纪以后,共有 51 个符号,一般要和汉字夹杂起来使用。在日文中至今仍使用约 2 000 多个汉字。实际上,假名和汉字共同组成了日文的书写体系。因此,基于汉—日两种语言的亲缘关系以及日文中大量汉字的使用,日语和汉语就构成了一种比较特殊的双语类型。我们可以将日文分成两部分来与汉语联系,即日文汉字部分与日文假名部分。日本人学习汉语实际上需要寻找两种对应关系:日文汉字与中文汉字、日文假名与中文汉字。日文汉字与中文汉字的主要区别是在于繁体和简体,它们中有一部分是完全一样的,绝大多数的语义概念也是一致的,我们可以将它们视做非常相似的两种文字;而日文假名与中文汉字则是非常不相似的两种文字。一种双语类型中同时包含了相似与不相似两种因素,这种双语类型是以前的研究者较少涉及的,因此,对这种特殊类型双语者的心理词典表征结构进行研究具有重要的理论价值。本研究利用日—汉语 Stroop 效应实验范式对日—汉双语者的心理词典结构进行研究,着重考察在日文和汉语中,语言相似性和目的语熟练度对语言内和语言间干扰模式的影响,希望能够深入了解日本留学生的心理词典表征结构的特点。

三 实验

(一) 方法

1. 研究目的

考察不同汉语水平的日—汉双语者在 Stroop 作业中的差异,以考察熟练因素对双语者两种语言心理词典表征结构的影响。

2. 实验设计

采用 2×2×4 三因素混合设计,汉语水平为被试间因素,分为两个水平(高级水平和初级水平);作业类型因素为被试内因素,分为两个水平(母语命名和第二语言命名);刺激类型因素为被试内因素,分为四个水平(色块、汉字、日文汉字和日文假名)。

3. 被试

这项实验的被试是 24 名日本留学生,他们都是清华大学汉语中心的语言进修生,年龄在 18—25 岁之间。所有被试都出生在日本,并以日语为母语。其中 12 人来自高级汉语班,另外 12 人来自汉语初级班。由于他们在进入清华大学时都参加了汉语水平测验,其分班也是依据其汉语水平测验成绩,因此我们没有再对其汉语水平进行测验,而是根据其所在班级将其划入相应的汉语高熟练组和汉语低熟练组。所有被试都是自愿参加实验,实验后得到适当报酬。所有被试均为右利手,视力或矫正视力正常。所有被试都声称颜色知觉正常。

4. 实验设备

IBM-PIII 手提电脑一台,DMDX 通用实验软件及外周设备。

5. 实验材料

我们选择了 7 种常用的颜色:红、绿、蓝、黑、黄、紫、灰。首先在计算机中分别为每一种颜色设置 4 张色块卡,共 28 张,这 28 张色块卡就组成了色块刺激,在实验中,这 28 个色块是随机呈现的。然后,我们又为每一种颜色分别设置了 8 张汉语色词卡,8 张日文色词卡和 8 张日文假名色词卡。其中,4 张是显示颜色和色词所指颜色一致的卡片,例如"红"是用红颜色显示的,"绿"是用绿颜色显示的;另外 4 张是显示颜色和色词所指颜色不一致的卡片,例如"红"是用蓝颜色显示的,"绿"是用黄颜色显示的(见表1)。这样我们就得到了 56 个中文汉字色词、56 个日文汉字色词和 56 个日文假名色词。最后将中文汉字、日文汉字和日文假名各自分别安排在不同的实验区组中。

表1 实验材料举例

色块	中文汉字色词		日文汉字色词		日文假名色词	
	一致	不一致	一致	不一致	一致	不一致
红	红	红	赤	赤	あかい	あかい
绿	绿	绿	绿	绿	みどり	みどり
…	…	…	…	…	…	…

6. 实验程序

实验采取个别测试的方式进行。实验共包括 4 个区组:

第二节 日本学生心理词典表征结构实验研究

色块、中文汉字色词、日文汉字色词和日文假名色词。每个被试都要用日文（母语）和汉语（第二语言）分别对四个区组的刺激进行命名。每个区组的刺激在实验时都是以随机顺序呈现的。被试都需要首先对色块区组进行命名。然后再对另外三个区组的刺激进行命名。为了避免这三个区组的先后顺序对被试造成影响，我们在这三个区组之间进行了拉丁方设计和交互平衡设计。4个区组8次实验分两次完成，每次大约需要25分钟。

实验是在计算机上进行的。实验开始时屏幕上首先呈现一个注视点+，注视点持续约300毫秒之后消失，然后在其原位置呈现刺激，被试的任务就是用汉语或日文对这个刺激的显示颜色进行命名。被试的反应通过麦克风输入计算机，机器自动记录被试的反应时间及正确率。如果被试在3 000毫秒之内没有反应，计算机会按照错误反应记录。

（二）结果

所有被试的数据均有效。事先删除了所有超过平均数±3个标准差的反应时数据和错误反应的反应时数据，删除的数据不超过总数据的5%。

表2 不同汉语水平日本留学生色块命名的反应时(毫秒)和错误率(括号内为%)

汉语水平	汉语命名	日语命名
低	733（1.49）	541（0.00）
高	719（2.68）	547（0.00）

色块命名的结果分析。对不同汉语水平日本学生色块命名的反应时间（表2）进行的方差分析表明，汉语水平的主

效应不显著[F(1,22)=0.1,p=0.907]。命名方式的主效应显著[F(1,22)=75.57,p=0.000],日语命名时间要比汉语命名时间短。汉语水平和命名方式的交互作用不显著[F(1,22)=0.22,p=0.643]。对不同汉语水平日本学生色块命名错误率(表2)的方差分析重复了反应时的结果模式:汉语水平的主效应不显著[F(1,22)=0.77,p=0.391],命名方式的主效应显著[F(1,22)=9.37,p=0.006],日语命名的错误率要比汉语命名的错误率低。汉语水平和命名方式的交互作用不显著[F(1,22)=0.77,p=0.391]。这表明,不同汉语水平的日本学生用汉语或用日语命名色块颜色并无差别。这一结果表明,在非文字的颜色命名作业中,不同汉语水平的日本留学生并无差异。因此,在后面的研究中,如果在文字的颜色命名上出现了不同的结果,则是由于他们在文字认知方面的差异造成的,而不是在颜色命名的认知作业中有所不同。

色词命名的结果分析。表3列出了所有被试对色词命名的反应时和错误率。对反应时进行词色一致性因素的 ANOVA 分析,结果显示该因素效应非常显著[F(1,22)=175.82,p=0.000],词色一致刺激的命名反应时明显短于词色不一致的刺激,对错误率的方差分析也显示词色一致刺激的命名错误率明显低于词色不一致的刺激[F(1,22)=28.01,p=0.000]。这表明在各种类型的色词上,无论是汉语命名还是日语命名被试都表现出了强烈的 Stroop 效应。

第二节 日本学生心理词典表征结构实验研究

表3 不同汉语水平日本留学生色词命名的反应时(毫秒)和错误率(括号内为%)

刺激类型	汉语水平	汉语命名			日语命名		
		不一致	一致	干扰量	不一致	一致	干扰量
中文汉字	低	798 (4.17)	716 (0.00)	82 (4.17)	618 (0.00)	549 (0.89)	69 (−0.89)
	高	830 (10.12)	686 (0.60)	144 (9.52)	672 (6.55)	606 (1.19)	66 (5.36)
日文汉字	低	752 (4.76)	625 (0.60)	127 (4.17)	655 (5.06)	549 (0.89)	106 (4.17)
	高	814 (5.95)	664 (3.27)	149 (2.68)	677 (5.65)	578 (1.49)	99 (4.17)
日文假名	低	755 (2.38)	717 (0.89)	38 (1.49)	632 (2.38)	572 (2.08)	60 (0.30)
	高	768 (2.38)	720 (2.08)	47 (0.30)	642 (3.87)	584 (1.49)	58 (2.38)

我们又以各种类型刺激反应时的干扰量作为主要指标进行了多因素方差分析,结果显示刺激类型因素的主效应显著[$F(2,44)=27.35, p=0.000$],刺激类型因素和汉语水平因素的交互作用显著[$F(2,44)=6.28, p=0.004$],汉语水平和命名方式的交互作用也达到了显著水平[$F(1,22)=4.32, p=0.05$],刺激类型和命名方式的交互作用也达到了边缘显著[$F(2,44)=2.53, p=0.091$];汉语水平因素的主效应[$F(1,22)=2.66, p=0.117$]、命名方式的主效应[$F(1,22)=2.10, p=0.161$]和其他交互作用[$F(2,44)=0.75, p=0.479$]没有达到显著性水平。对各交互作用的简单效应分析显示,在中文汉字的汉语命名作业中,高级汉语水平的被试比初级汉语水平的被试有更大的干扰量[$F(1,22)=54.09, p=0.000$],而在其他刺激类型的命名作业中,没有表现出高级和初级汉语水平被试之间的差异($p>0.3$)。在对高级汉语水平被试的分析中,各种类型刺激的汉语命名干扰量以日文假名最小[$F(1,11)=9.83, p=0.009$],而中文汉字和日文汉字在干扰量上没有差异[$F(1,11)=0.35, p=0.868$],日语命名作业中各种刺激类型的

干扰量则没有表现出差异[F(2,22)=0.61,p=0.551]。在对中文汉字色词的命名中,日语命名比汉语命名干扰量更小[F(1,11)=8.18,p=0.016],而在日文汉字色词和日文假名色词的命名中则没有表现出命名方式的差异(p>0.15)。

对初级水平被试的分析发现,在汉语命名作业中,以日文汉字色词的干扰量最大[F(1,22)=25.80,p=0.000],而中文汉字和日文假名色词的干扰量则没有差异[F(1,11)=1.57,p=0.234];在日语命名作业中,也以日文汉字色词的干扰量最大[F(1,11)=22.81,p=0.001],中文汉字和日文假名色词的干扰量没有显著的差异[F(2,44)=2.25,p=0.141]。在中文汉字、日文汉字和日文假名色词的命名中,汉语命名和日语命名之间没有发现干扰量的差异(p>0.1)。

四 讨论

我们将日语—汉语看作是一种比较特殊的双语类型,它们既有相似因素(日文汉字和中文汉字),也有不相似因素(日文假名和中文汉字),因此在讨论中将主要围绕汉—日两种语言的这种特殊关系,并结合前人的研究,对实验结果进行分析。

(一) 日文汉字与中文汉字

日文汉字和中文汉字在本文的实验中被看作相似性很高的两种文字系统,因此,我们将日文汉字与中文汉字的实验结果与前人关于两种相似语言的研究结果进行了对比。

低熟练程度被试的分析。在初级水平被试的分析中,我们发现,在对日文汉字与中文汉字的命名作业中,不管是用汉语命名还是用日语命名,日文汉字产生的干扰量总是大于中文汉字。

这一结果与 Magist（1984）德语—瑞典语双语者和 Markus（1998）的英语—德语、德语—英语双语者的研究结果基本一致，即语言内干扰总是大于语言间干扰。

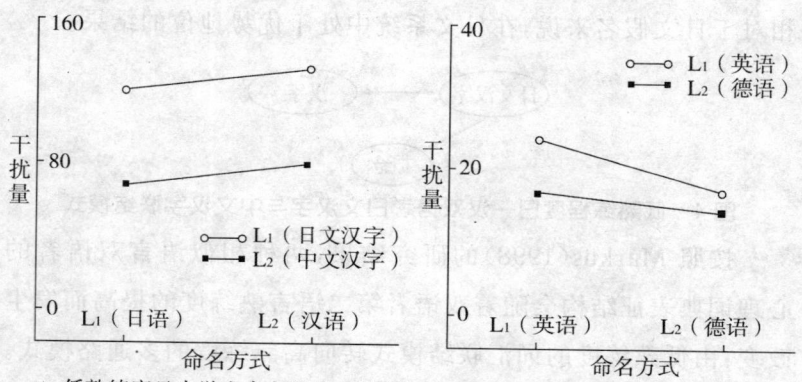

A 低熟练度日本学生中文和日文汉字色词干扰量比较

B 低熟练度英—德双语者色词干扰量

图 3　低熟练度相似语言色词效应对比

图 3A 显示了低汉语水平日本学生对日文汉字和中文汉字色词反应时的干扰量。我们将之与 Markus(1998)研究中低水平英—德双语者的结果（图 3B）进行了比较，可以看出：两者色词反应的干扰趋势基本一致，第一语言的干扰量总是大于第二语言的干扰量。

这一结果没有支持我们事先的假设。我们认为，由于日文汉字和中文汉字在形式上非常相似，因此无论汉语水平如何，日本学生对中文汉字和日文汉字的反应没有太大差别。尤其这些颜色词，书写的差别是非常小的，有些甚至完全相同，因此其干扰量应大致相等。但实验结果表明，日文汉字产生的干扰量远大于中文汉字。这说明，熟练度低的日本学生，并没有接受中文汉字与日文汉字的相似性，还是将中文汉字作为一种新的外语系统来对待。他们的心理词典支持词汇联结模型,获得中文汉字的途径首先是要激活相对应的日文汉字(如图4所示)。我们还发现,日文汉字产生的干扰量非常大,这可能是因为日文汉字相对于日文假名来说,在日文系统中处于优势地位的结果。

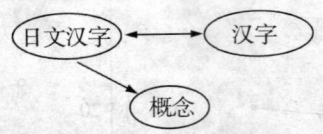

日文汉字 ⟷ 汉字
↓
概念

图4 低熟练程度日—汉双语者日文汉字与中文汉字联结模式

按照 Markus(1998)的研究结果,两种相似语言双语者的心理词典表征结构会随着双语者第二语言熟练度的提高而发生改变:由低熟练度的词汇联结模式转向高熟练度的多通路模式。因此,为了考察熟练度因素对日—汉双语者心理词典结构的影响,我们又将高熟练度日本留学生的实验结果与前人的研究进行了对比分析。

A 高熟练度日本学生汉字和日文汉字色词干扰量比较

B 高熟练度英—德双语者色词干扰量

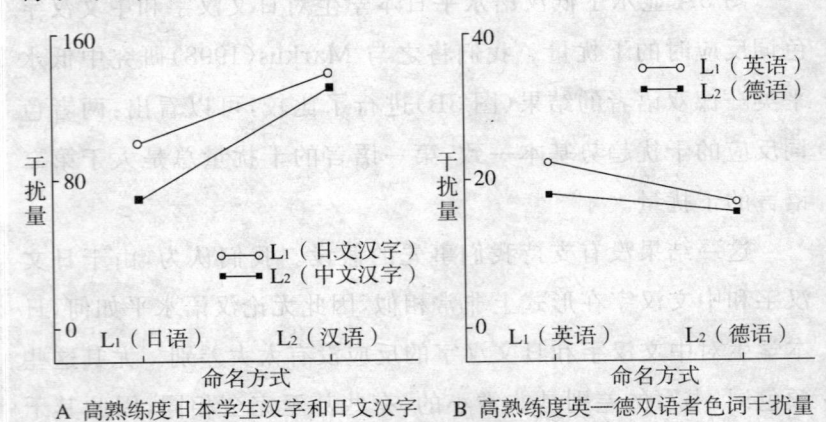

图5 高熟练度相似语言色词效应对比

高熟练度被试的分析。分析结果显示,对于高熟练度日本留学生来说,用汉语命名中文汉字时产生了较大的干扰,其干扰量与日文汉字的干扰量相当。图 5A 显示了这种趋势。我们将之与 Markus(1998)的高水平英—德双语者(图 5B)的实验结果进行比较,可以看出,二者表现出来的干扰趋势是基本一致的,在用第二语言反应时,第一语言色词与第二语言色词产生的干扰量趋于相同。这表明,两种相似语言高熟练度双语者的心理词典中,两种语言相对应的词之间可以保持强有力的相关联结,并且第二语言的词典会与概念系统形成直接的联结。一旦一个词被激活,另一种语言中相对应的词和概念系统中相应概念结点也会被激活。呈现的词是 blue 还是 biau,是"青"还是"蓝"都没有关系,因为存在的两者都被自动激活。高熟练度日本学生的日文汉字和中文汉字的实验结果充分支持了多通路模型,由此我们认为,在高熟练度日本留学生心理词典中,中文汉字和日文汉字及概念系统已经形成了多通路的联结模式(如图 6 所示)。

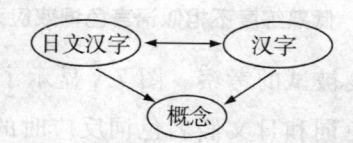

图 6　高熟练度日本留学生日文汉字与中文汉字联结模式

我们的分析结果证明,语言熟练程度确实影响双语者的心理词典表征结构。英语和德语均属于日耳曼语族,以往的研究者认为这是两种具有很高相似性的语言。我们对高熟练度和低熟练度日本留学生的日文汉字和中文汉字的干扰模式的分析结果与前人对英德双语者研究的结果(Magist,1984;Markus,1998)具有高度的一致性,因此,我们将日文汉字和中文汉字视为相似性文字系统的假设是成立的。

(二)日文假名与中文汉字

日文假名和中文汉字在本实验中被看作是两种不相似性的语言,因此在考察日文假名与中文汉字的命名作业结果时,我们也将之与以往研究者利用两种不相似语言的双语者进行的相关研究进行了对比。

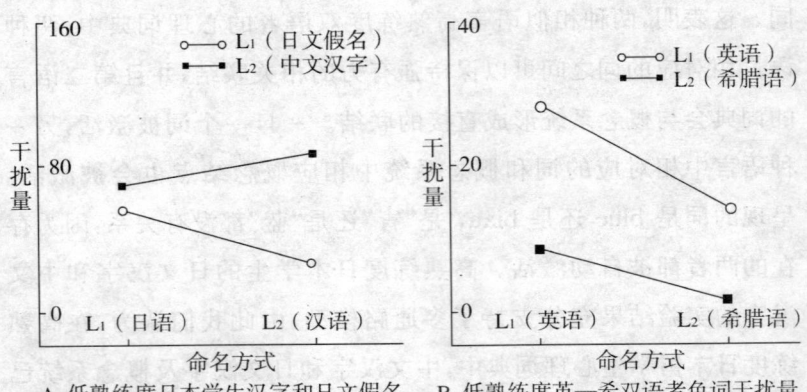

A 低熟练度日本学生汉字和日文假名色词干扰量比较

B 低熟练度英—希双语者色词干扰量

图 7 低熟练度不相似语言色词效应对比

对低熟练程度被试的考察。图 7A 显示了低熟练度日本留学生对中文汉字色词和日文假名色词反应时的干扰量。分析结果显示,无论是语内还是语间,日语假名产生的干扰量并不大于中文汉字,这与 Chen 和 Ho(1986)汉语—英语双语者、Markus(1998)英语—希腊语(见图 7B)、汉语—英语双语者的实验结果不完全一致。图 7B 显示的结果表明,在两种不相似语言的低熟练度双语者的跨语言色词命名作业中,第一语言的干扰大于第二语言的干扰。但我们的实验中,低熟练度的日本留学生在日文假名的色词干扰量上却小于或等于中文汉字色词。这一现象可能与日文汉字和假名在日语中所处的地位有关。有研究者对日文汉字(kanji)和假名(kana)作过 Stroop 效应研究。① 他们发现,日文汉字产生的干扰量要大于日文假名产生的干扰量。这一点在我们的实验中也被证实了:无论是低水平还是高水平被试,用日语命名日文汉字产生的干扰量都大于命名日文假名产生的干扰量。这些结果均表明,日文汉字和语义信息的联结强度要比日文假名和语义信息的联结强度大,因此日文汉字在日文加工中处于相对优势的地位,而日文假名则处于相对劣势的地位。因此日文汉字的相对优势地位会迁移到中文汉字方面,造成中文汉字的色词干扰量不小于假名的干扰量。

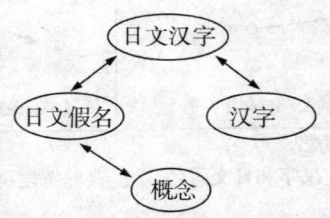

图 8　日本留学生日文假名与中文汉字的日文汉字中介的词汇联结模式

虽然低熟练程度的日本留学生的日文假名和中文汉字的干扰模式与以往基于不相似语言双语者的研究结果并不完全符

---

① Fang, S. P., O. J. L. Tzeng, and L. Alva. Intralanguage vs. intralanguage stroop effects in two trpes of writing systems. *Journal of Experimental Psychology: Learning, Memory and Cognition* 9, pp. 609—617.1981.

Hatta, T. Different stages of Kanji and Kana stimuli in Japanese people: some implications from stroop-test result. *Neuropsychologia* 19, pp. 87—93. 1981.

Hayashi, R. The role of semantic attributes and script type effects in stroop color-word interference. *Shinrigaku Kenkyu* 59, pp. 1—8. 1988.

Joseph, F. K. and T. Miyamoto. *The Japanese Mental Lexicon*. Philadelphia: John Benjamings Publishing Co. 1999.

合,但在双语者心理词典的三种联结模型(见图2)中,只有词汇联结模型与实验结果比较一致,同时考虑到日语内部的日文汉字加工优势以及这种加工优势在语言间的迁移,因此我们认为在低熟练度日本留学生心理词典中,中文汉字和日文假名倾向于日文汉字中介的词汇联结模式(见图8)。

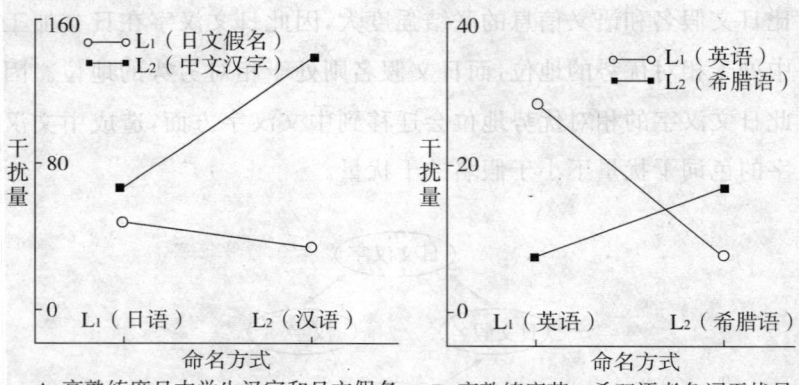

A 高熟练度日本学生汉字和日文假名色词干扰量比较

B 高熟练度英—希双语者色词干扰量

图9 高熟练度不相似语言色词效应对比

对高熟练程度被试的考察。图9A显示了汉语高水平日本学生对日文假名和中文汉字色词反应时的干扰量。我们将之与Markus(1998)实验中的高水平英—希双语者的结果(图9B)进行了比较,从中可以看出:两者显示的干扰量趋势是基本一致的,语言内干扰大于语言间干扰。我们也发现了不一致的地方:日文假名的语内干扰并不大于语间干扰。我们认为,导致这种情况的原因还是由日文汉字和日文假名在日语内部地位的不同造成的:由于日文假名和日文汉字相比,处于相对的认知加工劣势,因此造成日文假名产生更少的色词干扰,并且这种相对认知加工的劣势不会随着日本留学生汉语水平的提高而有所改变。

另外，由于日文汉字和假名的关系模式属于日语心理词典内部的表征问题，因此不会影响日、汉语言间的心理词典表征结构。

Markus(1998)等人的研究结果认为，像英—希、汉—英这样两种不相似语言双语者的心理词典表征结构和英—德、德—瑞典两种相似语言双语者的心理词典表征结构不同，随着熟练度的提高，两种不相似语言双语者的心理词典不会形成多通路的表征，而是形成语义中介的表征模式。基于这一点，我们认为随着熟练度的提高，在中文汉字和日文假名这两种不相似的语言形式之间形成的表征结构也应当是语义中介的模式，我们的实验结果也基本证明了这一点。

综合不同汉语水平日本留学生中文汉字和日文假名的实验结果，我们认为汉语熟练度低的日本留学生在中文汉字与日文假名的表征结构上采取词汇联结的模式。不过由于日文汉字的相对加工优势，日文假名和中文汉字的联结可能要以日文汉字为中介(这一点还有待于以后的深入研究)；而随着熟练度的提高，日本留学生的中文汉字表征会和语义层形成直接的联结，因此它与日文假名的联结会逐渐削弱，甚至中断，由此而导致形成中文汉字与日文假名之间的语义中介表征模式。

日本留学生的心理词典。总体上说，本研究提供了关于双语者心理词典结构发展变化的一些证据，第二语言学习者，从他们初学到成为高熟练程度双语者，会转换他们获得和储存双语信息的途径。[①] 然而，这种转换对于不同语言类型的双语者来

[①] Kroll, J. F., and E. Stewart. Category interference in translation and picture naming: evidence for asymmetric connections between bilingual memory representations. *Journal of Memory and Language* 33, pp. 149—174. 1994.

说是不同的。当第一语言和第二语言相似时,他们从一种转换策略——获得第二语言是通过第一语言对应词(词汇联结),转换到一种复杂的获得策略——在两种语言相对应的词之间,保持着一种强有力的相关联结(多通路)。我们可以估计,当两种相似语言的高熟练程度双语者用第二语言交际时,第一语言在某种程度上也会被激活;当第一语言和第二语言相当不近似时,伴随着第二语言的提高,学习者会从词汇联结策略改变到语义中介策略。在这里,两种语言中相对应的词仅仅有微弱的相关联结,两种语言相互间保持着相当的分散。而且,我们还可以设想,两种不相似语言的高熟练程度的双语者,当他们用目的语交际时,比起使用两种相当近似语言的高熟练程度的双语者,他们可以更有效、更成功地转换第二语言。

我们认为,第一语言和第二语言之间的相似性会影响双语者心理词典的联结模式。两种语言相似性越大,心理词典的联结模式越倾向于多通路模式;第一语言和第二语言之间相似性越小,心理词典的联结模式越倾向于语义中介模式。因此,日本留学生在初学汉语时,中文汉字、日文汉字、假名是三个独立的系统,中文汉字和日文汉字是采取词汇联结模式联系在一起的;在汉语熟练水平逐渐增加的过程中,学习者的心理词典会发生变化,中文汉字与日文汉字相对应的词汇会通过多通路模式被接受;而中文汉字与日文假名相对应的词主要通路应是语义中介模式,它不随着熟练程度的提高而变化。综合看来,汉语熟练度高的日本留学生其心理词典无疑是一个复杂的多通路模型,并且这种复杂结构还会受到日语内部假名和日文汉字关系模式的影响。

当然,日文假名和日文汉字的关系以及这种关系对日本留学生心理词典表征结构所产生的具体影响还有待于今后的进一步深入研究。

五 结论

根据本实验的研究结果,我们得出如下结论:

由于日语和汉语的复杂关系,日汉双语中既包含相似性因素,又包含不相似性因素。因此,日本留学生两种语言的表征结构具有复杂的模式。

目的语熟练程度影响日文汉字和中文汉字的联结关系,低熟练程度的双语者采取的是词汇联结模式,高熟练程度的双语者采取的是多通路模式。

目的语熟练程度对日文假名和中文汉字的联结模式也具有影响,同时由于日文汉字和日文假名在日语内部的非均衡关系,使得低熟练度日本留学生的日文假名和中文汉字形成以日文汉字为中介的词汇联结模式,高熟练度的日本学生采取语义中介模式。

日本留学生在色块命名中,母语的反应时低于汉语,但不同汉语水平的学生之间没有差异。

日本留学生在日文汉字的色词干扰量上大于日文假名,表明在日语内部,日文汉字较日文假名具有更强的语义通达优势。

第三节　误读与汉字读音认知研究[①]

怎样才能更好地识记、认读汉字,是对外汉语教学中的一个重要课题,也是一个难题。[②] 要想在这点上有所突破,不仅需要了解汉字读音的认知过程,而且需要了解汉字的特性以及它对这一过程所产生的影响。汉字不是拼音文字,它的认知有着较为复杂的心理过程。以读音而言,汉字中80%以上是形声字,形声字是以声旁字的读音来标示整字的读音的。然而,了解了声旁字的读音是否就能顺利地读出该形声字的读音呢?由于各种因素的影响,在现代汉字研究中,有关声旁字表音率的各种统计数字都不能使人乐观。[③] 而误读的产生当与这一背景密切相关。对形声字误读成因的观察与讨论,不仅可以让我们了解影响汉字读音认知的各种因素,而且有助于对外汉字教学。因此,我们拟从形声字误读现象入手展开对汉字读音认知的讨论。

---

　　① 本文原标题为"误读与汉字读音认知",作者万业馨,原载《中国对外汉语教学学会北京分会第二届学术年会论文集》,北京语言大学出版社2001年版。
　　② 1997年,在一次对部分留学生(高年级生与研究生)所作的一次小范围(35人)的问卷式调查结果显示,留学生普遍把"见字不知音"置于学习汉字诸多困难的首位(选择人数高达77%)。详见石定果、万业馨《关于对外汉字教学的调查报告》,《语言教学与研究》1998年第1期。
　　③ 此指周有光(1980)《汉字声旁读音便查》(吉林人民出版社)、陈亚川(1982)《六书说、简体字与汉字教学》(《语言教学与研究》1982年第1期)、李燕、康加深(1993)《现代汉语形声字字符研究》(载陈原主编《现代汉语用字信息分析》,上海教育出版社)中所提供的数据。详见本文第三部分"汉字特性与汉字读音认知"。

一 出于正音目的的误读研究

20 世纪 50 年代编著的有关正音方面的工具书,常采用对照的方法,简要说明应该读什么音和不读什么音。① 这个"不读的音"一般就是常见的误读音。对误读字的注音除了使用注音字母外,还使用同音汉字,但对同音汉字的选择并不很在意它与被注者在构形上的关系(这一点下面还要谈到)。而 20 世纪 80 年代以来,人们则多已注意到对这些收集到的字例作进一步的排比、观察,认识到"分析误读原因,实际上就是提供正音方法"②。因此,这类出版物不仅有对单字误读的正音,而且在分析中注意到声旁字或同一声旁形声字(以下简称为"同声旁字")对误读的影响,有的还以此为线索,对同声旁字的读音作分组介绍。这些做法说明编著者已把对误读字的正音上升为对误读现象的研究,并且注意到汉字中形声优势的存在,把形声字中的误读现象作为研究的重点。

为了比较和说明的便利,我们选取了不同时期的这类出版物三种:张雪庵(1956)的《汉字读音辨正摘要》(以下简称《摘要》);徐世荣(1987)的《汉字正音》(以下简称《正音》);王鼎吉(1998)的《常见误读字辨析手册》(以下简称《手册》)。对其中与形声字有关的误读字材料(以下所提及的数据都在此范围内)进行整理和分析。由于这些字例来自各人的收集,无论在数量和

---

① 如张雪庵《汉字读音辨正摘要》的前言中,便说明其写作目的是为"正确地使用祖国语言和大力推广以北京语音为标准音的普通话",因此在方法上,"重在实用,不多涉理论"。山东人民出版社 1956 年版。
② 见徐世荣《汉字正音》,安徽教育出版社 1987 年版。

种类上,都存在一定的差异,仅重合率一项,便可看出这一点:《摘要》收字 153 例,《正音》收字 284 例,《手册》收字 188 例,数量差距不能说悬殊,然而重合率很低,其中三家都收的仅 18 例,两两重合的仅 84 例。由此可见误读现象的存在十分普遍。字例的分散无疑不利于进行易错字的归纳和认定,但对致误原因的观察与分析却并无影响。因此,我们拟就以下两个问题进行观察:一是在上述三种材料中的误读,是在具有什么样的形和音的字的影响下造成的(为了称说的便利,我们姑且沿用心理学术语,称这类字为"启动字");二是误读字和启动字的常用情况。

表 1 所收误读字常用情况一览

	所收误读字数	常用字	通用字	非通用字
《摘要》	153	27（16.99%）	109（71.9%）	17（11.11%）
《正音》	284	108（38.03%）	172（60.56%）	4（1.41%）
《手册》	188	35（18.62%）	153（81.38%）	

(说明:"常用字"根据 1988 年国家语委和国家教委所发布的《现代汉语常用字表》,"通用字"根据 1988 年国家语委与新闻出版署发布的《现代汉语通用字表》,不在这两表的便属于"非通用字"。下同。)

根据上表不难看出,虽然三家所收误读字的常用情况有所不同,但如果按照数量的多少来排列,三家的顺序完全一致:通用字最多,常用字次之,非通用字最少。原因也很清楚,常用字由于使用频率高,容易记住;非通用字由于罕用,所以收集到的字例也少;通用字则多属于"似曾相识"一类,习惯上常使用推测甚至猜测的办法读出它的音,因而出现误读的可能性最大。

第三节 误读与汉字读音认知研究

表2 误读字致误原因一览

	启动字为声旁字			启动字为同声旁字			其他		
	常用字	通用字	非通用字	常用字	通用字	非通用字	常用字	通用字	非通用字
《摘要》	62	4 43.14%		39	1 26.14%		44	3 30.72%	
《正音》	133	10 45.83%		128	28 50.64%	2	10	1 3.53%	
《手册》	112	13 61.76%		49	9 28.43%		18	2 9.8%	

表3 启动字常用情况一览

	常用字	通用字	非通用字
《摘要》	145(94.77%)	8(5.23%)	
《正音》	271(86.86%)	39(12.50%)	2(0.64%)
《手册》	179(87.75%)	24(11.76%)	1(0.49%)

(说明:a.由于各书所列一个误读字的启动字可以不止一个,因此上述每一种材料各栏的总和有可能超过误读字总数。b.百分比是该类各项数字的总和所占的比例。例如43.14%是所有启动字中声旁字所占的百分比。)

上述数据显示:首先,造成形声字误读的启动字以前两项(声旁字和同声旁字)居多。其中,《摘要》的情况比较特殊,它的"其他"栏所占比重远远超过了《正音》和《手册》。这应与出版时的背景有关。一则,当时对这一问题的认识可能没有今天这样深入;二则,作者的目的是大力推广普通话,为普及需要,选择同音字时"力求浅显"(见该书《前言》自述)。即便如此,《摘要》前两项的和也仍然占有明显优势。

其次,对启动字常用情况的统计结果显示,三家所收可谓惊人相似:常用字均占有绝对优势。这说明常用字对汉字读音认知起着极为重要的作用。

通过上述比较,可以初步得出如下结论:形声字的误读现象在通用字范围内出现概率最高;导致误读的启动字以该形声字的声旁字或同声旁字居多;这些声旁字与同声旁字中,常用字占绝对优势。换言之,在认知汉字形声字读音时,人们较多地借助于常用的声旁字或同声旁字。

综上所述,出于正音目的的误读研究,不仅起到了推动汉字使用规范化进程的作用,而且对汉字读音认知研究也具有一定的参考价值。但另一方面,它的缺陷也是显而易见的。首先是材料的随意性较大,三家所选字例重合率极低。其次是对启动字的确认带有较大的主观成分。由于汉语中存在着大量的同音字,因此,误读字的启动字究竟是某个声旁字(或同声旁字)还是这个声旁字(或同声旁字)的同音字?这一点,只要观察"(二)误读字致误原因一览"中"致误原因"的"其他"栏所显示的三家数据之差就可了然于胸了。此外还应看到,正音的目的在于纠正偏误,因此往往致力于揭示声旁字或同声旁字作为启动字时所导致的误读现象,而很少注意甚至无视它们对认知汉字所起的积极作用。

二 汉字读音认知的心理学研究

与出于正音目的的误读研究相比,心理学(实验心理学与认知心理学)的研究成果无疑让我们对汉字读音认知过程有了更为深入和全面的了解。例如:(1)汉字形声字所具有的表音功能,与拼音文字一样,表现为存在着读音的一致性效应(指受到邻近字读音的影响)和规则效应(指受到声旁的影响)。① (2)在汉字学习中,形—音和形—义都可形成联想。② (3)汉人对汉字的认读过程是一个综合的过程,参与这个过程的是带有语音线索的部件所激发的许多外型相同的其他汉字。③ 下面我们拟就与误读有关的部分进行讨论。

(一)艾伟的实验结果显示:用声旁字与同声旁字进行读音推测有失也有得

艾伟在 1949 年发表了他在 1932 年所做的有关音义分析的实验结果。④ 这是实验心理学对汉字认知进行研究的一个值得注意的例子。他选取了 95 个汉字,设计试卷和供选择的答案,让 10 个年级(自小学五年级上至高三下)的学生见形而解答音义。然后用抽样方法选取了其中的一千份试卷进行观察分析,其中有关误读成因的分析,大致可以归纳为以下几点:

(1)偏旁之误。如读"皎"为交,读"悏"为夹,读"洧"为有,读"掷"为郑等。

(2)因部分相同而误读。如读"蒿"为稿,读"觕"为浊等。

(3)因误认字形而误读字音,如读"侍"为"待"之类。

除了(3)所说的"误认"不属于本文的讨论范围外,不难看出,艾伟所说的"偏旁之误"就是我们所说的因声旁字而误;"因部分相同而误"就是我们所说的因同声旁字而误。

---

① 见 Seidenberg,1985;Peng,Yang & Chen, 1994. 转引自彭聃龄主编《汉语认知研究》,山东教育出版社 1997 年版。
② 详见《汉字问题》,中国教育心理学研究丛书,中华书局 1949 年版。
③ 详见曾志朗《开拓华语文研究的新境界:中国心理学应面对认知与神经科学的挑战》,《语文建设通讯》1989 年 7 月。
④ 详见《汉字问题》,中国教育心理学研究丛书,中华书局 1949 年版。

另一方面,艾伟也分析了读音成绩好的原因,并直接归纳为以下几点:

(1)"因常用而能盲记者如'粗'、'将'等字是。"

(2)"借偏旁以得声如'填'从土真声,'燃'从木然声,'鞅'从革央声,'鹒'从鸟庚声等是。"

(3)"借部分相同而得声如'匈'音'兇','沦'音'伦'等是。"

显然,艾伟在注意到声旁字与同声旁字对误读具有的影响的同时,也注意到了二者对辨识、记认汉字读音方面的积极作用。由于实验所选 95 个字中,常用字仅 43 个,而通用字与非通用字达 52 个,因此有一部分字在选择答案时需要采用推测乃至猜测的策略。艾伟在分析小学生与中学生采取这些策略时存在成绩差异的原因时,曾不止一次地谈到过:"中学生对汉字构造原则已甚明了",故可得此便宜;而小学生并不了解,"故以不答了之"。但另一方面他又指出,小学生虽未能得此便宜,但也不会因此大受影响。可见,中学生能够利用常用的声旁字或同声旁字来推测汉字读音,说明他们对形声字声旁具有表音功能这一客观事实已有所了解。这一方法的运用虽有失(引起误读),但也有得(声旁提供的语音线索有利于认知)。上述认识无论对于全面了解这一方法的本身,还是正确认识人们在认知汉字时采取的策略,都有极为重要的意义。

(二)命名法研究的成果揭示了人在认知汉字时的心理历程

认知心理学的研究成果在帮助我们了解人在认知汉字时的心理历程方面提供了非常有价值的资料。在以命名法(指对一个人大声读出一个字、词所需要的时间以及影响这一过程的各种因素进行测定)为主要研究方法的一系列实验过程中,我们不仅可以根据被试者对目标字的反应时、正确率等数据了解到造成误读的各种因素,而且可以了解到在整个认知过程中,被试者所采取策略的有效率。

1. 张厚粲等人使用启动命名法所进行的研究

为了考察人在读出一个字(目标字)时会受到的影响来自什么样的启动字,张厚粲等人(1989)曾使用启动命名法对汉字读音过程中的音似和形似启动效应进行了初步探讨。[①] 他们根据目标字和启动字之间存在的形似音异、形异音同和形似音同三种关系设计了成对字表,对字音和字形的启动作用分别进行探讨。

实验结果表明:"启动字与目标字之间的形、音联系,对目标字读音反应时有重要影响。"实验显示:按启动效果显著程度由大到小排列,顺序为:形似音同组、形异音同组、形似音异组。按错误率(误读率)由低到高排列,顺序为:形似音同组、形异音同组、形似音异组。而且"形似音异组中 86% 的目标字读音错误是由于受形相似的启动字影响而产生的"。显然,目标字启动效应最显著、错误率最低的是形似音同组,与此相反、效果最差的是形似音异组。根据作者的说明,"形似"字基本上指的是同声旁字。换言之,当同声旁字与目标字读音一致时,启动效果最好;反之,则不仅无益,反而有干扰作用(反应时最长,错误率最高)。这一结果从正反两方面证明了同声旁字对汉字形声字读音认知具有极强的启动作用。

[①] 详见张厚粲、舒华《汉字读音中的音似与形似启动效应》,《心理学报》1989年第 3 期。

2. 舒华等人使用命名潜伏期法所作的研究

舒华等人(1987)使用命名潜伏期法(实验材料以形声字为主)对成年熟练读者在汉字读音认知过程中采取的策略作了初步探讨。①

结果表明,被试者在读汉字时,存在着多种加工方式:对高频字主要采用从心理词典中直接提取的办法;对中频字除了采用直接提取法外,还采用了按声旁字读,按字形相似、读音熟悉的字进行类推的策略;对低频字,则主要采用按声旁字读或类推。

在舒华等人(1996)的另一项对小学生所作的测验结果表明:儿童对规则字(指字的声旁是儿童熟悉的汉字,而且读音与整字的读音相同)好于对不规则字的读音;对不知声旁的字(指声旁字的读音是一般人所不熟悉的),则用形声结构类似的一个熟字的读音进行推测。随着年级的增高,他们所犯的非系统错误逐渐减少,代之而起的是系统性错误。② 对照张厚粲等人(1989)的实验用语,则除了熟悉程度外,"规则字"中声旁字与形声字的关系也可属于"形似音同","不规则字"中两者的关系属于"形似音异"。两种实验的结果是一致的。

3. 张积家等人对汉字词的正字法深度与阅读时间的研究

张积家等人(1996)采用命名法探讨了正字法深度对汉字词读音时间的影响,发现"只有规则形声字与不规则形声字之间差

---

① 详见舒华、张厚粲《成年熟练读者的汉字读音加工过程》,《心理学报》1987年第3期。

② 详见舒华、曾红梅《儿童对汉字结构中语音线索的意识及其发展》,《心理学报》1996年第2期。

异显著"。并进而对这一现象的成因作了分析,指出在不规则形声字中,"声旁对音位系统中韵母的激活是错误方向上的激活,这种激活对不规则形声字的语音提取起了干扰作用"。①

综上所述,有关汉字认知的心理学研究成果表明,利用声旁字或同声旁字对汉字读音进行类推,确实会产生误读,属于系统性错误;但另一方面,对规则字命名的准确性、在形似音同情况下的显著启动效应,又都证明了这种策略的合理性。说明读音的正误,并不在于方法本身,而取决于什么时候运用这一方法。当一个形声字的读音与声旁字或某个同声旁字一致时,采用这一方法便快捷而有效;反之,便会造成误读。同时,从儿童(随着年级的升高)采用这一策略的人数和频率的增加,也可说明汉字符号体系确实存在着读音的一致性效应和规则效应。

我们认为,心理学,尤其是认知心理学的研究成果,可以帮助我们了解学习和使用汉字的人对汉字读音的认知过程,值得一提的是,在上述心理学研究成果中,已经注意到将有关汉字的成果作为实验设计的依据或参考。② 但要对这一过程的形成、所采用策略的依据和改进的方法作进一步的讨论,则必须对汉字的特性以及它对汉字认知过程的影响有更深入的了解。因为认知就是人对客观事物的各种信息进行加工、处理的过程。所以,任何认知都离不开对被认知事物特性的了解,符合特性的认知所得到的结果是正确的,反之,则是错误的。

---

① 详见张积家、王惠萍《汉字词的正字法深度与阅读时间的研究》,《心理学报》1996 年第 4 期。

② 例如舒华、张厚粲等分别把周有光、张志公等语言学家的著述列为参考文献。

三 汉字特性与汉字读音认知

综上所述,在汉字读音认知过程中,人们通常采用的策略主要有:

(1)提取法:一般对高频字可由心理词典中直接提取;

(2)规则法:指对规则字可以直接按声旁字读音读出形声字的音;

(3)类推法:指用同声旁字推测某个形声字的读音。

由于心理词典的形成不仅与字频有关,而且与个人的学习经历有关,因此在此不作具体讨论。而后两项中需要讨论的问题是显而易见的:一是汉字的哪些特性决定了这两项策略的合理存在;二是怎样尽力减少不恰当的运用。

对此,我们拟从以下三方面展开讨论:

1. 怎样看待声旁字的表音功能。关于声旁字的表音功能,以下几种看法颇具代表性:

广义的"准确表音"。周有光(1980)"把部首以外的半边一概视作声旁",把含有声旁的汉字称为"含旁字",然后求出"有效声旁比和有效含旁比的平均"为39%,就是"现代汉字声旁的有效表音率"。由于周文在统计时不考虑声调的因素,因此这种"准确表音"是广义的。

"准确表音"。陈亚川(1982)提出真正的准确表音必须是声旁字与形声字的"声韵调全同"。并对545个简化字中的269个形声字进行统计,得出能准确表音的只有64字,占25%弱。持同样观点的如范可育等人(1984),所得数据为26.3%;龚嘉镇(1995),所得数据为36%。数字的差异来源于统计材料的不同。

总体表音度。李燕、康加深(1993)认为应从声韵调三方面考察,将"声韵调"全同、部分相同、全不同分成八种不同表音类型进行统计,根据"各种表音类型的总分除以形声结构数"所得为66%,即"声符总体表音度"。①

我们认为,上述三种意见,是从不同角度观察汉字表音功能的结果。但若就此(尤其是前两种数据)对汉字读音认知持悲观状态,则有以偏概全、把汉字等同于拼音文字之弊。因为声韵调全同时,声旁字可以直接标出这个形声字的读音,其作用接近于字母(字母文字的读音也未必如此规则),显然只有这部分字适合于规则法的应用。然而出于认知的目的,我们更需要考虑的是采用哪些方法才能充分利用声旁字与形声字在语音方面的各种联系,使它们能在汉字读音认知中给我们以便利。为此,我们将李燕等人考察《现代汉语通用字表》中的形声字与声旁字读音关系所得的统计数据转录如下,并把我们对《汉语水平词汇与汉字等级大纲》(以下简称《大纲》)所收汉字中2 001个形声字所得的统计数据放在括号内附于其后,以利于比较。

声韵调全同37.51%(31.03%),声韵同,调不同18.17%(17.44%),
声调同,韵不同3.88%(3.1%),韵调同,声不同5.61%(8.1%),
声,韵调不同4.35%(3.6%),韵同,声调不同10.56%(15.29%),
调同,声韵不同7.22%(5.15%),声韵调全不同12.70%(16.29%)。

---

① 以上各家说法除本书第158页注①已列外,还有:范可育、高家莺、敖小平《论方块汉字和拼音文字的读音规律问题》,《文字改革》1982年第3期;龚嘉镇《现行汉字形音关系研究》,湖北人民出版社1995年版。

两种统计结果可谓大同小异,应当比较符合声旁字表音功能的实际情况。根据上述统计,声旁字与形声字之间有某种语音联系的八中有七,我们应该就如何利用这种语音上的联系进行思考。

2. 为什么同声旁字会成为人们在读音时的类推依据? 我们认为主要有以下原因:

一是从同一声旁字得声的形声字本来就有可能同音或音近。虽然由于历史音变、方言影响等原因,到今天形成了比较复杂的局面。但与声旁字表音情况相类似的是,同声旁字之间常常保留着语音上的各种联系。有时候,同声旁字之间语音联系的紧密程度甚至超过了声旁字与形声字。例如看到"者"与"都",一般人很难想到它们之间在读音上有什么关系,但如果看到"都、赌、堵、睹"等字,便能明白这是一组同声旁字,而"者"就是它们的声旁。又如从"岂"的形声字中,读 kai 音的有六个,其中五个是通用字,一个常用字。而与"岂"字读音相近(声韵同,调不同)的只有一个。

二是一部分读音相同的同声旁字由于具有部分字形相同的特点,较之音同形异的形声字更容易引起联想,这一点已见于心理学研究成果,此不赘述。[1]

三是一部分声旁字已经没有它们所组成的形声字常用,有的甚至属于生僻字。据我们对《大纲》所收形声字的统计,声旁字不如形声字常用的约占 41.48%,不属于《大纲》的超纲声旁

---

[1] 参见张厚粲、舒华《汉字读音中的音似与形似启动效应》,《心理学报》1989年第3期;舒华、曾红梅《儿童对汉字结构中语音线索的意识及其发展》,《心理学报》1996年第2期。

字约占 31.9%,由它们组成的形声字 557 个,约占形声字总数的 27.8%。① 在不知声旁字读音的情况下,同声旁字成为最好的语音线索。

综上所述,如果把形声字和声旁字读音一致的情况称为具有直接表音功能的话,我们未尝不可以这样认为:在同声旁字中,声旁字具有间接表音功能,而两种表音功能对于汉字读音认知都有十分重要的意义。

3. 如何尽量减少认知策略的不恰当运用。基于以上分析,我们拟就对外汉字教学中的汉字读音认知问题提出以下建议:

注意对留学生建立有关汉字的心理词典给予帮助。由于汉字不是拼音文字,声旁字所具有的只是标音作用,不可能采用先学字母然后自行拼读的方法,心理词典的建立就显得尤为急迫。认知心理学的研究成果显示,小学生一般须到五年级以上才能逐渐了解汉字的结构特点并在汉字读音认知中加以运用,而国内对留学生的汉字教学主要安排在一年级。因此我们需要研究如何在他们建立心理词典的过程中给予帮助。这种帮助包括引导他们在比较短的时间里了解汉字的结构特点以及标音方式,使他们心理词典中词条的网络结构更为合理等等。

重视形旁的区别作用。在古汉字中,大量的形声字是通过在假借字上加意符的途径产生的,对一组同一声旁的形声字而言,意符的作用主要是用来区别意义的。在现行汉字中,由于同

---

① 详见拙文《略论形声字声旁与对外汉字教学》,《世界汉语教学》2000 年第 1 期。

声旁字的读音常常有同有异,因此形旁不仅有区别意义的作用,也有提示甚至区别读音的作用(指不同形旁不仅表示各个同声旁字具有不同的意义范畴,也有可能具有不同的读音)。例如"抱饱刨苞胞鲍炮跑泡袍咆"等字都从"包"得声,但读音已不尽相同,如果在教学中注意到形旁具有两方面的区别作用并有意识地进行引导,当可收到较好的效果。

总之,有意识地将汉字形声字中声旁字与形声字关系的现状通过各种方法告诉学生。让他们能对汉字的表音状况有一个基本了解,这样将有利于他们在汉字读音认知中掌握主动,逐渐较为自如地在认知时选择不同的策略。

第四节 声旁语音信息在留学生汉字学习中的作用[①]

一 汉语学习者汉字声旁意识发展相关研究

任何语言的书写系统都与口语系统存在一定的对应关系,心理语言学的大量研究表明,这种对应关系的掌握可以使学习者学习语言的过程大大简化。在英语中,书面的字素与口语中的音位存在对应关系,例如,book 由 b、oo、k 这三个字素组成,在口语中对应于/b/、/u/、/k/这三个音位。英语中这种字素和音位的对应规律在儿童的阅读发展以及以英语为第二语言的学

---

① 本文作者郝美玲、舒华,原载《语言教学与研究》2005 年第 4 期。

习中都起着重要作用。①

　　汉语是一种非拼音文字，其字形结构与字音之间没有明显的对应规律。汉语的基本书写单位是汉字，而一个汉字在口语中对应的一般是一个音节，汉字与音节之间的对应关系相对于拼音文字系统来说更具任意性。但是汉语存在大量的形声字，虽然声旁可以为整字提供一定的语音线索，但是形声字声旁的有效表音率仅为39%。② 那么儿童在学习汉字的过程中能否发现形声字声旁表音的规律并加以利用？儿童阅读发展的研究表明，汉语儿童在学习阅读的过程中，随着所学汉字的增多，逐渐发现了形声字的字形结构与字音之间的对应规律，并能利用该意识来积极学习不熟悉的字，我们把这种意识称为"声旁意识"。Shu等(2000)要求小学二、四、六年级的学生给熟悉的和不熟悉的形声字注音，发现儿童的注音成绩受到汉字声旁表音规则性的影响，对规则字的注音成绩好于不规则字的注音成绩。对于不熟悉的汉字，即使二年级的小学生也可以根据声旁的读音来推测其读音。③ Ho等(1999)发现香港一年级儿童通过短期训

---

① Wagner, R. K., Torgeson, J. K., & Rashotte, C. A. (1994) Development of reading-related phonological processing abilities new evidence of bi-directional causality from a latent variable longitudinal study. *Developmental Psychology* 30, pp. 73—87.

Comeau, L., Comier, P., Grandmaison, E., & Lacroix, D. A longitudinal study of phonological processing skills in children learning to read in a second language. *Journal of Educational Psychology* 91, pp. 29—43. 1999.

② 周有光《现代汉字声旁的表音功能问题》，《中国语文》1978年第3期。

③ Shu, H., Anderson, R., & Wu, N. Phonetic awareness knowledge on orthography phonology relationships in character acquisition of Chinese children. *Journal of Educational Psychology* 92(1), pp. 56—62. 2000.

练就可以利用熟悉字来推测含有相同声旁的不熟悉字的读音，例如，通过"炉"的音来推测"鲈"的音（二者繁体声旁相同），其中声旁是儿童不熟悉的。[1] 还有研究者通过学习—测验的方法发现，小学生可以利用不规则字提供的部分语音线索来积极学习生字。[2] 以上研究表明，汉语儿童在学习过程中可以逐渐发现并利用声旁提供的语音信息。儿童既可以利用声旁提供的语音线索来学习生字，也可以利用含同一声旁的熟悉形声字的语音来学习生字。

　　Shu等还发现，儿童声旁意识的发展依赖于小学语文课本中生字的引入顺序。[3] 从他们所提供的2 570个汉字中我们可以发现，小学一二年级的课本中，出现最多的是笔画简单的独体字，随着年级的升高，独体字的数量急剧下降，形声字的数量急剧上升，汉字的笔画数也随之上升。这种由笔画少到笔画多、由独体字居多到形声字居多的编排方式给儿童系统学习汉字提供了合理的基础，因为一二年级所学独体字中有70%成为后出现的形声字的声旁。在每个年级所学的汉字中，都是规则字的数量超过半规则字的数量，二者的数量远远多于不规则字的数量，这样的汉字编排顺序有利于儿童发现形声字声旁的表音作用。

---

[1] Ho, C. S.-H., Wong W.-L., & Chan, W.-S. The use of orthographic analogies in learning to read Chinese. *Journal of Child Psychology and Psychiatry* 40, pp. 393—403. 1999.

[2] 舒华、毕雪梅、武宁宁《声旁部分信息在儿童学习和记忆汉字中的作用》，《心理学报》2000年第1期。

[3] Shu, H., Chen, X., Anderson, R., Wu, N., & Xuan, Y. Properties of school Chinese: implications for learning to read. *Child Development* 74 (1), pp. 27—47. 2003.

从儿童汉字学习的研究中,我们可以得出以下结论:学习材料的编排对儿童汉字学习有着非常重要的影响;发展声旁意识对儿童汉字学习有很大的帮助;随着汉字量的积累,儿童可以逐渐意识到声旁提供的语音线索并加以利用,儿童对声旁语音信息的利用程度受学习能力的影响;教师可以利用课堂的安排加速儿童对汉字结构规律的认识,进而提高汉字学习的速度。

在对外汉语教学界,石定果、万业馨(1998)经过调查发现留学生对声旁语音线索的利用非常有限。[1] 江新(2001)发现外国留学生对形声字的读音也受到声旁规则性的影响,而且对声旁语音信息的利用还随识字量和汉语水平等的提高而提高。[2] 在实验研究的基础上,研究者进一步提倡在课堂教学中要有意识地培养留学生积极利用声旁提供的语音信息去学习和掌握汉字。[3] 从儿童汉字学习的研究中我们知道,教材中生字的引入顺序直接影响学习者对汉字的掌握,那么什么样的教材有利于留学生的汉字学习,以及通过教学能否使留学生发现汉字的结构规律并在学习中加以利用?本研究对此进行了初步的探讨。

二 实验研究

(一) 研究目的

本研究由两部分组成,第一部分主要就留学生所用教材中

---

[1] 石定果、万业馨《关于对外汉语教学的调查报告》,《语言教学与研究》1998年第1期。

[2] 江新《外国留学生形声字表音线索意识的实验研究》,《世界汉语教学》2001年第2期。

[3] 陈慧、王魁京《外国学生识别形声字的实验研究》,《世界汉语教学》2001年第2期。

的汉字类型及编排进行数据库分析,以此来考察现行教材的汉字分布是否有利于留学生声旁意识的发展。第二部分在数据库分析的基础上,采用实验的手段,进一步探讨在使用现有教材的条件下能否利用课堂教学来帮助留学生发现声旁的作用并积极加以利用。

(二)《汉语教程》中的汉字类型及其分布

北京语言大学汉语进修学院初级阶段的留学生所用教材为杨寄洲主编的《汉语教程》,第一册共45课856个汉字。根据倪海曙的《现代汉字形声字字汇》,我们首先将856个汉字分成形声字与非形声字两类,其中形声字492个,非形声字364个。参考Shu等(2003)的研究,根据形声字的字形结构与其字音之间的对应关系,又将492个形声字分为六类。各类形声字及比例见表1。

表1 492个汉字声旁与整字的读音关系

形声字	学过声旁	没学过声旁	小计
①声旁与整字读音完全相同	34(38%)	56(62%)	90
②声旁与整字只有声调不同	42(51%)	40(49%)	82
③声旁与整字只有韵母相同	33(38%)	54(62%)	87
④声旁和整字只有声母相同	5(26%)	14(74%)	19
⑤声旁和整字读音完全不同	36(40%)	54(60%)	90
⑥声旁和整字的读音不确定	42(34%)	82(53%)	124
总计	192(39%)	300(61%)	492

分析发现,初级阶段的留学生在最初一个学期所学习的492个形声字中,61%(300/492)的形声字学了整字而未学声旁,也就是说在留学生所学的大部分形声字中,其声旁没能起到提示语音的作用。按照声旁提供的读音信息的多少,我们把声

旁熟悉的形声字分成四种类型：规则字（第①类）、半规则字（第②③④类）、不规则字（第⑤类）和其他字（第⑥类）。规则字即声旁与整字的声母、韵母、声调完全相同的形声字，其声旁可以为整字提供全部的语音信息；半规则字即声旁与整字读音不完全相同的形声字，它们或声母相同，或韵母相同，或二者都相同只是声调不同，因此不规则字的声旁只能为整字提供部分语音信息；不规则字，即声旁与整字读音没有任何相同之处的形声字，其声旁不能为整字提供任何语音信息。由表1可知，在声旁熟悉的形声字（192个）中，声旁具有表音功能的字（指规则字①和半规则字②③④中"学过声旁"的 34 + 42 + 33 + 5 字）占 59%。

通过上文的分析我们发现，《汉语教程》第一册所出现的形声字中，声旁不熟悉的远远多于声旁熟悉的，在声旁熟悉的形声字中，规则字的数量也少于其他类型的字。我们认为这样的编排方式不利于留学生发现形声字声旁的表音规律，不过对外汉语教学的主要目的是培养学习者的交际能力，[①]在教材编排的过程中应该以功能为纲，这就很难兼顾到汉字引入的系统性（即独体字先学，规则字先学等原则）。那么，在现有条件下，能否利用课堂教学有计划地培养留学生的声旁意识呢？

（三）课堂教学中培养声旁意识的实验研究

1. 研究方法

（1）被试。北京语言大学汉语进修学院初级（下）的25名留

---

① 刘珣《试论汉语作为第二语言教学的基本原则——兼论海内外汉语教学的学科建设》，《世界汉语教学》1997年第1期。

学生参加了该实验,被试学习了大约四个月汉语,掌握了800多个汉字,分别来自印尼、韩国、俄罗斯、美国等国家。

(2)材料与设计。实验采用3(生字类型)×3(学习遍数)两因素被试内设计。所有材料均为被试不熟悉的极其低频的形声字。每种条件8个生字,共24个生字,其中包括三种生字类型:①规则字,声旁读音和整字读音完全相同,且声旁是被试熟悉的,例如"砜";②韵母相同字,声旁读音和整字读音的韵母相同,声旁也是熟悉的,例如"皓";③不知声旁字,即被试还没学过该声旁,也没学过含有该声旁的形声字,例如"泸"。

为了考察留学生能否学会利用声旁提供的信息来推测不熟悉的字以排除重复记忆的因素,我们又找了24个与学习字同声旁的字作为迁移字,让留学生写出这些字的拼音。例如,学习字为"砜",迁移字为"沨"。实验材料举例见表2。

表2 实验材料举例

生字类型	声旁与整字的语音关系	声旁	学习字	迁移字
规则字	声旁读音和整字读音完全相同,声旁熟悉	风	砜	沨
韵母相同字	声旁读音和整字的韵母相同,声旁熟悉	告	皓	浩
不知声旁字	声旁不熟悉	卢	泸	轳

(3)实验程序。我们采用集体施测的办法,将24个生字及其拼音分别打印出来,让学生学习并记忆。实验过程包括三次学习、三次测验和一次迁移测验。在第一遍学习中,首先给被试呈现汉字和拼音,同时大声读出该字的拼音,每个字呈现一分钟。学完一遍以后,马上进行测验,以考察学生对这三种字的记忆情况。方法是给每个学生一张卷子,上面印有刚才学过的24

个字,但是字的顺序与学习时的顺序不同,要求学生用拼音写出这 24 个字的读音。将卷子收回后,开始学习第二遍,学习与测验的过程与第一遍相同,只是项目的呈现顺序和测验顺序都与第一遍不同。第二遍学习和测验结束后进行第三遍学习和测验。第三遍结束后,发给被试印有 24 个迁移字的卷子,要求学生写出这 24 个字的拼音。

2. 结果与分析

不同类型生字在三次学习中的正确率及在迁移测验中的正确率见表 3。

表 3　不同类型生字的学习正确率

生字类型	第一遍学习	第二遍学习	第三遍学习	迁移字
规则字	0.78	0.95	0.96	0.95
韵母相同字	0.43	0.70	0.86	0.81
不知声旁字	0.14	0.44	0.65	0.55

我们对留学生在测验中三种类型生字的读音正确率进行 3(生字类型)×3(学习遍数)的方差分析,结果表明:生字类型的主效应显著,$F(2,48)=104.757, p=0.000$,学习遍数主效应显著,$F(2,48)=109.140, p=0.000$,二者的交互作用显著,$F(2,48)=11.203, p=0.000$。

进一步的简单效应检验发现,在三遍学习过程中,生字类型的主效应均显著:第一遍,$F(2,48)=103.11, p=0.000$,第二遍,$F(2,48)=51.38, p=0.000$,第三遍,$F(2,48)=31.44, p=0.000$,多重比较结果显示,规则字在学习一遍后正确率就很高,达到 0.78,第二次学习中,正确率进一步提高,达到 0.95,两次学习正确率差异显著($p=0.000$);学习第三遍没有显著提高($p>0.1$)。韵母相同字和不知声旁字在每一遍的学习中均有提高(所有的 p 值均为 0.000)。

同样,在三种生字类型上,学习遍数的主效应也都显著:规则字,$F(2,48)=28.66$,$p=0.000$,韵母相同字,$F(2,48)=57.69$,$p=0.000$,不知声旁字,$F(2,48)=56.47$,$p=0.000$,多重比较结果显示,在每一遍学习中,三种生字类型之间的正确率差异均显著,即规则字的学习正确率高于韵母相同字,韵母相同字的学习正确率高于不知声旁字(所有的 p 值均小于 0.005)。

对迁移字进行单因素方差分析表明,生字类型主效应显著,$F(2,48)=28.773$,$p=0.000$,成对比较结果表明,规则字与韵母相同字正确率差异显著($p=0.001$);韵母相同字与不知声旁字正确率差异显著($p=0.003$)。

上述结果表明,规则字的声旁提供了整字读音的全部信息,因此对留学生第一次学习和记忆的帮助就很大,其正确率远远高于声旁提供部分读音信息和没有提供信息时的正确率。当声旁提供整字部分读音信息时,留学生的学习正确率显著高于声旁未提供读音信息时的正确率。学习三遍以后,我们要求留学生给迁移字注音,结果发现,声旁提供的读音线索越多,留学生学习记忆的正确率就越高。声旁提供全部语音信息时的正确率高达 0.95,声旁提供部分语音信息时的正确率达到 0.81,表明通过课堂教学,留学生能够发现形声字声旁的表音规律,并将其运用到不熟悉的形声字上,且对声旁提供的读音信息非常敏感,不同程度的语音信息影响他们的汉字学习与记忆。

三 结论及其对教学的启示

研究表明,儿童学习材料的编排直接影响到儿童的学习成绩,小学语文课本中字词的出现顺序直接影响到儿童的汉字学习。但目前还很少有人就留学生学习材料的编排及其与留学生汉字学习成绩之间的关系进行研究,本研究就这一问题进行了初步的探讨。我们首先从数据库分析的角度入手,对初级阶段留学生所用汉语课本中的生字类型进行了统计分析,发现《汉语教程》第一册出现的生字中形声字与非形声字数量相当,而且三分之二的形声字的声旁是学生未学过的,这就无法明确提示声旁与整字之间的语音关系。我们认为这样的汉字编排方式不利于留学生的汉字学习,但是在以培养交际能力为主要目的的前提下,在教材编写中很难科学地选择用字。那么能否利用课堂教学的手段来提高留学生汉字学习的效率呢?本研究的第二部分采用学习—测验—迁移的方法,发现刚学了一学期汉语的留学生就可以意识到声旁的表音作用,同时也可以利用声旁提供的全部或部分语音信息来学习与记忆汉字。

上述结果对对外汉语教学实践有非常重要的意义:在以功能为纲的教学思想的指导下,无论教材编写还是课堂教学,听说始终放在首位,但是听说读写是有机的组合,任何方面出现问题都会影响留学生汉语水平的提高。我们的实验结果表明,在听说优先的前提下,在课堂教学中,加强声旁意识的培养,既利于留学生的口语发展,又利于他们汉字识记能力的提高。

那么,如何利用课堂教学来提高汉字学习的效率呢?我们建议通过归纳总结的办法来帮助学生发现汉字的规律。在汉字学习的过程中,由于成熟的认知推理能力,留学生比较容易建立起部件的意识来,但在部件与功能没有真正结合起来以前,部件在汉字学习中的作用非常有限,只有将部件与其表音(声旁)表意(形旁)的功能结合起来,才能提高学习者的学习效率。我们的实验研究发现,在学完800多个汉字以后,留学生可以建立起部件的概念,①但是这些部件往往是比较小的单位,例如"请"字的部件"月"对留学生来说很熟悉,声旁"青"却没学过,因此,在他们的意识里,"月"会有清晰的表征而"青"的表征却比较模糊。事实上,在留学生的学习中,较大单位的部件(主要是形旁和声旁)比较小单位的部件(例如"请"字中的部件"月")所起的作用更大。因此我们提议,在课堂教学中,教师在教授笔画和常用的、组字频率很高的部件后,可以适当引入形旁和声旁的概念。教一个形声字时,不仅教该字的读音,也要给学生出示该字声旁的读音,并提示声旁和整字的读音关系。教师在教授了若干声旁相同的字以后,应该总结声旁和整字的读音关系,以指导学生有意识地运用声旁提供的语音线索。

由于现在的对外汉语教学或多或少地具有速成性质,因此留学生往往缺少足够的时间来自己发现规律。我们通过声旁意识的训练,可以帮助留学生发现汉字的字形结构与字音之间的对应规律,促使他们运用这种规律去学习,缩短汉字学习的进程,提高学习的效率。

---

① 郝美玲《正字法知识在留学生汉字学习中的作用》,北京语言大学汉语进修学院2003年首届科研报告会论文。

第五节 外国学生汉字知音和知义之间关系的研究①

一 研究背景

近年来,关于字音在汉字识别和书面语阅读中的作用问题,成为汉语认知心理学研究的热门课题。② 已有的大多数研究探讨汉语作为第一语言的加工问题,汉语作为第二语言加工的研究非常少见。本文关心的问题是,将汉语作为第二语言学习的外国学生,在学习记忆汉字时字音起什么作用? 字音的作用是否会受学生母语背景的影响?

(一) 字音与字义提取之间的关系

汉字意义提取过程中字音是否起作用? 关于字音对字义提取作用的研究有两种主要观点:一种认为阅读时汉字意义的通达必须利用语音信息,语音激活是意义通达的必要条件,即文字意义通达的途径是形—音—义。例如 Perfetti 等提出,汉语和英语一样,语音在词汇语义的通达中起主要作用。③ 他们认

---

① 本文原标题为"不同母语背景的外国学生汉字知音和知义之间关系的研究",作者江新,原载《语言教学与研究》2003 年第 6 期。

② 周晓林《语义激活中语音的有限作用》,载彭聃龄主编《汉语认知研究》,山东教育出版社 1997 年版。

③ Perfetti, C. A., Zhang, S., & Berent, I. Reading English and Chinese: Evidence for a Universal Phonological Principle. In R. Frost & L. Katz (eds.), *Orthography, Phonology, Morphology, and Meaning*. Amsterdam: Elsevier. 1992.

Perfetti, C. A., Zhang, S. Very Early Phonological Activation in Chinese Reading. *Journal of Experimental Psychology: Learning, Memory and Cognition*, 21, pp. 24—33. 1995.

为，汉语读者没有语音就不能激活语义，在汉语阅读中语音是自动激活的，语义的通达要通过语音的中介作用。许多研究都支持汉字识别中存在语音自动激活现象。① 另一种观点认为，语音信息在汉语熟练读者的字词识别中不起作用，汉字识别存在一条由形直接到义的通路，不必经过语音的中介。例如周晓林（1997）根据汉字作为表意文字的特点以及有关汉语字词识别的实验证据，提出了一个汉语字词表征结构和激活模型。他假设每个词在心理词典中至少有字形、语义和语音三种表征，这些表征相互联结，一种表征的激活会扩散到其他相关的表征上。汉语视觉词汇的意义是由字形信息直接激活的，而且一旦字形表征被激活之后，与之相关的语义信息和语音信息都得到激活，即汉字识别的通路主要是由形直接到义，而不是形—音—义。语音在词汇通达的初期不起作用，语音激活对语义和字形激活所起的作用是非常微弱的。语音对汉语书面语的意义通达不起作用。这个观

---

① 张厚粲、舒华《汉字读音中的音似和形似启动效应》，《心理学报》1989年第3期。
谭力海、彭聃龄《汉字的视觉识别过程——对形码和音码作用的考察》，《心理学报》1991年第3期。
Perfetti, C. A., Zhang, S., & Berent, I. Reading English and Chinese: Evidence for a Universal Phonological Principle. In R. Frost & L. Katz (eds.), *Orthography, Phonology, Morphology, and Meaning*, Amsterdam: Elsevier. 1992.
Perfetti, C. A., Zhang, S. Very Early Phonological Activation in Chinese Reading. *Journal of Experimental Psychology: Learning, Memory and Cognition*, 21, pp.24—33. 1995.

点得到一些实验证据的支持。①

综上所述,语音在汉语书面语字词识别中的作用问题,尚未得出一致的结论,还需进一步研究。而且,上述研究都是探讨汉语作为母语的认知加工过程,其研究结论是否适用于汉语作为第二语言的认知加工,还需要研究检验。

(二) 母语正字法对第二语言字词识别的影响

第二语言学习的大量研究证实,语言和元语言知识的不同层面及其相应的加工过程,可以从母语迁移到第二语言中,包括口语和书面语的产生和理解。② 同样,母语的正字法知识和加工机制也影响第二语言学习者的字词识别。例如,Koda(1988)研究以英语作为第二语言学习的学生,比较不同母语背景学生的语音编码策略。③ 她发现,当视觉材料中的语音信息被掩蔽时,拼音文字背景的学生成绩变差,但是表意文字背景的学生没有明显变化,表明拼音文字背景的学生需要直接分析语音信息,

---

① Leck, K. J., Weekes, B. S., & Chen, M. J. Visual and Phonological Pathways to the Lexicon: Evidence from Chinese Readers. *Memory & Cognition*, 23, pp. 446—476. 1995.

Chen, H. C., Cheung, S. L., & Flores d'Arcais, G. B. Orthographic and Phonological Activation in Recognition in Recognizing Chinese Characters. *Psychologcal Research*, 58, pp. 144—153. 1995.

周晓林《语义激活中语音的有限作用》,载彭聃龄主编《汉语认知研究》,山东教育出版社1997年版。

② Gass, S. The Resolution of Conflicts among Competing Systems: A Bidirectional Perspective. *Applied Psycholinguistics*, 8, pp. 329—350. 1987.

Sasaki, Y. English and Japanese Interlanguage Comprehesion Strategies: An Analysis Based on the Competition Model. *Applied Psycholinguistics*, 12, pp. 47—73. 1991.

③ Koda, K. Cognitive Process in Second Language Reading: Transfer of L_1 Reading Skills and Strategies. *Second Language Research*, 4, pp. 133—156. 1988.

而表意文字背景的学生不需直接分析语音信息,对第二语言文字的加工依赖于母语文字的加工机制。Gairns(1992,转引自 Koda 1997)也发现不同母语背景的第二语言(英语)学习者,进行词汇判断时利用语音线索的程度是不同的,拼音文字背景的学习者(母语为阿拉伯语)对语音线索的依赖多于表意文字背景的学习者(母语为日语或汉语)。Koda(1993,转引自 Koda 1997)还比较了以韩语为母语的学生和以汉语为母语的学生学习英语的情况。[①] 韩语采用非罗马字母的拼音文字,汉语采用的是非字母文字,研究发现,字母文字背景的读者音素分析能力虽然强于非字母文字的读者,但是两组被试的文章阅读理解能力并没有差异,因为两组学生在阅读理解时音素分析的利用程度是不同的,韩语为母语者阅读时音素分析的利用程度少于汉语为母语者。研究结果表明,不同的母语文字经验会导致学生第二语言阅读的内部过程产生质的差异,但不一定会导致阅读成绩产生量的差异。

(三)汉语作为第二语言的字词读音和意义识别之间关系的研究

母语文字经验对第二语言文字加工的影响的研究,大多数是以英语作为第二语言的学习者为对象。以汉语作为第二语言

[①] Gairns, B. Cognitive Processing in ESL Reading. Master's Thesis, Ohio University, Athens, OH. 1992.

Koda, K. The Role of Phonemic Awareness in L_2 Reading. Paper presented at the meeting of AAAL, Atlanta, April. 1993.

Koda, K. Orthographic Knowledge in L_2 Lexical Processing: A Cross-linguistic Perspective. In J. Coady & T. Huckin (eds.), *Second Language Vocabulary Acquisition: A Rational for Pedagogy*. Cambrige University Press. 1997.

的学习者的字词加工研究非常少见。

Everson (1998)研究以汉语作为外语学习的初学者对汉语词的读音和意义识别之间的关系。[1] 他以 Iowa 大学汉语系一年级的 20 名学生(不包括有汉语、汉字背景的学生)作为被试,要求被试对计算机屏幕上显示的 46 个已学过的汉语词进行命名,命名任务完成之后写出每个汉语词的英语意思。结果显示,对词的正确读音与对词的意义识别之间的相关非常显著。Everson 根据这个结果认为,将汉语作为外语的初学者记忆汉字的策略在一定程度上依赖于对汉字的正确读音,他们记忆汉字不是只依赖于视觉方式,即依赖于汉字的字形,而是要考虑汉字是如何发音的。Everson 认为,初学者利用语音学习汉字的策略,反映了汉语正字法和其他拼音文字语言的正字法一样,是以语音为主导的。

值得注意的是,Everson 的研究是以 20 名无汉语、汉字背景的第二语言学习者为被试,他没有探讨学习者的母语背景对汉字知音和知义关系的影响。本文以日语、韩语、印尼语和英语四种不同母语背景的汉语学习者为被试,进一步探讨外国学生对汉字知音和知义之间的关系以及母语文字经验对汉语作为第二语言加工的影响。

二 研究方法

(一) 被试

北京语言大学汉语学院基础系学生 74 人,其中日本学生

---

[1] Everson, M. E. Word Recognition among Learners of Chinese as a Foreign Language: Investigating the Relationship between Naming and Knowning. *The Modern Language Journal*, 82(2), pp.194—204. 1998.

17人、韩国学生16人、印尼学生22人、美国学生19人。施测时他们在汉语学院基础系学习汉语的时间为4—9个月。所有学生都会英语(英语是他们的母语或者第二语言)。

(二) 测量工具

从汉语初学者课本《汉语会话301句》①的前16课中选择30个汉字,其中形声字16个,非形声字14个。选择汉字时保证每个汉字都是学生已经学习过的,而且都有明确的英语对译词。英语对译词也都是常见词。给被试呈现单个汉字,要求被试写出汉字的读音和意义,读音用汉语拼音来表示,意义用英语对译词来表示。这30个汉字属于《汉语水平词汇和汉字等级大纲》②中的甲级字。

(三) 施测过程

测试是在课堂内由任课教师主持进行,学生独立完成测试。

拼音的记分方法为:声母韵母声调全对或者声母韵母对(只有声调错)都记为正确,其他记为错误。汉字意义的记分方法为:用英语写出汉字的意义记为正确,写出错误的意义和不写均记为错误。

三 研究结果

分别计算每个被试写30个汉字的拼音和意义的正确率(平均数和标准差如表1所示),然后计算不同国家学生汉字拼音和意义正确率之间的相关系数(结果如表2所示)。

---

① 康玉华、来恩平,北京语言文化大学出版社1999年版。
② 国家对外汉语教学领导小组办公室《汉语水平词汇和汉字等级大纲》,北京语言文化大学出版社1992年版。

第五节 外国学生汉字知音和知义之间关系的研究

表 1 日本、韩国、印尼和美国学生汉字拼音和意义正确率的平均数和标准差

国家	拼音		意义	
	平均数	标准差	平均数	标准差
日本(n=17)	0.95	0.09	0.98	0.06
韩国(n=16)	0.98	0.02	0.95	0.10
印尼(n=22)	0.92	0.15	0.96	0.10
美国(n=19)	0.81	0.24	0.85	0.23

表 2 日本、韩国、印尼和美国学生汉字拼音和意义成绩之间的相关

国家	相关系数 r	显著性 p
日本(n=17)	−0.174	0.505
韩国(n=16)	0.359	0.172
印尼(n=22)	0.508*	0.016
美国(n=19)	0.974**	0.000

* $p<0.05$,** $p<0.01$

从表 2 可以看到,日本、韩国学生的汉字拼音和意义成绩之间的相关都不显著($p>0.05$),印尼、美国学生的汉字拼音和意义成绩之间的相关显著($p<0.05$),而且美国学生二者的相关程度比日本、韩国和印尼学生的强得多。这个结果表明,母语背景影响汉字拼音和意义学习之间的关系,对日本、韩国学生来说,知道汉字的读音和知道汉字的意义之间没有密切关系,但是对印尼、美国学生来说,知道汉字的读音和知道汉字的意义之间有密切关系。

由于汉字有形声字和非形声字之分,形声字的声符作为汉字的表音线索,在一定程度上提示汉字的读音。那么外国学生汉字知音和知义之间的关系,是否会随汉字是否形声字而发生变化?本文分别计算了外国学生形声字和非形声字的拼音和意

义正确率的相关系数。

表3　日本、韩国、印尼和美国学生形声字、非形声字的拼音和意义成绩之间的相关

国家	字类	相关系数 r	显著性 p
日本(n=17)	形声字	-0.209	0.420
	非形声字	-0.119	0.650
韩国(n=16)	形声字	0.308	0.246
	非形声字	0.061	0.824
印尼(n=22)	形声字	0.443*	0.039
	非形声字	0.495*	0.019
美国(n=19)	形声字	0.974**	0.000
	非形声字	0.933**	0.000

*$p<0.05$, **$p<0.01$

从表3可以看出,日韩两国学生对形声字和非形声字知音与知义之间的相关都没有达到显著水平($p>0.05$),而印尼、美国学生对形声字和非形声字知音与知义之间的相关都达到显著水平。因此,汉字是否形声字,并不影响四国学生汉字拼音和意义成绩之间的关系。

本研究的结果表明,对于汉语作为第二语言的初级学习者,母语背景对汉字拼音和意义成绩之间关系有影响。日本、韩国学生知道汉字读音和知道汉字意义二者之间没有密切关系,但是印尼和美国学生知道汉字的读音和知道汉字的意义之间有密切关系。

这个结果是很有趣的。对此,有两种可能的解释。其一是,外国学生的汉字加工策略受母语文字加工策略的影响。不同母语的学生,发展起相应的母语文字加工策略,并把这种策略迁移到第二语言的文字加工中。

第五节 外国学生汉字知音和知义之间关系的研究

日语、韩语、印尼语和英语这四种语言，其文字的正字法系统是不同的。我们先来看日语。据《中国大百科全书·语言文字》（中国大百科全书出版社 1988）介绍，日语的文字由表意文字汉字和音节文字假名两套文字符号组成，并混合使用。对日语母语者的大量实验研究和临床研究发现，日语的两套文字符号的语音加工机制是不同的，有研究发现，语音的干扰在日语汉字和假名加工中有不同影响，[1]日语汉字和假名具有不同的视觉加工模式。[2]

现代韩语（朝鲜语）的文字属于拼音文字，用一套音位字母拼写，但符号的组合以音节为单位，表现出间架结构，类似汉字的形体。韩语（朝鲜语）在古代使用汉字，现行朝鲜文不夹用汉字，但韩文仍夹用汉字（《中国大百科全书·语言文字》）。对韩语母语者的研究发现，韩语的两套文字符号，即表音文字 Hangul 和表意文字 Hanja，其语音加工机制也是不同的，对表音文字 Hangul 的加工存在语音激活，对表意文字 Hanja 的加工不存在语音激活。[3]

英语、印尼语均采用拼音文字系统。大多数研究者认为，母语采用拼音文字的读者，在加工其母语单词时，首先通过视觉输

---

[1] Saito, H., Inoue, M., & Nomura, Y. Information Processing of Kanji and Kana: The Close Relationship among Graphemic, Phonemic, and Semantic Aspects. *Psychologia*, 22, pp. 195—206. 1979.

[2] Hatta, T. Recognition of Japanese Kanji and Hirakana in the Left and Right Visual Fields. *Japanese Journal of Psychology*, 20, pp. 51—59. 1978.

[3] Lee, C. H., Chard, D. J. Lexical Decision Making in Korean Words: Educatinal Implications of Learning to Read Words. *Psychologia*, 43, pp. 165—175. 2000.

入的信息获得语音信息,经由语音表征激活语义表征,语音编码是主要的通路。对英语书面语加工的大量研究支持这个观点。对印尼语书面语加工的研究非常罕见,但从理论上可以推论印尼语的加工应该与英语的加工相似。Muljani 等(1998)研究以印尼语或汉语为母语、以英语作为第二语言的学习者对英语书面单词的识别。[1] 他们发现,由于印尼语和英语同为拼音文字,印尼语作为母语对第二语言为英语的单词识别产生促进作用,这个促进作用大于汉语作为母语的促进作用。这个研究也间接表明印尼语文字加工与英语文字加工相似,语音编码是拼音文字单词识别的主要通路。

由于日本、韩国学生的母语文字和印尼、美国学生的母语文字具有上述不同的特点,因此,他们发展起不同的母语文字加工策略,并把其迁移到汉语作为第二语言的文字加工中。以日语或韩语为母语的读者,由于其母语文字中既有拼音文字,也有表意文字,所以可能发展起一种形码和音码并重的文字加工策略,在学习汉语表意文字时,就把相应的形码加工策略迁移到汉字的加工中,所以记忆汉字意义时主要依赖其字形,而不是依赖字音,因此,字音和字义之间相关不显著。而以印尼语或英语为母语的学生,发展起一种依赖语音的文字加工策略,当他们把这种策略迁移到汉字的加工中时,对汉字意义的记忆就主要依赖其字音,因此知音和知义之间有密切关系。

印尼、美国学生对汉字知音和知义之间存在密切关系,这个

---

[1] Muljani, D., Koda, K., Moates, D. R. The Development of Word Recognition in a Second Language. *Applied Psycholinguistics*, 19, pp. 99—113. 1998.

第五节 外国学生汉字知音和知义之间关系的研究 193

结果预示着,印尼、美国学生学习汉字时,知道汉字的读音对于汉字意义的学习掌握是非常重要的,特别是对母语是英语的学生来说,知音和知义之间的关系更加密切,学生不知道一个字的读音往往就意味着不知道字的意义,所以字音对其汉字意义的学习记忆是非常重要的。而日本、韩国学生对汉字知音和知义之间没有显著关系,这个结果也预示着对他们来说,是否知道汉字读音对汉字意义的学习记忆可能没有很大影响。

但是实验的结果还可以有另一种解释。日本学生对汉字知音和知义之间没有显著相关,也可能是由于日本学生在学习汉语之前,就认识一定数量的汉字。日语中的大多数常用汉字在字形、字义上与汉语的相同或相近,所以即使是"零起点"的日本学生也具有一定的汉字能力和汉语阅读能力,然而他们对汉语往往是看得懂,但听不懂、也说不出来。他们对汉字的字形和字义的掌握比字音的掌握要容易,字形和字义比较熟悉,但字音不太熟悉,能准确读其音的汉字比较少,但知其义的汉字比较多,因此对汉字知其义未必知其音,所以知音与知义之间没有密切关系。在这点上,同属"汉字文化圈"国家的韩国学生与日本学生表现出一致的模式。另一方面,印尼、美国学生对汉字知音和知义之间具有密切关系,也可能是因为这两国学生在学汉语之前大都不认识汉字,汉字的音形义是同时学习的,字义和字音的掌握难易程度没有很大差异,大多数汉字都是知其义必知其音,因此知音与知义之间有密切关系。实际上,这种解释与第一种解释都涉及了学生的母语背景对汉字学习的影响。

日韩学生对汉字知音和知义之间没有显著相关,表明有表意文字背景的日韩学生记忆汉字的意义可能不依赖汉字的正确读音,这个结果与江新(2002)的观点是一致的,即日韩学生在汉语阅读中字义的通达可能更多地依赖形码而不是音码。① 印尼、美国学生汉字拼音和意义成绩之间有显著相关,表明表音文字背景的印尼、美国学生记忆汉字的意义可能依赖汉字的读音,这个结果与Everson(1998)对无汉语、汉字背景的学生的研究结果是一致的,即无汉字背景的初学者学习汉字意义时可能采用依赖语音的策略。但是,我们认为,拼音文字背景的学生学习汉字采用依赖语音的策略,并不足以说明汉字正字法和拼音文字的正字法一样是以语音为主导的。通过综合考察不同母语背景的学习者的汉字加工策略,我们认为,汉语作为第二语言的汉字加工策略,受学生母语文字加工策略的影响。

应当注意的是,本研究采用的方法还值得改进。例如,测量学生汉字字义的知识时采用写英语对译词的方法,尽管汉字和英语对译词都是很常见的,但是这种测量对母语不是英语的学生(例如日韩学生)有不适当之处,学生的英语熟练程度不同,可能会对结果产生影响,将来的研究应该考虑采用更加可靠的方法来测量学生的字义知识。而且,本研究是一个相关研究,还不能得到因果关系的结论,不同母语背景的外国学生学习汉字时知音对知义的影响,还需要进行实验研究。此外,本研究只探讨了初级阶段的汉语学习者,其结论是否适用于中级、高级阶段的学习者,也需进一步研究。

---

① 江新《中级阶段日韩学生汉语阅读中字形和字音的作用》,2002年第六届国际汉语教学讨论会(上海)论文。

第六节 母语为拼音文字的学习者汉字正字法意识发展研究[①]

一 正字法意识发展研究的理论背景

（一）

汉字是一种平面型文字，运用两维空间来表达信息，其结构单元和结构方式都与拼音文字显著不同。可以说每个文字都是一个结构紧密的图形，这和拼音文字以线形排列的方式有所不同。这些特点以及它与汉语之间的独特的关系，使得汉字学习一向被视为畏途。尤其对那些母语为拼音文字的学习者来说，更是如此。

（二）

正字法是使文字的拼写合于标准的方法。任何一种文字都有自己的正字法规则（orthographic regularity）用于规范文字的书写和使用。研究表明，人们在学习过程中逐渐形成的正字法意识在字词识别、词语习得和阅读中起着重要作用。[②] 研究正字法意识的认知发展对促进学习者的语言习得具有重要的理论和实践意义。

现今世界上绝大多数文字属于拼音文字。拼音文字是一种

[①] 本文原标题为"母语为拼音文字的学习者汉字正字法意识发展的研究"，作者鹿士义，原载《语言教学与研究》2002年第3期。

[②] Bowery, J. A., Vaughan, L., Hansen, J. Beginning Readers' Use of Orthographic Analogies in Word Reading. *Journal of Experimental Child Psychology*, 68:108—133. 1998.

浅度正字法的文字。在拼音文字中符合正字法的词往往是可以音读的,所以正字法规则与语音规则常在一起发生作用。尽管有研究表明正字法规则对单词识别的促进作用并不是由于可音读造成的,但大多数正字法的研究都没有与语音规则的研究区分开①。和拼音文字相比,汉字是一种正字法为高深度的文字,因此对汉字正字法的研究很少受读者规则的影响。汉字由笔画、部件组成,不同笔画或部件只有按一定规则组合起来,才能构成汉字。汉字正字法的意识就是对汉字组合规则的意识。学习汉字与学习其他拼音文字相比有很大的不同。这些不同表现在对它的习得过程以及由此而产生的认知规律、心理操作等方面。一项有关汉字学习调查的报告归纳了汉字难的几大原因。② 其中一种认为汉字难是由于"文字体系的根本差异"造成的,"拼音文字和汉字二者的机制及形式完全不同,因此他们不习惯,难以适应";而另一种原因则是由于"字形困扰"造成的,"不明结构,拼音文字都只有寥寥几笔,因为这已足以保证其有限字符的区别度,但汉字不然,绝大多数是含若干部件的合体字,即使独体字也往往不那么简单,笔画不宜过少也是数万汉字字符维持个性的要求,结构又蕴涵着字理,这一切对于学习者来说确乎艰难"。这些研究成果都说明了对于母语为拼音文字的学习者来说,结构是造成汉字难学的最根本的症结之所在。基于此,人们提出了许多汉字教学方法。但这些方法都缺少实证性的研究,它们和学习者的心理认知有多大的拟合度,换

---

① 彭聃龄《语言心理学》,北京师范大学出版社 1991 年版。
② 石定果、万业馨《关于对外汉字教学的调查报告》,《语言教学与研究》1998年第1期。

言之,它们具有多少心理现实性?本文通过对母语为拼音文字的学习者正字法意识的认知发展的实证研究,探讨其正字法意识的发展过程,以便为我们的汉字和词语教学提供一个科学的依据。

二 研究方法

1. 被试

南京师范大学国际文化教育学院的83名学生参加了本次实验。被试的汉语水平是这样划定的:初级汉语水平的学习年限为0.5—1年,中级水平为1—1.5年,高级汉语水平的学习年限为1.5—2.5年。

2. 实验材料

本研究选取了左右、上下及半包围三种最常见的汉字结构来研究该问题。测验用字135个(真、假、非字各45个)。依据《信息交换汉字编码字符集—基本集》(GB 2312-80)和《汉语水平考试词汇与汉字等级大纲》,从目前所使用的对外汉语教材中选取双部件合体字45个,笔画在5—10画范围内,平均笔画为8.12画。这些汉字均为最常用字和常用字(且部件也为最常见的),平均频率为1.151‰。经检验,三种结构类型字的笔画和平均频率均无显著差异。将所选汉字依照实验目的各造假字、非字60个,共得实验用字135个(其中练习用字35个,用于被试熟悉实验程序)。

3. 实验设计和程序

采用3×3×3混合设计。组间变量为汉语水平,分为初、中、高三级。字的种类和结构类型为组内变量。字的种类包括真、假、非三类,结构类型为左右、上下、半包围三种。135个项目以130×130像素大小在计算机屏幕上随机呈现。要求被试尽可能快速而准确地进行词汇判断。计算机记录反应时(精确到1ms)和反应正误。

三 结果分析

实验结果用SPSS/PC+10处理数据。

1. 以正确反应的反应时为因变量进行方差分析的结果表明,水平的主效应非常显著($F = 7.160$, $p = 0.001$)。利用Pair-wise Comparisons在各水平之间进行两两比较,初级水平与中级水平差异不显著($p > 0.05$),初级水平与高级水平($p < 0.01$)、中级水平与高级水平($p < 0.01$)之间差异均显著,说明初级水平、中级水平与高级水平之间的平均数差异在统计上达到非常显著的水平。这说明正字法意识的发展是一个动态的发展过程。为了进一步勾勒出各水平之间正字法意识的发展轨迹,对三种水平分别进行3×3重复测量方差分析。我们主要通过考察假字与非字的反应之间是否存在差异说明不同汉语水平正字法意识的形成,同时进一步分析字的种类与结构之间是否存在交互作用,以考察正字法意识出现在三种结构之间是否同步,通过分析各种结构类型真字的反应之间是否存在差异来说明汉字识别过程中是否存在结构类型效应。以下分别以正确反应的反应时和正确率为因变量对各水平进行分析。

2. 以正确反应的反应时为因变量的方差分析结果表明,初级水平的结构类型主效应不显著($F = 2.518$, $p = 0.084$),字的种类主效应显著（F=13.369,p=0.000），两者之间的交互作用不显著（F=1.102,p=0.43）。利用 Pairwise Comparisons 进一步进行两两比较，发现假字与非字（p<0.01）、假字与真字（p<0.01）差异非常显著，而非字与真字之间差异不显著（p=0.96>0.05）。

以正确率为因变量，对初级水平的方差分析结果表明，结构类型的主效应差异不显著（F=0.519,p=0.596），字的种类主效应非常显著（F=47.885,p=0.000），两者之间的交互作用不显著（F=1.274,p=0.283）。

从统计结果可以看出，无论以反应时抑或正确率为指标，在初级水平上结构类型主效应并不显著，这说明结构类型不影响汉字的识别。字的种类主效应非常显著，且假字与非字的差异非常显著。这是否能说明正字法意识业已形成？但统计结果表明非字与真字之间的差异并不显著。如何解释这一矛盾现象呢？一种可能的解释是，对于从来没有学习过汉字的成人来说，他们在最初接触汉字的时候，总是把一个个汉字看成点画组成的方块图形，对每个汉字只从整体上有个朦胧的印象和大致的轮廓，他们是把整字作为知觉单元。学习汉字是"一个一个地学、一个一个地记"，识别汉字时还不是以正字法等知识引导的自上而下的加工。假字和非字之间的差异只是一种"假象"。这个阶段的正字法还没有真正形成。

采用类似的方法对中级水平进行分析，发现其结构类型主效应不显著（F=0.248,p=0.781）。字的种类主效应差异非常显著（F=25.633,p=0.000），结构类型和字的种类两者之间的交互效应不显著（F=0.928,p=0.45）。但利用 Pairwise Comparisons 进行两两比较时却发现,假字与非字($p<0.00$)、假字与真字($p<0.00$)差异非常显著,而非字与真字($p=0.73$)之间差异不显著,左右结构与半包围结构之间差异显著($p=0.042$,$p<0.05$)。

对高级水平的分析表明,结构主效应显著($F=2.775$,$p=0.046$),字的种类主效应非常显著($F=23.437$,$p=0.00$)。

以正确率为因变量,分别对中级水平和高级水平进行分析,中级水平的结构类型主效应不显著($F=1.010$,$p=0.367$),字的种类主效应差异非常显著($F=33.643$,$p=0.00$),两者之间的交互作用不显著($F=0.504$,$p=0.733$)。高级水平上结构类型主效应差异显著($F=1.873$,$p=0.048$),字的种类主效应非常显著($F=40.823$,$p=0.00$),两者之间的交互作用显著($F=1.315$,$p=0.046$)。进一步作简单效应检验,假字与非字之间在三种结构水平上差异显著或接近显著,p值分别为0.0317、0.46、0.051,真字在字的种类方向上差异均不显著。

以上结果表明,在中级水平上他们对汉字的识别几乎和初级水平没有什么差异,但学习者的结构意识已初现端倪(左右结构与半包围结构之间差异显著),只是还远没有达到"清晰的程度"。学习者正字法意识的形成需要经历一个漫长的时间过程。到了高级阶段,假字与非字在左右、上下、半包围三种类型中都存在显著差异,说明学习者已经萌发了正字法意识。在真字水平上各结构类型间差异不显著,说明正字法意识的形成在三种结构之间是同步的。同时高级阶段结构类型的主效应显著,表明高级水平随着所学汉字数量的增加,随着对汉字的感性认识的提高,他们对汉字的认识就不再是混沌一团,而是有了入手之处,知道了怎样分析字形,能够从中抽绎出汉字组合的一般规则。统计结果还说明,汉字识别中虽然不存在结构类型效应,结构类型不影响汉字识别,但结构类型却影响正字法意识的发展。结构类型的发展是一个动态的发展过程,受被试识字经验等因素的影响。正字法意识是在识字过程中逐发展起来的。这一结果和以汉语儿童为被试的研究相一致。[①]

四 结论的启示

本项研究探讨了母语为拼音文字的学习者汉字正字法意识的发展,可以得到如下结论:

1. 母语为拼音文字的成人,其正字法意识的发展是一个渐进的过程。从初识汉字到正字法意识的萌发需要2年左右的时间。

以汉语儿童为被试的研究表明,小学一年级已经萌发了正字法意识,小学三年级儿童的正字法意识有了进一步发展,到了五年级正字法意识已经趋于稳定和完善。儿童汉字正字法的发展是一个渐进的过程。从萌发到趋于稳定和完善,这期间大约是五六年的时间,而本项研究表明,母语为拼音文字的成人,其正字法意识萌发的时间要晚于母语为汉语的儿童。至于正字法的完全形成则会是一个漫长的过程。Ke(1996)曾经把汉语作为第二语言学习的学习者的正字法

[①] 李娟等《学龄儿童汉语正字法意识发展的研究》,《心理学报》2000年第1期。

意识的发展分为三个阶段：储备阶段，学习者还不能把汉字分解为有意义的组成部分；迁移阶段，学习者有意识地运用他们的正字法系统的结构知识来区分汉字的声音和意义；成分加工阶段，其特点是学习者能运用系统的策略，根据汉字的声音和意义的构成来猜测生字的意义和发音。[①] 可以认为，正字法的萌发是一个发展的转折点，同时也是一个需要花费很长时间的阶段。

2.结构类型是汉字在字形方面区别于拼音文字的一个重要特征，结构类型效应是一个动态的发展过程。汉字识别中虽然不存在结构类型效应，但结构类型却影响正字法意识的发展，只有当识字能力发展到一定水平才会出现结构类型效应。学习者对汉字复杂构形以及形体的近似部分的认知需要一个较长的适应过程，它的形成得益于学习者的识字经验。大量的语料输入是必需的，只有这些输入被学习者加以"内化"，才能从中归纳出一定的规则。这证实了正字法意识是在识字过程中发展起来的（李娟等 2000）。

[①] Ke C. A model for Chinese orthographic awareness developmental stages, *The Modern Language Journal* 80, pp. 450—460. 1996.

第七节 形、音信息对外国学生汉字辨认的影响①

一 问题的提出

在阅读中,音、形信息对字词的识别作用如何不仅是语言习得和语言认知研究中的一个基础理论问题,对各种语言所进行的研究在结论上存在较大分歧,而且也是语言教学实践当中的一个重要问题,这从教师们对字词的语音和字形教学不同的重视程度就有所反映。尤其在对外汉语教学中更是如此,因为它涉及在汉语这种非拼音文字中,我们应该如何看待音、形信息对字词习得和认知的作用,以及在实际教学中如何处理两者之间的关系。

(一) 拼音文字的研究

关于英文和其他一些拼音文字中音、形信息在字词阅读中的作用的研究已经很多,尽管有一些研究认为语音在阅读中不起实质性作用,②但是更多的研究还是显示出在拼音文字的阅

---

① 本文原标题为"外国留学生汉字阅读中音、形信息对汉字辨认的影响",作者高立群、孟凌,原载《世界汉语教学》2000年第4期。

② Jared, D., & Seidenberg, M. S. Does word identification proceed from spelling to sound to meaning? Journal of Experimental Psychology: General, 120 pp. 358—394. 1991.

Fleming, K. K. Phonologically mediated priming in spoken and printed word recognition. Journal of Experimental Psychology: Learning, Memory and Cognition, 19, pp. 272—284. 1993.

读中,字词的语音信息不仅是自动被激活的,[①]而且在字词的语义获得中起着重要的作用。[②]

(二)汉语方面的有关研究

在汉字阅读中语音是否起作用,是近十年来语言认知研究方面的一个重要的前沿课题。汉字作为一种表意文字在表音性方面和拼音文字存在较大的差异,但是许多中外学者利用汉字

---

① Ferrand, L., & Grainger, J. Effects of orthography are independent of phonology in masked form priming. *Quarterly Journal of Experimental Psychology*, 47A, pp. 365—382. 1994.

Grainger, J., & Ferrand, L. Phonology and orthography in visual word recognition: Effects of masked homophone primes. *Journal of Memory and Language*, 33, pp. 218—233. 1994.

Perfetti, C. A., Bell, L. C., & Delaney, S. M. Automatic (prelexical) Phonetic activation in silent reading: Evidence from backward masking. *Journal of Memory and Language*, 27, pp. 59—70. 1988.

② Lesch, M. F., & Pollatsek, A. Automatic access of semantic information by phonological codes in visual word recognition. *Journal of Experimental Psychology: Learning, Memory and Cognition*, 19, pp. 285—294. 1993.

Lukatela, G., Lukatela, K., & Turvey, M. T. Further evidence for phonological constraingts on visual lexical access: TOWED primes FROG. *Perception & Psychophysics*, 53, pp. 461—466. 1993.

Lukatela, G., & Turvey, M. T. Visual lexical access is initially phonological: Evidence from associative priming by words, homophones, and pseudohomophones. *Journal of Experimental Psychology: General*, 123, pp. 107—128. 1994.

Peter, M., & Turvey, M. T. Phonological codes are earlier sources of constraint in visual semantic categorization. *Perception & Psychophysics*, 55, pp. 497—504. 1994.

Van Orden, Phonological mediation is fundamental to reading. In D. Besner & G. Humphreys (eds.), *Basic processes in reading: Visual word recognition*. Hillsdale, N.J.: Erlbaum. 1990.

材料对汉语语音作用进行的深入研究①发现,在阅读中存在着汉字语音信息的早期自动激活现象,而且这种激活对于阅读具有重要的作用②。不过,也有研究发现汉字字形信息在阅读中所起的作用更为重要。③

(三) 研究假设

按照文字与语言的关系,文字是标志语言的。因此,只有当

---

① 张厚粲、舒华等《汉字读音中的音似和形似启动效应》,《心理学报》1989年第3期。
Cheng, C. M. & Shih, S. L. The nature of lexical access in Chinese: Evidence from experiments on visual and phonological priming in lexical judgment. In I. M. Liu, H. C. Chen & M. J. Chen (Eds.), *Cognitive aspects of the Chinese Language*. Asian Research Service. 1988.
Perfetti, C. A., Zhang, S. & Berent, I. Reading English and Chinese: Evidence for a universal phonological principle. In R. Frost & L. Katz (Eds.), *Orthography, Phonology, Morphology, and Meaning*. Amsterdam: Elsevier. 1992.
Perfetti, C. A., & Zhang, S. Very early phonological activaton in Chinese reading. *Journal of Experimental Psychology: Learning, Memory and Cognition*, 21, pp. 24—33. 1995.

② Perfetti, C. A., Zhang, S. & Berent, I. Reading English and Chinese: Evidence for a universal phonological principle. In R. Frost & L. Katz(Eds.), *Orthography, Phonology, Morphology, and Meaning*. Amsterdam: Elsevier. 1992.
高立群《语音在汉语语义通达中作用的实验研究》,《语言教学与研究》2000年第2期。

③ Wydell, Patterson & Humphreys. Phonologically mediated access to meaning in Kanji: Is a rows still a rose in Japanese Kanji? *Journal of Experimental Psychology: Learning, Memory and Cognition*, 21, pp. 24—33. 1993.
Leck, K. J., Weekes, B. S., & M. J. Chen. Visual and phonological pathways to the lexicon: Evidence from Chinese readers. *Memory & Cognition*, 23, pp. 468—476. 1995.
周晓林《语义激活中语音的有限作用》,载彭聃龄《汉语认知研究》,山东教育出版社1997年版。

字形和语言中一定语音相联系的时候,才能表达一定的语义。从这个意义上讲,语音的激活是通达词汇的必要条件,阅读中利用语音信息是自然的。不过,作为表意文字的汉字在阅读中是否利用语音可能是一个比较复杂的问题。汉语儿童在最初获得语言的时候,无疑要通过语音的途径,因此语音在儿童的语言理解中是至关重要的。但是随着儿童入学之后开始学习汉字,儿童就开始逐渐掌握另外一种理解语言的方式——从字形到语义,而且随着儿童习得汉字数量的不断增加以及汉字字形表义这一特点的影响,通过字形达成语言理解可能会逐渐成为儿童阅读的主要方式。这种观点得到了近来实验的证实。宋华等(1995)利用校对阅读对不同年级小学生和大学生进行的比较研究发现,低年级的小学生或阅读能力较差的学生,在阅读中主要依靠字音的信息;而大学生或熟练读者则主要依靠字形的信息,这表明随着语言学习的不断加强,读者确实存在一种由主要利用字音信息到利用字形信息的转换。[1]

那么,作为第二语言学习者在汉语阅读中是如何利用字音和字形信息的呢?是否也存在这样的转换呢?关于这样的问题目前尚无人进行研究,为此我们通过三个实验对此问题进行了较为细致的研究。本研究仍然采用了校对阅读这一作业,因为这种作业和字词命名、词汇判断等作业相比更接近于正常阅读。

另外,本研究涉及汉语初学者、中级、高级、外国研究生和中国研究生等多个阅读水平的学生,由于我们必须克服阅读材料

---

[1] 宋华、张厚粲、舒华《在中文阅读中字音、字形的作用及其发展转换》,《心理学报》1995年第2期。

难度可能对实验结果带来的影响,同时又不能利用不同难度阅读材料的结果进行直接的比较,因此在阅读材料的选择上存在较大的难度。于是我们分别利用两种阅读材料在三个实验中对各种汉语水平的读者进行了研究。

二 实验一

(一) 方法

1. 实验设计

研究采用 2×2 两因素的混合设计,其中被试的汉语水平为被试间因素,分为初、中级两个水平;别字类型因素为被试内因素,分为音同别字、形似别字两个水平。

2. 被试

被试为来自清华大学对外汉语教学中心和北京航空航天大学对外交流中心的外国留学生,共 28 人,其中初、中级各 14 人。初级水平中男 7 人,女 7 人;中级水平中男 4 人,女 10 人。被试水平是根据其所在的教学班级别确定的。

3. 实验材料

实验所用的阅读材料为选自对外汉语教材《汉语 301 句》中的三个短文章,共 834 字。文章中所有的汉字均为被试学过的。我们在文章中共设计了 18 个别字,其中 9 个音同别字,如"出"错写为"初";9 个形似别字,如"公"错写为"会"。别字在文章中的分布率约为 2.2%。具体文章及别字见附录。

4. 实验程序

作业采取团体测试方式进行。作业任务为要求被试对文章顺序阅读,并且只能读一遍,并在阅读的同时,标出文中出现的别字。要求被试做得越快越好。为了防止被试在阅读过程中采取只找别字的策略,在每一个短文之后又根据文章的表述安排了三个问题,要求被试在阅读之后根据文章所述内容回答问题。

(二) 结果

实验结果如表1所示。通过对汉语水平、两类错误(形似/音同)进行的方差分析发现:汉语水平因素的主效应显著 $F = 30.99$, $p<0.001$,这表明中级汉语水平的被试比初级水平的被试有更好的校对成绩;形音因素的主效应显著 $F = 10.43$, $p<0.005$,说明被试对两类错误校对的成绩有显著差异,可见音同还是形似对被试的校对成绩有显著的影响,音同别字的校对成绩显著地高于形似别字;汉语水平因素和形音因素的交互作用不显著 $F = 0.65$, $p>0.4$,说明不同水平的被试对音同别字的校对都好于对形似别字的校对。

表1 初、中级外国留学生校对成绩(%)

汉语水平	形似别字	音同别字
初级	49.2	65.1
中级	79.4	88.9

表2 不同性别外国留学生校对成绩(%)

性别	形似别字	音同别字
女	68.78	75.13
男	50.79	82.54

我们对性别因素和形音因素的关系进行了进一步分析(见表2),方差分析的结果显示,性别因素的主效应不显著 $F = 0.41$, $p>0.5$,表明男女被试在校对成绩上具有同等的水平;形音因素的主效应显著 $F = 24.31$, $p<0.001$,这一结果重复了前

面的分析结果;性别和形音因素的主效应显著 F = 10.81,p<0.005,表明男性被试对音同别字的校对成绩好于女性被试,但是女性被试在形似错字的校对成绩上好于男性被试。

由于相关分析显示性别和水平因素没有显著的相关(r = -0.2474,p>0.2),因此,我们不能认为性别因素产生的效应是由于不同汉语水平被试在性别上的不均匀分布导致的。

(三) 讨论

表3 宋华等(1995)研究中三年级和五年级被试汉字校对成绩(%)

年级	语文能力	形似错字	音同别字
三	高	59	33
三	中	56	19
三	低	40	14
五	高	68	72
五	中	69	63
五	低	44	29

表4 宋华等(1995)研究中五年级和大学生被试汉字校对成绩(%)

年级	语文能力	形似错字	音同别字
五	高	60	67
五	中	65	60
五	低	58	40
大学生		53	83

实验的结果发现无论是初学者还是中级水平的被试,对形似别字的识别都要比对音同别字的识别差,表明初学者和中级水平读者在汉字阅读过程中主要依赖的是字形,而不是字音,这样在校对过程中对于形似而音异的别字就不易觉察,而对音同形异的别字则相对容易发现。当然,这不是说读者在阅读过程中就完全不依靠汉字的语音信息,而是说在读者对汉字的阅读

过程中形的信息居于主导地位。尽管随着读者汉语水平的不断进步,他们对汉字形、音信息的敏感度在逐渐提高,但是字形信息的优势地位并没有减弱。

我们实验的这一结果与宋华等1995年的实验结果(见表3、表4)是不同的。她们的实验发现,在汉语母语被试中存在着一个汉语水平和形音因素之间的交互作用,也就是说,在被试的汉语水平较低时,他在阅读过程中主要依赖汉字的语音信息,字形信息处于相对劣势;随着其汉语水平的不断提高,被试开始由主要依赖语音信息开始逐渐过渡到主要依赖字形的信息。我们的实验发现,汉语为第二语言的学习者无论水平如何,在阅读中对汉字字形的依赖程度始终很高,其表现与母语为汉语的熟练读者的表现相似。

我们在实验中还发现了另外一个有趣的现象,就是在性别和音形因素之间存在着显著的交互作用:男性被试在汉语阅读中对字形信息依赖的程度显著高于女性被试,在对字音信息的依赖程度上显著低于女性被试。这一现象在以往的研究中未见报道。

在实验一的研究结果之上我们进一步推论,在更高一级水平的第二语言学习者中是否仍然存在上述的现象呢?于是又设计了实验二。

三 实验二

(一) 方法

1. 实验设计

研究采用2×2×2三因素的混合设计,其中被试的汉语水平为被试间因素,分为高、中级两个水平;被试的性别因素为被试间因素,分为男、女两个水平;别字类型因素为被试内因素,分为音同别字、形似别字两个水平。

2. 被试

被试为来自北京语言文化大学和北京航空航天大学对外交流中心的外国留学生共38人,其中高级水平的被试男7人,女9人,共16人,中级水平的被试男9人,女13人,共22人。高级水平的被试为本科二年级或者是通过汉语水平考试(HSK)6级考试的外国留学生;中级水平的被试为来自C级教学班的外国留学生。

3. 实验材料

实验所用的阅读材料为选自《北京青年报》中的新闻语料共四篇,约2 200字。我们在文章中共设计了80个别字,其中40个音同别字,如"态"错写为"泰",40个形似别字,如"观"错写为"现"。别字在文章中的分布率约为3.6%。具体文章及别字见附录。

4. 实验程序

作业采取团体测试方式进行。作业任务为要求被试对文章进行顺序阅读,并且只能读一遍,并在阅读的同时,标出文中出现的别字。要求被试做得越快越好。为了防止被试在阅读过程中采取只找别字的策略,所以在每一个短文之后又根据文章的表述都安排了3—4个问题,要求被试在阅读之后,根据文章所述内容回答问题。作业虽然没有严格的时间限制,但是对时间有一定范围的要求,实验中被试平均可以在30分钟左右完成作业。

(二) 结果

实验二的实验结果如表 5 所示。对汉语水平因素、性别因素和形音因素进行方差分析的结果表明：水平的主效应显著 $F=8.65$，$p<0.01$，这重复了实验一的结果，汉语水平对校对成绩有显著的影响；性别的主效应不显著 $F=0.61$，$p>0.4$，表明男女被试在校对成绩上没有差异；形音的主效应显著 $F=30.73$，$p<0.001$，这和实验一的结果是一致的，被试对音同别字的校对成绩明显好于形似别字；性别和汉语水平的交互作用，性别和形音因素的交互作用，以及汉语水平因素和形音的交互作用都没有达到显著水平（$p>0.1$），但是性别、汉语水平和形音三个因素的交互作用达到了显著水平 $F=4.26$，$p<0.05$，在中级水平的被试中，男性被试在形似别字的校对作业中不比女性差，但在音同别字的校对成绩比女性被试差，不过在高级水平的被试中，男性的这种劣势就没有了。

表 5 高中级不同性别外国留学生校对成绩（%）

汉语水平	性别	形似	音同
高级	男	30.40	47.39
	女	32.76	42.01
中级	男	11.97	15.72
	女	19.53	30.96

(三) 讨论

在实验二中，我们基本上重复了实验一的结果，发现无论是高级还是中级汉语水平的读者，他们在汉语校对阅读中对字形信息的依赖程度都要高于对语音信息的依赖。在汉语水平、性别和形音三个因素之间存在的显著的交互作用使我们对实验一发现的效应有了更为深入的认识：中级汉语水平的男性第二语言学习者在阅读中对形音信息的依赖程度较为均衡,但是高级汉语水平的男性读者则逐渐转向字形信息占优势,女性被试则没有表现出这种趋势。如果这种假设成立,那么在更高汉语水平的第二语言学习者中或汉语母语读者中将不会再表现出这种效应。为了验证这一假设,我们又设计了实验三,利用更高水平的第二语言学习者和母语被试进行对比研究。

四 实验三

(一)方法

1. 研究设计

$2\times2\times2$ 混合设计。其中被试汉语水平因素为被试间因素,分为高级水平双语读者和汉语母语者两个水平;被试性别因素为被试间因素,分为男、女两个水平。别字类型因素为被试内因素,分为音似别字、形似别字两个水平。

2. 被试

来自北京语言文化大学的中、外研究生,共 30 人,其中中国研究生男 5 人,女 9 人,共 14 人,外国研究生男 6 人,女 10 人,共 16 人。

3. 实验材料

同实验二。

4. 实验程序

同实验二。有所区别的是要求被试在 20 分钟内完成作业。中国学生完成的时间在 10 分钟左右,外国留学生可以在 20 分钟左右完成。这种在阅读作业时间上的差异也进一步表明中外研究生在汉语阅读水平上是存在差异的,我们依靠母语是否是汉语来区分两类汉语水平读者的做法是可靠的。

(二) 结果

表6列出了实验三的实验结果。我们对实验结果进行汉语水平、性别和形音三因素的方差分析发现,性别的主效应不显著 $F=0.02$,$p>0.8$,表明男性被试和女性被试之间在校对成绩上没有差异;汉语水平的主效应显著 $F=39.95$,$p<0.001$;表明汉语母语者的校对成绩好于第二语言学习者;形音的主效应显著 $F=30.32$,$p<0.001$,这一结果重复了前两个实验的结果,表明读者在进行汉字的校对阅读中更容易发现音同的别字;其他各种交互作用都没有达到显著水平($p>0.3$)。

表6 不同性别的中外研究生校对成绩(%)

汉语水平	性别	形似	音同
外国研究生	男	40.34	58.09
	女	42.60	51.91
中国研究生	男	76.07	88.62
	女	74.59	89.14

(三) 讨论

从实验三的分析可以看出,其结果和我们的假设是一致的:高水平读者在汉语的校对阅读中主要依靠的是字形的信息,语音的信息相对处于从属的地位,而低水平的读者在汉字识别能力的发展过程中,其对字形意识的不断提高并居于主导地位和被试的性别之间存在依存作用,但这种依存作用只表现在汉语水平发展的一定阶段,在汉语水平达到高级阶段之后,这种性别在形音因素上的差别就不再表现出来了。

五 小结

对三个实验的数据进行分析的结果表明,随着第二语言学习者汉语水平的不断提高,其对汉字字音、字形信息的意识是不断增强的,这表现在被试随着汉语水平的不断提高,汉字校对的成绩在不断提高,并且这种提高在形似别字和音同别字中的表现是均衡的。

实验结果还表明,在汉语阅读过程中,无论是初级水平、中级水平还是高级水平的第二语言学习者,字音和字形信息在其汉字识别中的相对作用并没有像汉语母语者那样存在着一个转换的过程,而是始终以字形的作用为主,以字音的作用为辅。这表现在各个水平的读者对形似别字的校对成绩都要比音同别字的校对成绩差。这种实验结果和宋华等(1995)关于汉语母语者研究的结果不一致,并且和利用英语母语者进行的研究[1]结果也不一致。我们认为造成这种不一致的原因有以下几个方面:

一是第二语言学习者学习汉语大多是从课堂教学开始的,这种正规的教学通常是将汉语的形、音、义三者结合在一起的;汉语母语儿童则不同,他们在最初学习汉语时很少有将三者结

---

[1] Coltheart, V., Laxon, V. J., Rickard, M., & Elton, C. Phonological recoding in reading for meaning in adults. *Journal of Experimental Psychology: Learning, Memory and Cognition*, 14, pp. 387—397. 1988.

Coltheart, V., Patterson, K., & Leahy, J. When a ROWS is a ROSE: Phonological effects in written word comprehension. *Quarterly Journal of Experimental Psychology*, 47A, pp. 917—955. 1994.

Daneman, M. & Stainton, M. Phonological recording in silent reading. *Journal of Experimental Psychology: Learning, Memory and Cognition*, Vol. 17, 4, pp. 618—632. 1991.

合在一起的情况,而总是先形成音义联系,然后在学校教育开始之后才开始系统地进行形音联系和形义联系的学习。第二语言学习者由于从一开始就面临音、形、义三者并存的状态,因此汉字以形表义的特点就强烈地影响到第二语言学习者对汉字的内部表征,导致形表征强于音表征,从而造成了第二语言学习者始终以对汉字字形的意识居于主导,而没有像母语者那样在一定的学习阶段出现形音意识的优势转换。

二是汉字本身同音字很多,在区分同音字时,字形是最为重要的线索,因此随着第二语言学习者学习汉语时间的不断延长,他们会更加意识到字形对于区别汉字的重要性,因而其字形意识得到不断的加强并居于主导地位。

第三个原因可能是由于校对作业本身的要求使得被试在阅读过程中对汉字字形信息的意识比较强烈,从而表现出实验中字形意识在各个汉语水平的读者中都强于字音意识的结果。

实验一和实验二中发现的性别在字形和字音意识方面表现出的效应在以往母语者的研究中没有报告过,我们设想其中的原因可能是男女在认知方面的差异造成的,但是这种差异具体涉及哪些认知能力还有待于进一步的研究。

六 结论

综合本研究三个实验的结果,我们得出以下结论:

1. 第二语言学习者对汉字的识别能力随着其汉语水平的提高而不断增强。

2. 在汉语阅读中,第二语言学习者对汉字的字形意识强于对字音的意识。

3. 第二语言学习者汉字字形意识强于字音意识的趋势并没有随着汉语水平的提高而出现变化,这一点与汉语母语者的情况有所不同。

4. 性别因素对中高级汉语水平第二语言学习者的形、音意识发展的平衡性方面有显著的效应,但是这种效应随着汉语水平的进一步提高而逐渐消失。

附录

1. 实验一的测验材料:

指导语:你好!这里有三篇短文,请你尽快阅读并根据短文内容判断文后所提问题的正误,如果正确,请在括号内打"√",如果错误,请打"×"。另外,在文中有一些别字,请在阅读的同时找出并用"○"划掉。

短文一:

小张家有四口人:爸爸、妈妈、姐姐和他。

他爸爸是太夫。五十七岁了,身体很好。他工作很忙,星期夫常常不休息。

他妈妈是银行职员,今年五十五岁。

他姐姐是老师。今年二月结婚了。她不住在爸爸、妈妈家。

昨天是星期五,下午没有刻。我们去小张家了。小张家在北京饭店旁边。我们道小张家的时候,小张的爸爸、妈妈不在家。我们和小张一起谈化、听音乐、看电视。

五点半小张的爸爸、妈妈都回家子。他姐姐也来了。我们在他家吃了晚饭,晚上八点半我们就回学校了。

问题

1)小张的妈妈是老师。2)昨天下午下课后,我们去小张家玩儿。3)小张的姐姐和我们一起吃饭了。

短文二：

我跟大卫说好星期天一起去友谊商店。

星期天那天,我很早就起床了。我家离友谊商店不太远。八点半坐车去,九点就到了。星期天,买东西的人很多。我在有谊商店前边等大卫。等到九点半,大卫还没有来,我就先进去了。

友谊商店木太大,东西也不太多。我想买毛医,不知道在哪儿买。我问售货员,售货员说在二层。我就上楼了。

这儿的毛衣很好看,也很贵。有一件手衣我穿不长也不短。我去交钱的十候,大卫来了。他说："坐车的人太多了,我来晚了,真时不起。"我说："没什么。"我们就一起去买别的东西了。

问题：

1)我家离友谊商店很远。2)我没有等大卫,自己去商店买衣服了。3)我在二层楼买的毛衣。

短文三：

我昨天晚上到北京。今天早上我对姐姐说,我初去玩儿玩儿。姐姐说："你很累了,昨天晚上也没睡好觉,你今天在家休息,明天我带你去玩儿。"我再家觉得没意思,姐姐出去买东西的时候,我就一个人坐车出去了。

北京这个他方很大,我第一次来,也不认识路。汽车开到一个公园钱边,我就下了车,去那个会园了。公园的花儿开得漂亮极了。玩了一会儿我觉得累了,就坐在长椅上体息。

"喂,要关门了,请回吧!"一个在公园里工作的同志叫我。

"哎呀,对不起！刚才我睡着了。"现在已经很晚了,我想姐姐一定在找我呢。我该回家了。

问题:

1) 我和姐姐一起坐车出去了。2) 我第一次来北京。3) 我在公园睡了很长时间。

2. 实验二、三的测验材料

指导语:你好! 这里有四篇文章,请你尽可能快地仔细阅读它们,然后根据文章内容判断文后有关陈述句的正误,如果说法符合文章内容,请在括号内打"○",如不符合,请打"×"。另外,在文章中出现了一些别字,请在阅读时尽可能全部找出并将改正的字写在原别字的下面。

文章一:

近日,在国内享誉已久的黄山丰景区荣获联合国教科文组织颁发的首届国阶梅利娜·迈尔库里文化景观保护与管理荣誉奖。这是我国文化景现首次获得此项荣誉。

黄山自开发开放以来,一直把保护放在首位。随着环保意识不断深入,生泰环境日益引起人们的关注。随着人们对自然美的日亦渴求,黄山越发奠定了其在世人心目中的地位。

黄山是一个天冉的动植物宝库,名花古木,珍禽异兽,种类繁多,自然分市的植物有 1450 种,森林覆盖率为 56%,植被覆盖率为 84.7%。山高林密,气候试宜,更是野生动物良好的栖思环境,景区共有脊椎动物 300 种,鸟类 170 种。神奇秀丽的黄山风光,极大地棘激了人们到黄山来旅游的饮望,"奇松"、"怪石"、"云海"、"温泉",让多少海内外斌朋着迷;那一片葱翠的绿色,让所有看过一眼的人都难以忘怀,苑如向世人发出的一份份绿色请柬,将吸引更多的游人设入这片为世人称道的绿色之中。

问题：

1) 黄山是继庐山之后第二个荣获联合国颁发的文化景观保护与管理荣誉奖的。2) 黄山在开发开放之初,并没有十分重视环境保护。3) 黄山森林覆盖率达到 56%。4) 黄山主要动物种类超过 470 种。

文章二：

1955 年 4 月,爱因斯坦的生命走到了尽头。13 日,他说："当我必须走时,就应该老。人为地严长生命是毫无意义的,我已尽了找的责任,是该走的时后了。我会走得很休面的。"他坚迟不注射吗啡。18 日凌晨 1 时 15 分,爱因丝坦停止了呼吸。无数人为之哭泣。

爱因斯坦是当伐最伟大的物理学家。人们称他为 20 世纪的哥白尼、20 世纪的牛顿。1905 年他建立狭义相对论。1915 年他又建立了广义相对论,根据广义相时论的引力论,他推断光在引立场中不是沿着直线而是沿着曲线传播。这一理论顶见,在 1919 年由英国天文学家在日蚀观察中得到郑实,当时全世界都为之轰动。另外,爱因斯坦对宇宙学、用引力和电磁的统一扬论、量子论的研究都为物理学的发展作出了贡献。

爱因斯坦不仅是一个伟大的科字家,一个杰出的思想家,同时又是一个有高肚社会责任感的正直的人。爱因斯坛认为战孝与和平的问题是当代的首要问题,1914 年他对政治问题第一次公开表态,即 1914 年签署的一个反对第一次世界大战的声明。他对这个政治问题的最后一次发言——1955 年 4 月签署的"罗素—爱因斯坦宣言",也仍然是呼欲人们团结起来,防止新的世界大战的爆发。在 20 世纪思想

第七节 形、音信息对外国学生汉字辨认的影响

家的画廊中,爱因斯坦就是人们心目中的精神英雄,是公正、善良、真李的化身。

问题:

1) 爱因斯坦逝世于1955年。2) 爱因斯坦1905年创立了狭义相对论。3) 爱因斯坦1915年创立了广义相对论。4) 根据狭义相对论,爱因斯坦推断光在引力场中不沿着直线而是沿着曲线传播。5) 爱因斯坦在临终前签署了"罗素—爱因斯坦宣言"。

文章三:

记者从天津市教育部门获悉,从今年秋季开始,天津市中小学学生用书与去年秋季甩书相比,全学车将删减88种103本,教裁总量精简30%,作为减轻中小学生过重付担的又一措施。据了解,中小学学生用书过多、过繁是加董学生负担的一个重要原因,天津市普教细统此次删减教材将本着"精、减、分、并"原则,采取精简内荣、减少教材品种、教师与学生用书分开、同类会并、调整地方课程和教材的办法,在不影享教育质量的前提下对教材进行"精简"。天津式教研室规定:今后小学入门课程一律一科一本教材;活动课成和各类专匙教育一律不准编学生用书;地方课程及相映教材一律从严规定;学具一律统一规范营理。今后,凡未经天津市基楚教育教材审查尾员会审定的教材、学生学具和用具等,一律不准统一组织往订购买。

问题:

1) 今年秋季开始,为节省开支,天津市中小学教材总量将精简30%。2) 今后,天津各小学的入门课程将只有一本教材。3) 今后,天津各中小学校不能为学生统一购买学习用具。4)

今后,天津各中小学中教师与学生使用的教材是一样的。

文章四:

动物与人类的关系历来都极为密切,在科学枝术快速发展的今天,动物依然为人类的进步发押着作用。在我们工作和生活的许多方面郁能看到动物的身影。

地雷是现代战争遗流下来的最令人头痛的问题,会给或后的人们带来持久和巨大的生命威胁,美国军方在80年代开始训练嗅觉特刑灵敏的老鼠排雷,它能准确地侦察初任何类型的爆炸物,包括伪装功妙的邮件炸弹。这种警鼠体小灵活,是警犬所望臣莫及的。它们甚至还能被训练乘投弹手或小间谍,在战争中可"明目章胆"地达到军事目的。

实验鼠是实验中使用最多的动物,因鼠类疾并基因所在的染芭体部位有90%与人类基因步位相同,所以专门培育出的患肥肺症、糖尿病、心肌梗塞、动脉映化、各种癌症等的特种"病鼠"就成了研究人们相应疾病的最好实厌体。人们器官之间的移植已经不是新闻了,而将动物器官移职给人类基本上还是一个梦想,原因主要是人体会对外来的非人类组织器官产主排斥反应,导致病人死亡。不过,已有人尝试过给那柴无法救治的病人移植动物器官,加美国携带15年爱滋病毒的杰夫·格蒂接受了狒狒骨髓移植手术,至今生存量好。

许多动物体肉含有对人类有毒的物质,如蜈蚣、蜘蛛等动物能产生100多种毒素,曾经使许多人命规黄泉。目前,世界各国对虫类的研究兴趣正浓,并获得累累研果,如"蛛毒素"起到神京防护剂的作用而能防止中风病人的病情恶化,蛇毒在治疟神经疾病等上有较好的疗效,蚁毒治疗哮喘也有上家效果。"虫药"

的研究和开发方兴未艾。

问题：

1）人们现在开始利用老鼠来帮助警察稽查毒品。2）除了狗之外，老鼠是实验中使用最多的动物。3）人类和动物的遗传基因完全不同。4）目前，还没有人接受动物器官的移植。5）蜈蚣、蜘蛛等有毒动物虽然有时会威胁人类的安全，但也可被用来治病。

第八节　部件位置信息在留学生汉字加工中的作用[①]

一　部件位置在汉字加工中作用的相关理论

汉字从古代到现代的发展是一个简化与优化相结合的过程。虽然与古文字相比，现代汉字的构形系统已发生了很大变化，但总体上说，"现代汉字的字形在构形上是以系统的方式存在的，每个构形元素都有自己的组合层次与组合模式，因而汉字的字符既不是孤立的，也不是散乱的，而是互相关联的，内部呈有序性的符号系统"。[②] 在汉字这种二维平面结构中，书写单元的位置和组合方式对字形系统的构成起着重要作用，不同单元的功能与分布也有很大不同。根据对《辞海》11 834 个汉字的切分结果，组字功能最强的部件"口"构成了 2 409 个汉字，频度

---

① 本文作者冯丽萍、卢华岩、徐彩华，原载《语言教学与研究》2005 年第 3 期。
② 王宁《汉字构形学讲座》，上海教育出版社 2000 年版，第 58 页。

为 20.35%,而许多部件的构字能力仅为 1。即使是同一部件,位置分布也有很大差异。例如"木"是一个构字能力很强的成字部件,在所构字中,它在左边出现 585 次,右边仅 4 次,而在内部仅出现 1 次,[1]这说明其位置分布相当有规律。

汉字不同部位的部件提供的信息是不一样的,在汉字识别中作用也不相同。认知心理学研究表明,在快速识别的条件下,汉字左上角部位的信息多于右下角,上部件的信息比下部件重要;[2]在假字识别中,右部件的作用比左部件重要;[3]部件的位置信息在汉字识别中起重要作用,部件的信息具有位置的确定性;[4]在快速呈现两个汉字的条件下,需要改变位置的两个部件发生错觉结合的可能性较小。[5] 这些研究说明,部件的形体特征及位置信息在汉字加工中都得以激活。

学习汉语的外国学生的汉字背景是不一样的。欧美学生使用的是以形表音的拼音文字,字母具有较大的弧度,字母的书写可以有顺时针和逆时针等不同的方向,与汉字的特征具有本质的不同。一些亚洲国家学生,特别是日韩学生,虽然目前所使用的文字性质

---

[1] 苏培成《二十世纪的现代汉字研究》,书海出版社 2001 年版,第 329 页。

[2] 彭瑞祥、张武田《速示下再认汉字的某些特征》,《心理学报》1984 年第 1 期。

[3] Peng, D. L., & Li, Y. P. Orthographic Information in Identification of Chinese Characters. Paper Presented to the 7th International Conference on Cognitive Aspects of Chinese Language. University of Hong Kong. 1995.

[4] Taft, M., & Zhu, X. Position Specificity of Radicals in Chinese Character Recognition. *Journal of Memory and Language*, 40. pp. 498—519. 1999.

[5] Fang, S. P., & Wu, P. Illusory Conjunction in the Perception of Chinese Characters. *Journal of Experimental Psychology: Human Perception and Performance*, 15, 3. 1989.

与汉字已相差很远,但由于历史文化的原因,他们在成长过程中仍然会较多地接触汉字。这两种不同背景的学习者汉字加工方式有何异同?部件的位置信息如何参与他们的汉字识别过程?

相关研究发现,中高级水平的外国学生可能出现把部件从非常规位置放置到常规位置的镜像变位错误,他们对部件位置信息已经有了一定敏感;学生产生的汉字偏误较多地发生在意旁,发生在声旁的比例很小;[1]低年级学生的汉字加工中,字形因素起更大的作用,形声字意识是随着汉语水平和语言能力的提高而逐步发展起来的;[2]外国学生的汉字正字法意识随着汉语水平的提高而发展,[3]等等。但这些研究尚未直接从汉字加工的角度来研究部件位置信息与外国学生汉字加工方式的关系及学习者的汉字背景对汉字加工方式的影响。因此,本文以不同汉字背景的留学生为被试,以不同性质的汉字为实验材料,通过真假字判断的实验来讨论下述问题:(1)部件位置信息在外国留学生汉字加工中的作用;(2)汉字结构对部件位置作用的影响;(3)汉字加工方式与学习者汉字背景的关系。

二 实验

(一) 实验一:左右结构汉字中部件位置的作用

1. 设计与材料

研究发现,汉字识别可以采用整字加工与部件分解两种不同

---

[1] 肖奚强《外国学生汉字偏误分析》,《世界汉语教学》2002 年第 2 期。
[2] 高立群《外国学生规则字偏误分析》,《语言教学与研究》2001 年第 5 期。
[3] 鹿士义《母语为拼音文字的学习者汉字正字法意识发展的研究》,《语言教学与研究》2002 年第 3 期。

的方式,前者主要利用整字的信息完成汉字识别,后者则通过字下水平单元(笔画与部件)的提取来识别整字,而频率效应是检验其加工单元的一个重要指标。如果一个单元在加工过程中起作用,那么,它的频率的高低变化应该对加工者的反应时间和正确率有影响,如果对反应结果没有影响,一般则认为它没有成为汉字的加工单元,至少其作用没有在汉字加工中体现出来。为此,本实验通过改变汉字左部件和右部件的频率(高、低)来考察两个部件在外国学生汉字加工中的作用,在改变一个部件频率的同时,控制另一个部件的频率保持一致。同时以学生的汉字背景(欧美、日韩)为组间变量,比较不同汉字背景的外国学生汉字加工方式的异同。部件频率的确定参照傅永和。[①] 考虑到被试识字量的因素,我们的实验材料均为高频字,字频的确定依照李公宜、刘如水,[②] 全部实验用字都不超出《汉语水平词汇与汉字等级大纲》(国家汉办 1992)的甲乙级字。实验材料72个字,左部件高低频和右部件高低频四组各 18 个。除实验材料外,又配有相应数量其他结构的真字以及汉语中不存在的假字作为填充字,这些假字均由两个部件组成,如"舿、玗"。实验材料数据见表1。

表1 实验一的实验材料数据

	字频	笔画数	左部件频率	右部件频率
左部件高频	0.77	8.2	0.045	0.01
左部件低频	0.75	8.2	0.005	0.01
右部件高频	0.79	8.0	0.025	0.04
右部件低频	0.79	8.1	0.027	0.001

---

① 傅永和《汉字构字成分的统计和分析》,《中国语文》1985 年第 3 期。
② 李公宜、刘如水《汉字信息字典》,科学出版社 1988 年版。

2. 实验程序

运用 DMDX 实验程序,采用真假字判断的实验任务。首先呈现注视点"+"500 毫秒,然后在注视点消失的位置将刺激材料依次以宋体呈现在屏幕上,显示器分辨率为 800×600,呈现和计时精确度达到 1 毫秒。被试的任务是尽可能快速、准确地按键对所看到的刺激做出真假字的是非判断,右手按 L 键判断"是汉字",左手按 A 键判断"不是汉字"。被试按键反应后下一个项目自动呈现,计算机记录被试的反应时与正确率。不同种类的刺激材料在被试间进行了随机化。正式实验前,有 20 个项目作为练习。我们预期,如果部件成为汉字识别中的加工单元,那么,其频率的高低变化应该在汉字识别的反应时和正确率中表现出来。

3. 被试

共 40 名,欧美和日韩学生各 20 名,学习汉语的时间均在一年以上,目前在中国的大学二、三年级学习汉语,平均年龄 24 岁,视力或矫正视力正常。性别、汉语水平在两组间做了匹配。

4. 实验结果

表 2 实验一左右结构汉字的反应时(单位:毫秒)与错误率结果

	左部件高频	左部件低频	右部件高频	右部件低频
欧美	827 (0.014)	880 (0.039)	799 (0.016)	894 (0.057)
日韩	649 (0.0027)	661 (0.011)	654 (0.012)	681 (0.013)

以被试的汉字背景为组间变量,分别以左部件和右部件频率为组内变量,首先对反应时结果进行方差分析,结果表明:左部件频率效应不显著($F(1,39) = 3.863, p > 0.05$);右部件频率

效应显著($F(1,39)=8.91, p<0.01$),右部件低频汉字的反应速度显著慢于右部件高频字,被试汉字背景效应显著($F(1,39)=25.249, p<0.01$),日韩学生反应速度显著快于欧美学生;左部件频率和被试汉字背景的交互作用不显著($F(1,39)=1.260, p>0.05$),表明左部件频率的作用在两组被试中表现出同样的趋势;右部件频率与汉字背景的交互作用显著($F(1,39)=5.598, p<0.05$)。进一步对交互作用做简单效应分析表明:右部件频率效应在欧美学生中显著($F(1,19)=6.483, p<0.05$),而在日韩学生中不显著($F(1,19)=1.049, p>0.05$),表明右部件信息在欧美学生的汉字加工中得到提取,但在日韩学生的汉字加工中作用没有得到显示。错误率分析结果与反应时表现出相同趋势。

从实验一的结果可以看出:(1)欧美学生的汉字识别能力明显弱于日韩学生,表现为前者的识别速度慢且错误率高;(2)不同位置部件的频率在两种不同汉字背景的学生中表现出不同作用。对欧美学生来说,以反应速度和正确率为指标,在汉字加工中,右部件频率的改变对反应结果有较大影响而左部件频率没有表现出明显作用,但是对日韩学生来说,左右两个部件频率的改变对反应结果均没有明显影响。

(二) 实验二:上下结构汉字中部件位置的作用

1. 设计与材料

实验设计、程序和被试同实验一,只是实验材料为相应数量的上下结构字,分别改变上下两个部件的频率。假字由上下两个部件组成,如"喬、恶"。并有相应数量左右结构的真字和假字作填充材料。实验材料数据见表3。

表3　实验二的实验材料数据

	字频	笔画数	上部件频率	下部件频率
上部件高频	0.59	8.3	0.068	0.027
上部件低频	0.60	8.4	0.0042	0.026
下部件高频	0.63	8.1	0.025	0.061
下部件低频	0.64	8.5	0.026	0.003

2. 实验结果

表4　实验二的反应时与错误率结果

	上部件高频	上部件低频	下部件高频	下部件低频
欧美	865(0.070)	861(0.073)	825(0.067)	951(0.105)
日韩	678(0.011)	826(0.033)	667(0.019)	738(0.044)

对反应时结果进行方差分析表明,上部件频率效应显著($F(1,39)=8.866, p<0.01$),上部件低频字的反应速度显著慢于上部件高频字;下部件频率效应也显著($F(1,39)=30.547, p<0.01$),汉字背景效应显著($F(1,39)=15.152, p<0.01$),日韩学生快于欧美学生;上部件与被试汉字背景之间的交互作用显著($F(1,39)=14.439, p<0.01$);下部件与被试汉字背景交互作用不显著($F(1,39)=1.002, p>0.05$),表明下部件频率在两组被试的汉字加工中作用方式相同。对上部件与汉字背景之间的交互作用进一步做简单效应分析发现,上部件频率效应在日韩学生中显著($F(1,39)=15.14, p<0.01$),但是在欧美学生中不显著($F<1$),表明上部件频率的变化影响日韩学生的汉字识别但在欧美学生中没有显示出来。错误率结果分析表现出同样趋势。

从数据分析来看,在上下结构字中,欧美学生的汉字识别能力同样弱于日韩学生,而且不同位置的部件频率在两种汉字背景的学生中表现出不同作用:对欧美学生来说,下部件频率表现出了较强的作用而上部件作用不明显,对日韩学生来说,上下两个部件频率的改变对反应速度和正确率都有显著影响。

三 讨论

(一)结构类型对外国学生汉字加工方式的影响

这首先可以从日韩学生的实验结果中看出来。从上面的数据分析可以看到,在日韩学生的汉字识别中,左右部件频率的改变对反应结果均没有明显影响,而在上下结构汉字中,上下两个部件的信息都参与了整字识别的过程,用汉字加工通路的理论来解释,可以认为左右结构汉字的识别主要是以整字为单元进行的,部件信息在整字识别完成之前没有得到充分的激活。

上文说过,汉字识别可以经过整字单元与部件分解加工两条不同的通路,而汉字的熟悉度是决定通路选择的一个重要因素。熟悉度高的字由于整字激活的速度较快,因此,倾向于将它作为一个整体进行识别,熟悉度低的字则需要经过部件信息的提取。[1] 在我们的实验材料中,虽然左右结构和上下结构汉字的绝对频率是经过匹配的,但是在现代汉字中左右结构字占绝大多数(64.9%)(李公宜、刘如水,1988),因此,外国学生生活中所见的、课本中所学的左右结构汉字的数量会远远多于上下结构字,经过一定时间的汉语学习和汉字知识

---

[1] Taft, M., & Zhu, X. Submorphemic Processing in Reading Chinese. *Journal of Experimental Psychology: Learning, Memory, and Cognition*. 23. 1997.

积累,他们就可能对左右结构模式更为敏感,识别起来也更为容易。而且,本实验所选择的实验材料均为高频汉字,较高的熟悉度允许日韩学生在识别中将它作为一个整体进行加工,因此左右两个部件的频率没有表现出明显的作用。比较日韩学生对两种结构汉字的反应结果也可以看出,左右结构字的反应时和错误率都要低于上下结构字,说明他们对左右结构汉字的加工相对容易。对欧美学生来说,上下结构汉字的识别速度和正确率也显著低于左右结构字,但在两种结构中部件频率的作用方式并没有改变,说明结构类型对欧美学生汉字加工方式的影响主要表现在反应速度上,对汉字识别模式则没有质的影响。

(二) 部件位置与汉字加工的关系

这主要从欧美学生的结果中表现出来。对欧美学生的数据分析结果显示,左右结构汉字中右部件的作用较强,上下结构中下部件的作用较强。

关于部件位置的作用,目前心理语言学研究中得到的结论还不尽相同,本文的结果与 Peng & Li (1995) 的研究部分一致。他们的研究发现,右部件在假字识别中的作用更大。对于欧美学生的汉字加工中出现的部件作用之间的差异,我们认为有以下原因:

首先,与汉字系统的特点和学生的汉字学习方式有关。有关汉字偏误分析的研究有一个共同的结果:在初级汉语水平学生的汉字加工中,由于对汉字形声字的概念还没有形成,对声旁提示语音的功能也还不敏感,所以在汉字学习和记忆中更多地依赖于字形信息。但是,随着学生汉语水平的提高,形声字意识逐渐增强,他们越来越自觉地利用声旁提供的信息,汉字偏误就会较多地发生在形旁位置。① 本实验中选择的被试都是中高级水平的留学生,形声字和声旁的概念已基本形成,因此,在汉字加工中,通常作为声旁的右部件和下部件可能会被更多地激活。

其次,应该与声旁和形旁的功能分布有关。在现代汉字中,常用形旁的数量要少于声旁,也就是说,形旁的构字能力要远远大于声旁,形旁提示字义类别归属的功能也比声旁表音功能更有规律性,这样外国学生对一些常用形旁的掌握就会相当迅速,在汉字加工中也就会因自动激活而不需要较多的加工资源,从而可以更好地提取声旁的信息。

第三,与汉字的形体特征有关系。在左右和上下结构汉字中,多数形旁都因笔画数少而占据较小的空间和比例,这样就使通常表示声旁的右部件和下部件在视觉上占有一定优势。多种因素的共同作用导致了欧美学生汉字加工中不同位置部件的信息提取方式。

(三)学习者的汉字背景对汉字加工方式的影响

本文的实验结果显示,具有汉字背景的日韩学生因熟悉度等因素的影响,对左右结构和上下结构分别采取了整字加工和部件信息整合的策略,而没有汉字背景的欧美学生对两种结构汉字均采取了分解加工方式,且右部件和下部件表现出了更强的作用。

---

① 江新《初级阶段外国留学生汉字学习策略的调查研究》,《语言教学与研究》2001年第4期。
高立群《外国学生规则字偏误分析》,《语言教学与研究》2001年第5期。
肖奚强《外国学生汉字偏误分析》,《世界汉语教学》2002年第2期。

关于学习者的汉字背景与汉字加工方式的关系,以前有研究发现,汉字文化圈的学生较多使用音义策略;高年级学生对高频字与低频字采用不同的加工策略,而低年级学生对高低频字的加工方式相同(江新,2001);日韩留学生对形声与非形声字的加工错误率没有差别,说明采取了整字加工的方式(高立群,2001),本文的实验与这些研究结果相符。由于汉字背景不同,日韩学生不仅在汉字学习过程中出现的困难和错误要少于欧美学生,而且汉字掌握程度和识字量也都好于后者。对常见的左右结构的汉字,他们可能因较高的熟悉度而采用整字加工,对于上下结构的汉字,他们则可以经过整合两部件的信息来完成识别,提示语音的声旁和表达语义线索的形旁在加工中表现出了同等的作用。而没有汉字背景的欧美学生由于受汉字经验和识字量等因素的限制,在有限的加工时间内,他们只能更多地利用其中一个部件的信息,因此,另外一个部件的作用就相对较小,从而导致整字识别的错误率也较高。这也说明,在欧美学生的中文心理词典中,其汉字系统的表征还处于不完善、不稳定的状态。

四 对汉字教学的启示

本文的实验结果发现:欧美学生和日韩学生对左右结构的汉字识别都较上下结构容易;日韩学生可以根据不同类型的汉字选择更为合理有效的加工方式,而欧美学生则更多地提取汉字的局部信息;受汉字系统的特点、形旁和声旁的功能分布、汉字学习方式等因素的共同影响,欧美学生较多利用右部件和下部件的信息;欧美学生的汉字表征体系和汉字加工方式有待进

一步完善。根据这些特点,在对外汉字教学中,我们应该注意以下几点:

1. 注重部件位置的教学。诸多研究表明,部件的位置信息是影响汉字加工的一个因素。因此在教学中,除部件形体、功能的教学外,部件的位置特征也是一个不可忽视的内容。现代汉字是一个有规律的系统,部件的书写、组合、分布都有自己的规律,这就形成了汉字的正字法规则。学习者汉字水平越高,正字法意识越强,在汉字识别中可利用的信息就越多。肖奚强(2002)的研究发现,外国学生会将部件不常占据的位置移至部件通常所占据的位置,形成镜像变位。有理据的镜像变位多见于高水平的学习者,而无理据的镜像变位则多见于初学者。汉字中的许多部件都有自己的常规位置。根据对《辞海》16 339个汉字进行部件切分和分析的结果,构字能力居前三位的部件"氵"、"艹"和"木"的构字能力分别为 761、697、690,而它们在左、上、左位置的出现频率分别为 760、697、585,可见它们出现的位置是相当有规律的。① 因此在教学中,应当适当地向学生讲解汉字的部件组合知识,培养学生的汉字正字法意识。但同时我们也应该注意到,许多部件除常规位置外,还有很多非常规位置,而这些往往正是学生,尤其是没有汉字经验的外国学生的难点,因此在汉字教学中,应该利用部件将相关汉字适当地系联

---

① 上世纪 80 年代,国家语委(原称文改会)与武汉大学曾对《辞海》中的汉字进行过分析,分析结果形成两个字表,一是《简化字和被简化的繁体字以及未简化的汉字集》,收字 16 339 个,一是《简化字和未简化的汉字集》,收字 11 834 个。上文对于部件"口"的构字能力的分析是基于第二个字集做的,而对"氵"等三个部件的构字能力分析则是基于第一个字集做的,在这一字集的分析结果中,组字频度前五位没有"口"。

在一起,并将例外汉字区分开。这种系联和区分应该是多角度的,可以涉及形体、功能、读音、位置、组合方式等方面。汉字教学也应该同其他语言要素的教学一样,采取功能与结构并重的原则,功能表现为部件在构字中的作用,结构表现为部件的位置分布与组合方式,从而帮助学生形成正确、清晰、全面的汉字表征系统。

2. 注意汉字笔画和部件形体特征的教学,帮助学生形成良好的汉字书写习惯和有效的汉字识别能力。在汉字字形系统中,有可变特征与不可变特征,前者如笔画的长短,后者如笔画的书写方向、部件的选择、部件之间的相对位置等等,这些特征不仅是正确书写汉字的必要条件,同时可以为汉字的记忆与识别提供一定的线索。例如末笔为"一"的部件出现在左部件位置时,应当把"一"变成"丶",否则从视觉上就不符合汉字形体的拓扑特征。对外国学生来说,这样的规律是正确、全面的汉字表征系统中所不可缺少的部分。

3. 以形声字为主体,充分利用形声字的组合优势,帮助学生形成全面的汉字系统概念。中级汉语水平的学生已经具有形声字意识,汉字识别中能够利用声旁提供的语音线索。但由于汉字的发展与演变,现代汉字中声旁准确表音的功能已相当有限,而且有些声旁的出现频率甚至低于整字,因此在以形声字为汉字教学主体的同时,对声旁的教学应该把握好"度",对不同种类的形声字也要采用不同的教学方法,例如声旁带整字、整字带声旁、同声旁字互相系联等。同时,也要让学生了解音义结合并不是唯一的汉字结构方式,还有义义结合、音义与记号结合等多种构字方式,从而使学生逐步了解汉字系统的全貌。

4. 对不同汉字背景的学生,在初期阶段应采用不同的教学方法,确定不同的教学目标。由于日韩等国的亚洲学生已经具有了相应的汉字意识,字形的书写与记忆不是难点,因此在教学中应注意帮助他们排除母语的负迁移,引导他们了解汉字的特征与规律,增加识字量与词汇量;而对于完全没有汉字背景的欧美学生,在汉字教学初期则应从基础做起,注意培养正确的汉字书写与识别能力,了解汉字系统的性质与特点,形成相应的汉字意识。

总之,汉字教学的目的应该是帮助学生在掌握汉字的同时,形成正确的汉字意识和汉字系统的概念,培养合理有效的学习能力,从而达到"鱼"、"渔"兼得的效果。

第四章

学习者的策略研究

第一节　第二语言学习策略研究的现状与前瞻[①]

　　学习策略的研究是心理科学发展的产物。随着现代心理学对人类自身研究的不断深入，一方面人们逐渐认识到人的心理不再是一个不可打开的"黑箱"，大脑学习机制是可以作研究的；另一方面也促使第二语言习得领域在教和学的研究上，从"教"偏向于"学"，从以往着重研究教学方法转移到研究学习者的特征和学习策略，以及这些特征和策略在第二语言习得中可能产生的影响。

　　学习策略（learning strategy）在第二语言习得（second language acquisition）中占据重要的地位。目前学术界对什么是学习策略尚未取得一致的看法。根据已有的文献资料，学者们对学习策略的定义有以下几种观点：(1)把学习策略看成是具体的方法或技能（Mayer, 1988）；(2)把学习策略看做是学习的程序和步骤（Rigney, 1978）；(3)把学习策略看做是内隐的学习规则系统（Duffy, 1982）；(4)把学习策略看做是学生的学习过程

[①]　本文作者钱玉莲，原载《暨南大学华文学院学报》2004年第3期。

(Nisbert,1986)。[①] 上述观点从不同侧面揭示了学习策略的特征。综合各家观点,学习策略就是指学习者在学习活动中有效学习的程序、规则、方法、技巧及调控方式。学习策略既是内隐的规则系统,也是外显的操作程序与步骤。

一 国外第二语言学习策略研究的三个阶段

(一) 60、70年代:学习策略研究的起步阶段

Aaron Carton 首次发表《外语学习中的推理方法》一文。他认为学习者所具有的善于推理性以及有效地合理地推理的能力不尽相同。这可以说是开了学习策略研究的先河。Aaron Carton 又发表论文详细讨论了推理策略,并把推理策略划分为语内线索、语间线索和语外线索三种推理线索。他认为,语言学习是一个"解决问题"的过程,学习者能够把已有的知识和经历带入这个过程。

70年代初学者们对学习者的特点以及这些特点对二语习得过程的可能的影响进行了研究。如1972年 Gardner 和 Lambert 对学习态度和学习动机的研究,1973年 Richards 和 Carroll 对学习者的认知能力和外语学能的研究。[②]

70年代中期和后期转向对成功的语言学习者的研究,分析和归纳了成功外语学习者的一系列学习特征。比如1971年,Robin 对优秀学习者所运用的策略做了一项调查。

Wong-Filmore 对在美国上学的5个5—7岁的墨西哥孩子

---

① 转引自史耀芳《二十世纪国内外学习策略研究概述》,《心理科学》2001年第5期。

② 张日美《学习策略研究的发展与现状》,《山东外语教学》1998年第3期。

做了一项试验。① 通过该项试验的研究列出了孩子们学习语言的 9 项策略(3 项社会策略和 6 项认知策略)。Wong-Filmore 认为运用社会策略对提高语言能力更为重要,也就是说学习者参与社会活动,在语境中学习语言,学习的效果最佳。

Naiman 等人(1978)根据他们与 34 位语言学习优秀者的谈话情况,总结出 5 项主要的学习策略,主要的内容是提高对语言系统的认识,认识语言是交际和交流的工具,积极投入到学习过程中去,用推理和监测手段不断复习以及发现社会文化价值,运用语言时不怕犯错误,勇于克服困难等。② 这个时期的学者们对成功语言学习者的特点进行了归纳。

1979 年 Biggs、Bialystok、Entwistle、Saljo 等人还分别探讨了学习策略同学习成绩的关系。③

总之,第二语言学习策略研究的初期多为描述性的研究,研究者的注意力主要集中在描述学习者使用的各种策略上,目的是想揭示语言学习优秀者学习策略的使用情况,或者企图发现有利于提高学习效果的学习策略,以便把这样的学习策略在较差的语言学习者身上推广开来。因此,在第二语言学习策略研究的初期归类还不足以成为关注的焦点。④

---

① Wong-Filmore L. The second Time Around: Cognitive and Social Strategies in Second Language Acquisition. Unpublished doctoral dissertation, Stanford University, 1976.

② Naiman, N. et al. (1978) The Good Language Learner. *Research in Education series*. Toronto: The Ontario Institute for Studies in Education.

③ 转引自王小萍《外语学习策略研究述评》,《广东农工商管理干部学院学报》2000 年第 2 期。

④ Ellis R. *The Study of Second Language Acquisition*. Oxford University Press. 1994.

(二) 80 年代：学习策略研究的大发展

进入 80 年代，有关学习策略概念的内涵和外延进一步扩大，而学者们对学习策略的定义也五花八门。关于学习策略是外现的还是内隐的，是有意识的还是无意识的等说法不一。归根到底是没有一个统一的理论框架。

有的学者认为学习策略是一种可观察得到的外现的行为，比如 Oxford 认为语言学习策略是学习者的行为或行动，它们使语言学习更成功，更定向，更带劲。① 这也是学习策略的有倾向定义的代表，所谓有倾向的定义就是这些定义肯定了学习策略对学习有帮助。

学习策略有倾向性的定义还有 Chamot，他提出学习策略是学生使用的技巧、方式或者有目的的行为，以达到帮助学习、回忆语言形式和内容两方面信息的目的。② Robin 认为学习策略是促进语言系统发展的策略，由学习者构建并直接影响学习，等等。③

有的学者把学习策略看做是内隐的心理活动，比如 Wenstein 和 Mayer 指出学习策略是学习者在学习过程中的行为和思想，旨在影响学习者的编码过程。④

---

① Oxford, R. L., Nyikos, M. Variables affecting choice of language learning strategies by university. *Modern Language Journal* 73, pp.291—300. 1989.

② Chamot, A. *The Learning Strategies of ESL Students*. In Wenden and Rubin (eds.). 1987.

③ Robin, J. Learners strategies: theoretical assumptions, research history and typology. In Wenden and Robin (eds.). 1987.

④ Wenstein, Mater. The teaching of learning strategies. In Wittrock (ed.). 1986.

第一节 第二语言学习策略研究的现状与前瞻

有的学者区分"策略"和"技巧",比如 Stern 认为学习策略最好用来指一般的倾向,或者指语言学习者所使用的带有总体特征的方式,"技巧"这个词可以留作描述可观察得到的学习行为的特定形式。①

除了上述分歧外,一些与学习策略相关而不同的概念,比如学习过程、学习者策略、交际策略、学习习惯、学习风格等在这一时期的许多文献中都有论述,有关文献指出了这些概念与学习策略之间的区别和联系。

随着第二语言学习策略研究的范围不断地扩大,语言学习策略体系的构建也提到了议事日程上来。虽然 70 年代也有学者尝试对学习策略进行分类,但是这样的分类缺乏第二语言习得理论或认知理论的支持,显得比较粗糙。进入 80 年代以后,学者们从不同的角度对语言学习策略进行分类,使得分类更加细化和科学,并且日渐成熟。

比如 Robin,从认知的角度,把学习策略两分为"直接策略"和"间接策略"。②

O'Mally 和 Chamot 根据信息加工的认知理论提出了著名的三分法:元认知策略、认知策略、社交/情感策略。③ 元认知策略用于评价、管理、监控认知策略的使用;认知策略用于学习语言的各种活动之中;社交/情感策略是为学习者提供更多接

---

① 转引自张日美《学习策略研究的发展与现状》,《山东外语教学》1998 年第 3 期。

② Robin, J. The study of cognitive processes in second language learning. *Applied Linguistics* 2, pp.117—132. 1981.

③ O'Malley, J. M., Chamot A. U. *Learning Strategies in Second Language Acquisition*. Cambridge: CUP. 1990.

触语言的机会。每一类包括若干小类,比如元认知策略包括预先准备、预先学习、定向注意、选择注意、自我管理、自我监控、延迟表达、自我评价等。认知策略包括重复、组织、推测、概括、归纳、想象、迁移、精加工、利用资料、语言与行动结合、翻译、分类、记笔记、演绎推理、重组、听觉重现、利用关键词、利用上下文、背诵、替换等。社交/情感策略包括获取反馈、互通信息、澄清问题、询问老师或本族语者,让他们重复、解释或举例说明,等等。

　　这个时期对学习策略的研究已经从对学习策略的描写、学习策略的确认和分类的研究发展到研究学习策略与语言学习过程和语言信息处理的认知过程。

　　总之,80年代以后,学者们加深了对学习策略的认识,有关学习策略的三分法对今后的研究也有深远的影响。学习策略的研究从对学习策略的描写、学习策略的确认和分类的研究发展到研究学习策略与语言学习过程和语言信息处理的认知过程,研究者们把第二语言习得和学习策略置于认知理论的框架中去研究,认为学习第二语言是习得一种复杂的认知技能,努力发现学习策略对语言习得的影响。

(三) 90年代以来:学习策略研究的新领域

　　90年代进行了大规模的实验来确定最有效的学习策略和学习者训练方法。这些定性定量的研究发现语言学习的成功比从他们的策略中找到的原因更加复杂,训练学习者的理论投入实践,也只得到有限的成功。

　　Anderson研究了第二语言阅读及阅读测试中使用策略的个人差异,发现没有一种策略跟两次阅读测试中的成功显著相关。①

Nyikos 和 Oxford 从信息处理理论和社会心理学的角度对语言学习策略的运用进行了因素分析,得出了这样的结论:大学生对语言学习策略的选择不仅是个人爱好或学习风格的原因,还和现存的各种奖励制度以及学生的学习观念有关。②

Ress-Miller 指出在成功的学习者基础上提出的学习策略并不具有可推广性,策略训练中要考虑诸如文化差异、年龄、学生的教育背景、学生和教师的语言观、不同的认知风格等因素。③

Green 和 Oxford 研究了不同水平学生的策略运用,发现策略运用和语言学习成功之间有明显关系。④ 进一步的研究表明,学习策略的发挥受到多方面的影响。

Cook 提出对策略训练过分的热情要降降温。⑤ 有人甚至对策略到底有多少用处表示怀疑,比如 Oxford 等发现亚洲学英语的学生比拉丁美洲的学生较少运用所谓"好"的策略,但英

---

① Anderson, N.J. Individual differences in strategy use in second language reading and testing, *The Modern Language Journal* 4,75. The University of Wisconsin Press. 1991.

② Nyikos, M., Oxford, R. A factor analytic study of language learning theory and social psychology. *The Modern Language Journal* 77. The University of Wisconsin Press. 1993.

③ Ress-Miller, J. A Critical appraisal of learner training: theoretical bases and teaching implications. *TESOL* 27.1993.

④ Green, M J, Oxford R. A closer look at learning strategies, 12 proficiency, and gender. *TESOL* 29.1995.

⑤ Cook, V. *Second Language Learning and Language Teaching*. Arnold, a member of the Hoder Headline Group. 1996.

语提高得却更快。①

当然也有研究表明策略运用有助于语言学习，提倡对语言学习者进行策略训练。如O'Malley和Chamot发现被教师认为高效的学生比被教师认为低效的学生更经常使用策略，策略也更多样化。O'Malley和Chamot在实验中对以英语为外语的学生训练了3种听讲座的策略，结果表明，用元认知策略的那组口语提高最大，用认知策略的那组比什么策略也没教的控制组好。在实验中证明了学习策略训练的可行性，并出版了描述外语学习者策略的著作。

90年代出版了O'Malley和Chamot、Oxford等几本有影响的语言策略研究专著，这些著作主要对语言策略的研究方法、语言策略训练、策略教学对学习第二语言的影响和策略运用的评价等内容进行了阐述。

到目前为止，学者们对学习策略的实质、定义、分类、结构的研究，学习策略发展脉络的研究，个体学习策略发展的阶段性特征、年龄特征和水平特征的研究以及策略的体系构建和策略教育训练等都进行了不同程度的研究，取得了可喜的成果。

二　中国外语教学界第二语言学习策略的研究

我国外语教学界第二语言策略的研究成果主要是介绍国外学习策略理论、个案分析、调查和实验研究。尽管仅限

---

① Oxford, R. L. *Language Learning Strategies*. Newbury House Publishers. 1990.

于学习策略的笼统的介绍、描写和成功学习者策略的直接推广,但依然确立了学习策略研究在外语教学界的一席之地。如吴增生、庄智象、束定芳、秦晓晴、张日美等分别介绍了国外的学习者策略研究以及学习者策略研究的意义、方法、主题和分类以及成果。①

研究者们对外语学习策略和方法进行了调查和描写,如王初明调查了我国学生的外语学习方式,②文秋芳对英语学习成功者和不成功者的学习方法进行了个案分析,③等等。

有关学者还论述了学习策略与语言学习和成绩的关系。如1984年黄小华对学习策略与口语能力的关系做了探讨。1994年蒋祖康研究了学习策略与听力的关系。吴一安、文秋芳、马广惠分别就学习策略和成绩的关系进行了研究。卜元、顾永琦、胡晓琼、王文宇描述了词汇记忆策略的结论。张文鹏研究了外语学习动力和策略运用的关系,得出强烈的学习动机可能导致大量使用学习策略的结论。④

我国外语教学界对学习策略的训练还在观望或持怀疑的态度。有些学者怀疑学习策略的训练效果和教学价值。桂诗春

---

① 吴增生《值得重视的"学习者策略"的研究》,《现代外语》1994年第3期。庄智象、束定芳《外语学习者策略研究与外语教学》,《现代外语》1994年第3期。秦晓晴《第二语言学习策略研究的理论和实践意义》,《国外外语教学》1996年第4期。张日美《学习策略研究的发展与现状》,《山东外语教学》1998年第3期。

② 王初明《应用心理语言学》,湖南教育出版社1990年版。

③ 文秋芳《英语学习成功者与不成功者方法上的差异》,《外语教学与研究》1995年第3期。

④ 转引自王小萍《外语学习策略研究述评》,《广东农工商管理干部学院学报》2000年第2期。

(1992)认为,"国外第二语言习得者策略研究似乎过分夸大了策略的重要性。策略的使用很可能是语言能力提高的结果,而不是策略导致语言能力的提高。"①

三 中国对外汉语教学界关于汉语作为第二语言学习策略的研究

中国对外汉语教学界对汉语作为第二语言学习策略的研究才刚刚起步,只有零星的研究成果,还构不成系统。

杨翼采用问卷调查的方法,以 HSK(高级)成绩作为检验学习者学习效果的指标,考察四年级留学生汉语学习策略与学习效果的关系,是国内汉语作为第二语言学习策略的第一项定量研究。②

吴平从错误分析出发,考察了留学生在汉语写作时经常错误使用的四种学习策略:(语际/语内)转移、(过度)概括、简化和回避等。③ 徐子亮采用访谈、言语行为记录和问卷的形式,从认知心理的角度考察了外国留学生的汉语学习策略。④ 她的结论是,外国留学生最常用的汉语学习策略是有效记忆的策略、有选择的注意策略、利用或创造学习环境的策略、回避策略、补偿策略、借用母语策略和摆脱母语习惯再建的策略。以上两项研究都可以说是以有独特的理论指导见长,前者是错误分析理论,后

---

① 桂诗春《中国学生英语学习心理》,湖南教育出版社 1992 年版。
② 杨翼《高级汉语学习者的学习策略与学习效果的关系》,《世界汉语教学》1998 年第 1 期。
③ 吴平《从学习策略到对外汉语写作教学》,《汉语学习》1999 年第 3 期。
④ 徐子亮《外国留学生汉语学习策略的认知心理分析》,《世界汉语教学》1999 年第 4 期。

者则是认知心理学理论。

罗青松对外国留学生汉语学习过程中的"回避策略"的表现形式及其原因进行了分析研究。① 罗的研究角度比较新颖。

江新用国外流行的语言学习策略量表对外国留学生学习汉语的策略进行研究,探讨了性别、母语、学习时间、汉语水平等因素与留学生汉语学习策略使用的关系。② 该项研究的结论是,留学生学习汉语时最常用的策略是社交策略、元认知策略、补偿策略,其次是认知策略,最不常用的是记忆策略和情感策略;留学生汉语学习策略使用在性别上不存在显著差异,但在母语、学习时间上有显著差异;留学生汉语学习策略的使用与汉语水平等级评定之间有显著的相关。江新、赵果在前人研究的基础上,建构了一个有一定信度和效度的汉字学习策略量表,并对初级阶段外国留学生的汉字学习策略进行了分析;归纳了留学生学习汉字时最常用以及不常用的策略,并发现"汉字圈"国家的学生比"非汉字圈"国家的学生更多使用音义策略、应用策略,更少使用字形策略、复习策略;"汉字圈"国家的学生比"非汉字圈"国家的学生更加经常使用设计指定计划和设置目标的元认知策略。③ 赵果、江新通过对初级阶段留学生汉字学习策略和汉字学习成绩相关关系的分析得出了这样的结论:应用策略对提高

---

① 罗青松《外国人汉语学习过程中的回避策略分析》,《第六届汉语教学讨论会论文选》,北京大学出版社 2000 年版。

② 江新《汉语作为第二语言学习策略初探》,《语言教学与研究》2000 年第 1 期。

③ 江新、赵果《初级阶段外国留学生汉字学习策略的调查研究》,《语言教学与研究》2001 年第 2 期。

汉字学习效果有很大帮助；字形策略很可能不利于汉字书写的学习；利用意符对汉字意义识别很有帮助；形声字学习比非形声字学习对策略的使用更敏感。[①] 江新等人的研究特点都是以方法取胜，在国外学者理论框架下，利用统计分析的方法来研究，这给国内的对外汉语教学研究输入了全新的血液，研究所得出的结论比较实在。

吴勇毅从学习策略的描述性研究和介入性研究两个方面介绍、分析和总结了国内汉语作为第二语言的学习策略的研究。[②] 吴文以定性分析见长，尤其是对于研究者的研究方法和研究成果的剖析相当客观。文章的最后为我们指明了汉语作为第二语言学习策略研究的步骤，值得我们借鉴和思考。吴文指出，首先我们应该比较系统和相对完整地介绍一些国外关于第二语言学习策略研究的理论，然后在目前研究的基础上去调查、研究、发现与外国人学习汉语有关的策略，找出有效的学习策略，最后再进行确认和分类，探索和建立适合外国人学习汉语的策略分类标准和系统，并建立各种适合汉语学习的策略培训模式，通过实践检验这些模式本身的有效性，同时检验策略培训对汉语学习的有效性。

四　汉语作为第二语言学习策略的研究的总结与前瞻

除了国内对外汉语教学界的上述研究外，有关汉语作为第

[①] 赵果、江新《什么样的汉字学习策略最有效？——对基础阶段留学生的一次调查研究》，《语言文字应用》2002年第2期。

[②] 吴勇毅《汉语"学习策略"的描述性研究与介入性研究》，《世界汉语教学》2001年第4期。

二语言学习策略的研究,国外至少也有两项。其一是 Everson 和 Ke 对中高级汉语学习者阅读策略的研究。其二是 Ke 对汉字学习策略的研究。① 应该说,前人的研究在引进国外学习策略的理论和研究方法方面,在具体语言技能(如阅读、汉字、写作等)的策略分析方面都作了有价值的尝试,给后来的研究者留下了宝贵的经验和资料。

国外学习策略研究已经有将近 40 年的历史了,由于人们认识到开展学习策略的研究对语言教学有积极的意义,因此,愈来愈多的国外学者运用不同的研究方法、从不同角度,探讨不同背景和不同类型的学习者使用学习策略的情况。相较而言,国内外语教学界该项研究起步较晚,中国对外汉语教学界关于汉语作为第二语言学习策略的研究成果更少,到目前为止,本人所看到相关的论文不超过 10 篇,这跟我们对外汉语教学悠久的历史(半个世纪的历史)很不相称,也跟我们目前对外汉语教学事业的蓬勃发展甚至全球化势头极不相称。

当然,汉语作为一种比较特殊的语言,我们在研究外国人学习汉语的策略时不应该完全照搬英语作为第二语言的学习策略来研究。正如吴勇毅在文章中指出的,"既然汉语有许多不同于其他语言的特点,那么外国人学习汉语是不是也使用了一些不同于其他语言的学习策略""探索汉语学习的特殊策略是至关重要的"。

---

① 转引自江新《汉语作为第二语言学习策略初探》,《语言教学与研究》2000年第 1 期。

"汉字圈"国家的留学生占学习汉语的外国人的大多数,其中韩国学习汉语的学生就很多,每年来中国留学的有上万人,而在韩国国内学习汉语的人数更是高达13万。但是,国外汉语教学的方法堪忧,有关具体国别留学生汉语学习策略的研究更是无人关注。因此,有必要对"汉字圈"外国留学生和"非汉字圈"外国留学生学习汉语时的学习策略进行调查和比较研究,对具体国别的外国留学生学习汉语时的学习策略进行调查研究,以及汉语作为第二语言的单项语言技能的学习策略的描写性研究,不同文化背景的外国留学生学习汉语时的学习策略的发展研究以及不同国家学生汉语学习策略使用与学习效果之间关系的研究,[①]外国留学生课堂学习与课外学习的汉语学习策略的比较研究,有关汉语作为第二语言的学习策略的有效性以及培训的实验研究等也应逐步深入。

从理论研究的角度看,对留学生汉语学习策略诸方面的调查、比较、分析研究是语言学习理论研究的一个方面,而语言学习理论的研究对语言教学理论的研究以及对外汉语教学的学科建设的研究具有举足轻重的作用,因为语言教学理论必须建立在语言理论和语言学习理论的基础之上。语言学习理论研究的任务就是揭示语言学习的客观规律,特别是语言习得规律。对作为学习主体的学生和他们的学习规律的研究,更能反映语言学习的客观规律,也因此能减少传统以教师为中心的语言教学法中或多或少的教学者的主观设想的成分。从教学实践的角度看,区分"汉字圈"以及"非汉字圈"留学生汉语第二语言学习策

---

① 赵金铭《对外汉语研究的基本框架》,《世界汉语教学》2001年第3期。

略研究及其所取得的成果,可以有助于设计更好的有针对性的教程,确定具体国别的留学生汉语学习策略使用上的长处和短处,使之互相取长补短,帮助学生有意识地使用学习策略,克服使用策略的随意性和无计划性,进而帮助学生更有效地学习汉语,增强学生学习汉语的信心和兴趣,并给对外汉语教师提供策略训练的指南。

此外,为了探索汉语学习的特殊策略,我们认为以下一些相关研究课题同样不容忽略。比如,中国儿童习得汉语和外国人学习汉语策略的比较研究,外国人学习汉语时运用什么样的学习策略解决母语的干扰问题的分析研究。这样的研究有助于我们深入地了解汉语母语习得和第二语言习得的相同情景和不同规律,并且借助母语习得的经验,努力寻求汉语第二语言习得的"捷径",尽量排除母语在外语学习中的干扰作用,使得留学生的母语在汉语学习中起到最好的桥梁作用,最终达到给教师和学习者提供"高效速成"的教学方法这样一个目标。

总之,第二语言学习策略的研究突破了传统应用语言学只研究语言教学内容以及教学程序、方法的樊篱,以研究造成学习者个体差异的认知行为为出发点,对于帮助学习者认识并有效调控其认知学习活动、提高学习效率具有非常重要的意义,并"将最终为寻求和建立对外汉语教学的最佳教学模式提供依据"。

第二节 汉语作为第二语言学习策略初探[①]

一 学习策略研究回顾

学习策略是指学习者为了促进信息的获得、存储、提取和利用而进行的操作,通俗点说,学习策略就是学习者用来促进学习,使学习更加迅速有效的方法或者行为。学习策略问题一直是心理学和教育学工作者都非常关心的研究课题。近 20 年来,第二语言学习策略也引起了语言教育研究者的兴趣,[②]该领域的研究,不仅有助于解释第二语言学习者的个人差异,而且对第二语言教学具有重要的实践意义。

在第二语言习得的研究中,人们不仅关心学习者习得第二语言的过程(顺序),而且关心学习者习得第二语言的结果。为什么有的人学得又快又好,而有的人学得又慢又差? Ellis 认为,学习者个人因素以及社会因素共同影响学习者的学习行为或学习策略,进而影响学习的速度和成绩。反过来,学习者学习情况也影响他们的策略行为。

实际上,当把语言学习放在广阔的认知心理学背景中去考

[①] 本文作者江新,原载《语言教学与研究》2000 年第 1 期。
[②] McDonough, S. H. Learner strategies. *Language Teaching*, 32, pp. 1—18. 1999.
Ellis, R. *The Study of Second Language Acquisition*. Oxford: Oxford University Press. 1994.

虑时,会发现学习策略在第二语言学习中的作用,可以用现代认知心理学的信息加工理论模型来解释。简单地说,信息加工模型主要是说明信息是如何进入人的记忆系统、并以什么方式存储的,需要时信息又是如何提取出来的。它认为,新信息在大脑中的加工过程主要包括选择、获得、建构和整合这四个阶段。在这个过程中,学习策略的作用,是使学习者意识不到的策略行为或者在学习早期阶段出现不够充分的策略行为更加清楚、明显,也就是使学习者更加主动地、有意识地参与信息加工的心理过程,从而获得更好的学习效果。

西方学者对学习策略的研究,主要包括学习策略的分类、影响策略选择的因素、学习策略和语言学习结果之间的关系、训练学习者使用学习策略等几个方面。与此项研究关系最密切的,是美国的 Oxford 提出的学习策略分类系统和她以此为基础编制的语言学习策略量表。[①] Oxford 提出的学习策略分类系统,首先将学习策略分为两大类:直接策略和间接策略。直接策略直接参与目标语学习,间接策略通过集中注意、计划、评价、寻找机会、控制焦虑、增加合作和移情等方法为语言学习提供间接的支持。直接策略下面分为记忆策略、认知策略和补偿策略。记忆策略是用来记忆和复习新信息的,认知策略是用来理解和产生语言的,补偿策略使学习者在新语言知识有限的情况下能够运用新语言。间接策略下面分为元认知策略、情感策略和社交策略。元认知策略是用来协调学习活动和认知加工过程的,情

---

① Oxford, R. L. *Language Learning Strategies: What Every Teacher Should Know*. NY: Newbury House/ Harper & Row. 1990.

感策略是用来管理、规范情绪的,社交策略是与别人合作学习的策略。

　　Oxford强调,直接策略与间接策略的关系就好像戏剧中演员和导演的关系,直接策略就像演员一样,在各种具体的任务和情境中直接与语言本身打交道,直接处理语言学习。间接策略是用来管理学习的,它就像戏剧中的导演,导演对演员的表演进行组织、指导、检查、纠正、鼓励,使演员之间团结合作,起到给演员提供指导和支持的作用。要获得最好的演出效果,演员要和导演密切合作。同样,要获得最佳的学习效果,不仅要发挥演员的作用,而且要发挥导演的作用。直接策略和间接策略之间是互相联系、互相协调和互相支持的。以前,导演的作用主要由教师来完成,教师告诉学生应该怎样学习,给学生改正错误等,现在主张鼓励学生自己来做这些事情。

　　有关汉语作为第二语言学习策略的研究非常少,至今为止,本人看到的有3项(国内1项,国外2项)。国外的一项是Everson和对中高级汉语学习者阅读策略的研究,[1]另一项是Ke对汉字学习策略的研究。[2] 国内的是杨翼采用问卷调查的方法,考察四年级留学生汉语学习策略与学习效果的关系的研

---

　　[1] Everson, M. E. & Ke, C. An Inquiry into the reading strategies of intermediate and advanced learners of Chinese as a foreign language. *Journal of the Chinese Language Teachers Association*, 32(1), pp. 1—20. 1997.

　　[2] Ke, C. Effects of strategies on the learning of Chinese Characters among foreign language students. *Journal of the Chinese Language Teachers Association*, 33(2), pp. 93—112. 1998.

究。① 这是国内汉语作为第二语言学习策略的第一项定量研究,具有一定的价值,但调查对象只有 18 人,数量太少,而且没有对结果进行相关分析和显著性检验,并在此基础上得出结论,有关问题还需要进一步探讨。

Oxford 的语言学习策略分类系统是至今为止最全面的。她以此分类系统为基础,编制了一个学习策略问卷—语言学习策略量表(SILL)。该量表经过多次修改,已经成为一个比较流行的测量语言学习策略的标准化量表。

本文拟利用这个语言学习策略量表,对汉语作为第二语言的学习策略,具体地说,就是对外国留学生汉语学习策略使用的情况进行初步的探讨。主要包括:(1)总的情况;(2)与性别的关系;(3)与学习时间的关系;(4)与母语的关系;(5)与汉语水平的关系。另外,本文对语言学习策略量表(SILL)的信度和效度进行初步考察,了解它是否适用于研究汉语作为第二语言的学习策略。

二 研究的方法

我们采用的是问卷调查的方法,然后对调查获得的数据进行统计分析。下面具体介绍调查的被试和调查所采用的工具。

（一）被试

参加被试的是北京语言文化大学汉语速成学院和汉语学院的外国留学生共 107 人,其中汉语速成学院 A、B、C、D、E 各班

---

① 杨翼《高级汉语学习者的学习策略与学习效果的关系》,《世界汉语教学》1998 年第 1 期。

学生共93人,汉语学院一年级和二年级学生14人,其中男性40人,女性67人。

(二) 测量工具

本研究采用的测量工具是 Oxford 编制的语言学习策略量表(SILL, v5.1)。该量表由80个项目组成,由被试根据自己的实际做法,在一个5点量表上(1表示从不这样做,5表示总是这样做)评价每一项陈述符合自己的程度。该量表包括6个分量表,分别测量6类语言学习策略(1)记忆策略,15个项目;(2)认知策略,25个项目;(3)补偿策略,8个项目;(4)元认知策略,25个项目;(5)情感策略,7个项目;(6)社交策略,9个项目。

为了使该量表适应本研究的被试,使它不仅能够测量来自英语国家的留学生,而且能够测量来自非英语国家的留学生,笔者对原量表做了一些修改,包括:(1)将原量表翻译成汉语,采用汉语和英语两种语言陈述;(2)对某些不易被学生理解的项目进行修改并举例说明。经过修改的量表,在结构上并无变化,基本保持原样。

除了正式的汉语学习策略外,还有一个基本情况调查问卷,包括被试的年龄、母语、学习时间等方面的问题。与此同时,我们还增加了一个教师的量表,即采用5点量表,请任课教师对学生的汉语水平作出评定,其中1表示很差,5表示很好。

三 研究的结果

我们对调查所得数据进行统计和分析,得出了留学生汉语学习策略使用情况,和对 SILL 量表信度和效度的初步检验两个结果。

（一）留学生汉语学习策略使用情况的调查结果

1. 总体情况

107 名被试在 6 个分量表上的平均数和标准差见表 1。

表 1

	分量表	平均数	标准差
直接策略	记忆策略	2.7671	0.4434
	认知策略	3.3291	0.4757
	补偿策略	3.4658	0.5442
间接策略	元认知策略	3.4833	0.5843
	情感策略	2.8608	0.7032
	社交策略	3.5240	0.6729

从表 1 可以看到，在整体上平均分数比较高的学习策略是社交策略、元认知策略、补偿策略，其次是认知策略，平均分数比较低的是记忆策略和情感策略。对被试在各个分量表上的平均数进行方差分析的结果显示，策略的主效应是非常显著的（$F(5,530) = 56.356$，$p<0.01$）。多重比较的结果显示，被试在社交策略、元认知策略、补偿策略上平均数都显著大于被试在认知策略上的平均数（$p<0.05$），被试在认知策略上的平均数大于在记忆策略、情感策略上的平均数（$p<0.05$），但是社交策略、元认知策略和补偿策略三者之间的差异不显著（$p>0.05$），记忆策略、情感策略两者之间的差异也不显著（$p>0.05$）。

这个结果表明，留学生在学习汉语的过程中，最常用的策略是社交策略、元认知策略、补偿策略，其次是认知策略，最不常用的策略是记忆策略和情感策略。

2. 与性别的关系

不同性别的留学生在 6 个分量表上的平均数和标准差（标

准差在括号中)见表 2。

表 2

性别	记忆策略	认知策略	补偿策略	元认知策略	情感策略	社交策略
男 (N=40)	2.74 (0.50)	3.31 (0.45)	3.47 (0.47)	3.49 (0.55)	2.94 (0.70)	3.57 (0.71)
女 (N=67)	0.78 (0.41)	3.34 (0.49)	3.46 (0.59)	3.48 (0.61)	2.81 (0.70)	3.50 (0.65)

方差分析的结果显示,性别的主效应不显著($F(1,105)=0.113$,$p>0.05$)。性别与策略的交互作用也不显著($F(5,525)=0.514$,$p>0.05$)。

这个结果表明,留学生学习汉语的策略使用没有显著的性别差异,男性和女性基本相同。

3. 与母语的关系

将留学生分为两类,操英语、意大利语、德语、法语等语言者为一类(欧洲语),操日语、韩语、印尼语、泰国语等语言者为一类(亚洲语)。不同母语的留学生在 6 个分量表上的平均数和标准差(在括号中)见表 3。

表 3

母语	记忆策略	认知策略	补偿策略	元认知策略	情感策略	社交策略
欧洲语 (N=36)	2.80 (0.48)	3.38 (0.48)	3.35 (0.52)	3.45 (0.60)	2.53 (0.69)	3.69 (0.61)
亚洲语 (N=71)	2.75 (0.43)	3.30 (0.48)	3.52 (0.55)	3.50 (0.58)	3.03 (0.65)	3.44 (0.69)

方差分析的结果显示,母语的主效应不显著($F(1,105)=0.515$,$p>0.05$)。但母语与策略的交互作用非常显著

($F(1,105) = 10.330$,$p<0.01$)。进一步的检验结果显示,不同母语的被试在情感策略的使用上有非常显著的差异($p<0.001$),在社交策略的使用上的差异接近 0.05 显著水平($p=0.072$),其他学习策略的使用上差异都不显著($p>0.05$)。

这个结果表明,第二类留学生比第一类留学生更经常使用情感策略,在社交策略的使用上,第二类留学生比第一类留学生稍微多些,但在其他策略的使用上,不同母语的学生没有显著差异。

4. 与学习时间的关系

将留学生学习汉语的时间划分为 4 个组:(1)1 年以下;(2)1 年(含)至 2 年;(3)2 年(含)至 3 年;(4)3 年(含)以上。其中有 2 名被试没有填写学习时间这一项,因此不计算在内。不同学习年限的被试在 6 个分量表上的平均数和标准差(在括号中)见表 4。

表 4

学习年限	记忆策略	认知策略	补偿策略	元认知策略	情感策略	社交策略
1 年以下 (N = 29)	2.81 (0.50)	3.09 (0.37)	3.53 (0.60)	3.43 (0.71)	2.78 (0.71)	3.54 (0.82)
1 至 2 年 (N = 26)	2.76 (0.41)	3.41 (0.59)	3.49 (0.62)	3.52 (0.55)	3.10 (0.61)	3.56 (0.69)
2 至 3 年 (N = 26)	2.82 (0.38)	3.34 (0.28)	3.38 (0.39)	3.50 (0.47)	2.80 (0.64)	3.52 (0.45)
3 年以上 (N = 24)	2.70 (0.47)	3.51 (0.54)	3.49 (0.56)	3.49 (0.62)	2.75 (0.84)	3.50 (0.72)

对平均数进行方差分析的结果显示,不同学习时间组的被试,除了在认知策略的使用上有非常显著的差异($F(3,104) = 4.16$,$p<0.001$)外,在其他学习策略的使用上差异都不显著

($p>0.05$)。多重比较结果显示,学习时间在 1 年以上的被试比学习时间在 1 年以下的被试更经常使用认知策略,二者的差异达到显著水平($p<0.05$),学习时间在 1 年以上的被试比学习时间在 1 年以下的被试更经常使用认知策略。

这个结果表明,经过大约 1 年的学习之后,学生对认知策略的使用开始增多,但是其他策略的使用没有变化。

5. 与语言水平的关系

计算被试各类策略的使用与教师对其汉语水平等级评定之间的相关系数,结果见表 5。

表 5

	记忆策略	认知策略	补偿策略	元认知策略	情感策略	社交策略
汉语水平等级	-0.120	0.518**	0.344**	0.320**	0.131	0.305*

$N = 69$,* $p<0.05$,** $p<0.01$

从表 5 可以看到,除了记忆策略、情感策略与汉语等级评定的相关不显著($p<0.05$)外,其他策略与汉语水平等级评定之间的相关都达到了显著水平($p<0.05$)。该结果表明,认知策略、补偿策略、元认知策略和社交策略使用越多的学生,老师对其汉语水平的等级评定也越高。但记忆策略、情感策略的使用与汉语水平等级评定之间无显著的关系。

(二) 对量表的信度和效度的检验结果

1. 量表的信度

以克伦巴赫 α 系数作为量表的内部一致性指标,考察量表信度的结果显示,总量表的信度系数为 0.9095,各个分量表的信度系数分别为：记忆策略0.6401，认知策略0.8196，补偿策略0.6168，元认知策略0.8451，情感策略0.6897，社交策略0.7840。由此可见，该量表适用于测量外国留学生将汉语作为第二语言的学习策略，而且具有比较好的内部一致性。

各个分量表与总量表的相关系数分别为：记忆策略量表0.469，认知策略0.728，补偿策略0.599，元认知策略0.803，情感策略0.699，社交策略0.777。除了记忆量表与总量表的相关稍低外，其余分量表与总量表的相关都比较高。从这点上看，该量表也具有较高的同质性。

2. 量表的效度

通过对6个量表进行因素分析来检验量表的结构效度可以看出，这6个量表的共同度大小都大于0.40。采用主成分分析法抽取因子，得到特征根大于1的因子有2个，这2个因子可解释的变异占总变异的65%。由此可见，该量表具有一定的结构效度。但从经过旋转后的6个分量表对主因子的负荷来看，该量表的结构仍需进行调整，以便获得更好的结构效度。

四 讨论

本文使用国外流行的语言学习策略量表（SILL）对外国留学生学习汉语的策略进行了研究，探讨了性别、母语、学习时间、汉语水平等因素与留学生汉语学习策略使用的关系。下面仅就这几个方面的一些问题进行讨论。

（一）关于总体情况

留学生在学习汉语的过程中，最经常使用的策略是社交策略、元认知策略、补偿策略，其次是认知策略、记忆策略和情感策略最不常用。这个特点与留学生所处的学习环境及其本身特点有关。首先，留学生是在中国学习汉语，除了正式的课堂学习外，在自然交际环境中的非正式学习也是一个重要途径。他们在中国生活，随时要用汉语直接和中国人交际，为了达到交际目的，常常自觉不自觉地运用社交策略，比如，为了听懂而进行提问、对别人移情等。这不仅有助于实现交际的目的，而且有助于他们在运用语言的过程中学习语言。语言学习环境对学习是非常重要的，它通过影响学习者对学习策略的选择，从而影响学习的结果。

留学生也经常使用元认知策略（元认知策略是指通过集中注意、做好计划、进行自我监控和评价等活动来管理、协调认知加工活动的方法）。这可能与留学生是成人语言学习者有关，和未成年人相比，成人学习语言，大多数具有明确的目标，并具有良好的自我监控和自我评价能力，能够在学习活动中集中注意，做好计划，主动地寻找和利用尽可能多的语言练习机会，从错误中学习，并且能够评价自己在语言学习中的进步。元认知策略对语言学习的成功是非常重要的，例如，学习一门新的语言，可能会被许多因素所困扰，陌生的文字、词汇、语法规则和完全不熟悉的文化等，都可能使学生在语言学习中失去重点，通过有意识地使用元认知策略，可以重新获得注意重点，从而促进语言学习。尽管元认知策略非常重要，可是从国外的研究结果看，学习者并没有认识到这一点，他们并不经常使用这些策略，学生对元认知策略的使用比认知策略少，而且使用的范围（种类）也很有限。我们的研究发现了不同的结果，即被试在学习汉语的过程中元认知策略的使用比认知策略多,种类也不少,如集中注意、自我监控、计划和组织等策略都经常使用。这可能与本研究的被试(一人除外)普遍具有其他外语学习经验有关,这有助于学习者更好地管理自己的学习,协调语言学习过程。

留学生还经常使用补偿策略。补偿策略是学习者为了补偿目的语语法和词汇(特别是词汇)等知识的不足而使用的策略,它使学习者在目的语知识有限的情况下能够使用目的语。由于本研究的被试大多数不具备熟练的汉语水平,而生活和学习中又需要使用汉语,所以就用补偿策略来加以弥补,这是很自然的事情。

记忆策略和情感策略总的来说不经常使用。记忆策略不常用,这和国外研究的结果是一致的。记忆策略主要是指各种帮助记忆的方法,又称为记忆术。记忆术的原理是非常简单的,即将学习的内容进行整理、组织和联系,以便于记忆。利用记忆术可以充分挖掘和利用大脑储存信息的巨大潜能,对于语言学习是非常重要的。它可以帮助语言学习者克服困难,比如记忆大量的词汇等,同时还有助于语言知识的识记和保持,帮助学习者从记忆中提取出所需要的语言知识。某些记忆策略,例如有组织的复习策略,还有助于语言知识从知识层次转化为技能层次,使知识转变为程序化、自动化的技能。留学生很少使用记忆策略,可能是因为他们没有认识到适当的记忆方法的重要性,或者对各种帮助记忆的方法不了解,没有接受过记忆术方面的训练。实际上,留学生词汇量不足、句型单调等问题的存在,与他们不经常使用记忆策略有一定关系。在对外汉语教学中,应当教学生掌握一些实用的记忆策略,例如将生词与熟悉的词语联系起来记忆、有计划地复习、利用卡片记生词、利用意象和声音等,这些记忆策略可以帮助学生记忆大量的汉字、词汇甚至句型,对提高汉语水平很有好处。

留学生也很少使用情感策略。这与国外研究的结果也是一致的,例如,Chamot 等人发现只有 5% 的被试使用情感策略。[1] 这个结果有点令人沮丧,因为情感因素对语言学习的重要影响,无论怎么强调都不会过分。情感策略指学习者用来规范和管理情绪、情感等等的方法。自尊、焦虑、文化冲突、冒险等情感因素,都会对语言学习产生影响。成功的语言学习者常常是那些知道如何控制自己的学习情感和学习态度的人。消极的情感会妨碍进步,即使对语言学习的技巧非常了解,如果没有积极的情感来支持,学习进步也会受到影响。积极的情感和态度可以使语言学习更加愉快、更加有效。实际上,许多学生被不同程度的情感问题所困扰,例如过度焦虑、失去自信心等,甚至有个别学生产生了严重的心理障碍。因此,在对外汉语教学中,应当设法教学生学会通过情感策略(例如降低焦虑感、进行自我鼓励、与别人谈论自己的感受等)调节和控制自己的情感,从而为语言学习提供间接的支持。

(二)留学生汉语学习策略的使用与性别、母语、学习时间、汉语水平的关系

本项研究的结果与 Oxford 和 Nyikos 不一致。[2] 他们发

---

[1] Chamot, A. U., O'Malley, J. M., Kupper, L. & Impink—Hernandez, M. V. *A Study of Learning Strategies in Foreign Language Instruction: First Year Report*. Washington DC: InterAmerica Research Association. 1987.

[2] Oxford, R. L., & Nyikos, M. Variable affecting choice of language learning strategies by university students. *Modern Language Journal*, 73(2). 1989.

现性别与学习策略使用有关,女性比男性更经常使用学习策略,特别是社交策略。本研究没有发现策略使用的性别差异,这可能与被试的动机有关。本研究的被试,无论是男性和女性,学习汉语的动机都很强,因此都能选择更加有效的学习策略,积极努力地投入学习。

留学生汉语学习策略的使用与母语有显著的相关,母语为日语、韩语、印尼语、泰语的留学生比母语为英语、意大利、德语、法语的留学生更经常使用情感策略。在社交策略的使用上,后者比前者稍多些。这可能与学生的性格特点有关。亚洲地区的学生比较内向,对自己的情绪比较敏感,自信心不足,容易焦虑,为了学好语言,他们需要经常采用自我鼓励等情感策略来增强自信。而欧美地区的学生比较外向,喜欢社交,因此更多地采用社交策略来学习汉语。比如日本学生的焦虑感就比美国学生强。[1]

留学生汉语学习策略的使用与学习时间的长短有显著相关。一年级以上的学生对认知策略的使用开始增多。这可能表明认知策略的使用需要具备一定的目的语知识基础,目的语的水平影响认知策略的使用。许多认知策略,例如看电视、看电影、听广播、做笔记、与别人谈话等等,都需要具备一定的汉语基础。

留学生汉语学习策略的使用与汉语水平等级评定之间有显著相关,这表明策略使用与汉语水平的高低有关,但并

---

[1] 钱旭菁《外国留学生学习汉语时的焦虑》,《语言教学与研究》1999年第2期。

不能表明学习策略的使用一定是汉语水平高低的原因。造成这种相关关系的原因有多种，可能是学习策略促进了语言学习，也可能是成功的语言学习促进了策略的使用，还可能是其他因素（例如智力或者语言能力倾向等）使语言学习获得了成功。

最后，关于语言学习策略量表（SILL），前文已经谈到它对检测不同国籍的留学生学习汉语策略的使用，具有较好的信度和一定的效度，但其结构还需要进一步调整，以提高结构效度。Oxford自己也承认她的策略分类系统的各类策略之间是有重叠的（如补偿策略与社交策略之间）。可以参照O'Malley和Chamot提出的基于信息加工认知理论的策略分类系统[1]，对该量表的结构进行调整。例如，有的分量表可以合并，可以将记忆策略量表合并到认知策略量表中，将补偿策略量表合并到社交策略量表中，总量表由认知、元认知、社交和情感4个分量表组成。此外，可以增加情感策略量表的项目数量。然后，通过大样本的施测，进行信度、效度和项目分析，再对量表进行必要的修改。这是需要进一步研究的问题。

---

[1] O'Malley, J. M. & Chamot, A. U. *Learning Strategies in Second Language Acquisition*. NY: Cambridge University Press. 1990.

第三节 外国学生汉语学习策略分析[①]

语言是一种复杂的社会现象。语言教学的过程包含着复杂的生理和心理过程。人们学习语言,有认知风格的不同,也有学习策略的差异。在汉语作为外语的学习中,由于学习者采用不同的学习策略,学习结果就会有相当明显的差距。我们研究外国学生汉语学习的策略,是要寻求汉语作为外语学习时在认知上具有的共同的、普遍意义的规律,揭示不同母语或东西方不同文化背景学习者的汉语认知特性,从外显行为探求内隐心理,从根本上提高汉语作为外语教学的质量。

一 方法

我们研究外国学生汉语学习的策略,首先进行了访谈、语言行为记录和问卷调查这几个方面的工作。接受调查的学生共60位,来自不同的国家,性别、年龄不同,职业不同,汉语水平也不在同一层次上。他们的具体情况如下:

年龄:20—30岁,46人;30—40岁,7人;40—50岁,5人;50—60岁,2人。

性别:男性 33人;女性 27人。

[①] 本文原标题为"外国学生汉语学习策略的认知心理分析",作者徐子亮,原载《第六届国际汉语教学讨论会论文选》,北京语言大学出版社2000年版。

国别:韩国 20人;日本 14人;蒙古 6人;澳大利亚 6人;法国 3人;美国 3人;加拿大 3人;英国 2人;卢森堡 1人;巴西 1人;菲律宾 1人。

职业:学生 36人;公司职员 15人;家庭主妇 5人;教师 2人;公务员 1人;空姐1人。

汉语水平(以所学教材为准):初级6人;中级 40人;高级14人。

(一)访谈是与被调查者进行的一种直接的交流

我们设计了与语言学习过程有关的、与语言和交际有关的以及与自我管理有关的问题40个,然后分别同上述60位学生进行了深入细致的交谈。了解他们学习汉语所使用的策略,包括课前、课中、课后各环节;引导他们回顾各自所使用策略的得失,特别是成功和失败的经验;深入探询他们使用不同策略的环境,如学习场所内和学习场所外,以及对不同学习策略的运用产生影响的诸因素,如学习内容、学习方式、交流对象以及学习动机,等等。访谈的特点在于接触学习者面广、交谈自由度大,易于对调查各项目之间的交叉关系作比较全面的了解,重点突出且能抓住瞬间显示出来的特点进行深入的追询和探求,可以做一般的调查表所不易做到,难以体现出来的项目。

(二)语言行为记录是通过调查者对被调查者有意识的语言行为的观察来分析学习者使用学习策略的另一种有效方式

语言行为主要表现在两个方面:一是学习者在口头表达中对所学语言内容的运用以及在运用中出现的错误;二是学习者

在书面表达中所表现出来的上述情况。将学习者表现出来的这些外显行为随时加以记录,积累到一定的量,进行统计、整理和分析,就能寻找出在这些外显行为中所隐含的汉语学习的认知策略。

(三)问卷调查则是以文字形式表现出来并被普遍采用的一种心理实验调查手段

调查项目的设计则是在访谈的基础上,参考了国外学者对学习策略的分类,并根据外国学生学习汉语的特点和学习方法,结合教师多年的教学经验,从三个平面进行了思考和设计。这三个平面分别是群体学习和个人学习平面;真实的语言环境和模拟的语言环境平面;借助母语和运用目的语平面。每一个平面都采用了对照组的方式,意在通过对比,显现各自的特点。同时,也可以从各个角度来探寻外国学生汉语学习策略的运用。这三个平面既有相对的独立性,也有交叉点,它们存在着一定的互补关系。例如有关课堂学习的策略,既是在模拟的语言环境中的学习策略,也属于群体学习的范畴。一个事物从不同的角度来进行考察会有不同的表现,这种以多视点的聚合形成的整体是立体的、透视的,因而也是较为全面的。

二 结果

(一)数据

经过统计和分类整理,问卷调查的数据列表如下:

1. 群体学习与个人学习

(1)(课堂)群体学习

表1

课堂注意	听得懂的内容	听不懂的内容	全部内容
人数(%)	23(38.3%)	0	37(61.7%)

表2

提问方式	经常用	有时用	很少用	基本不用
人数(%)	29(48.3%)	19(31.6%)	8(13.3%)	4(6.6%)

表3

回答问题	积极参与	被动参与（老师点到名才回答）	几乎不参与（老师点到名说不知道）
人数(%)	24(40%)	34(56.6%)	2(3.3%)

表4

听不懂授课内容时采用的方法	提问	查词典	做记号	不管它
人数(%)	39(65%)	16(26.6%)	4(6.6%)	1(1.6%)

表5

对待课堂上他人的学习活动	很注意	对自己有用的注意	不太注意
人数(%)	40(66%)	18(30%)	2(3.3%)

表6

对待课堂集体活动(讨论等)	积极参与	兴趣一般	常做听众
人数(%)	44(73.3%)	15(25%)	1(1.6%)

附：课堂个人学习

表7

画线、做记号、记笔记	做	有时做	不做
人数(%)	40(67%)	20(33%)	0

(2)(课外)个人学习

表8

预习	经常	有时	不进行
人数(%)	15(25%)	44(73.4%)	1(1.6%)

表9

预习方法和内容	查生词	查生词看课文	查生词看课文做练习
人数(%)	11(18.3%)	48(80%)	1(1.6%)

表10

复习	每天	有时	不进行	考试前
人数(%)	5(8.3%)	38(62.7%)	0	17(29%)

表11

复习内容	全部	只看难懂之处	老师讲课重点
人数(%)	4(6.6%)	46(77%)	10(16.6%)

表12

背诵	每篇课文都背诵	有选择地背诵	完全不背诵
人数(%)	2(3.3%)	19(31.7%)	39(65%)

表13

阅读习惯	每个词都要弄懂	懂大概意思
人数(%)	30(50%)	30(50%)

表14

阅读中难懂之处主要解决办法	查词典	根据上下文猜测	两种都用
人数(%)	12(20%)	8(13.3%)	40(66.6%)

表15

是否安排其他自学内容	是	否
人数(%)	38(63.4%)	22(36.6%)

2. 真实的语言环境和模拟的语言环境

(1) 真实的语言环境

表 16

首选的提高汉语水平的方法	听广播	看电视	跟中国人谈话	逛街买东西	旅行
人数(%)	6(10%)	10(16.7%)	38(63.3%)	1(1.6%)	5(8.3%)

表 17

跟人对话听不懂时所采取的方法	记下来回去查词典	当场问对方
人数(%)	21(43%)	39(66%)

表 18

与对方交流时你的表达取向	不管对错只要能表达自己的意思就行	为了不出错尽量少说些	说话时十分注意因而影响自己谈话
人数(%)	48(80%)	3(5%)	9(15%)

表 19

交际时选取的句式和词语	已经会用的词和句子	尽量用新的词语和句子
人数(%)	35(59%)	25(41%)

表 20

与对方交流的主动性	较强，常主动寻找机会	一般,有问必答,等待机会	较差,甚至回避机会
人数(%)	29(48.2%)	28(47%)	3(4.8%)

(2) 模拟的语言环境(略)

3. 借助母语和运用目的语
(1) 借助母语

表 21

接受信息时(听、读)翻译成母语再理解	基本如此	有时翻译有时不翻译	不翻译
人数(%)	9(15%)	36(60%)	15(25%)

表 22

表达时(说、写)先用母语构思再翻译成目的语	基本如此	有时如此	不用母语构思
人数(%)	18(30%)	33(55%)	9(15%)

表 23

借助母语语音注音	是	否
人数(%)	10(16.6%)	50(83.4%)

表 24

词语记忆方式	翻译成母语记忆	直接记忆
人数(%)	14(24%)	46(76%)

(2) 运用目的语

表 25

尽量用目的语提问	是	一部分	否
人数(%)	45(75%)	9(15%)	6(10%)

表 26

尽量用目的语记笔记、注释	是	一部分	否
人数(%)	13(22%)	43(71.4%)	4(6.6%)

表 27

有摆脱母语直接用目的语思考的自我要求	有	没意识到
人数(%)	55(91.1%)	5(8.9%)

访谈和语言行为记录结果(从略)。

(二) 分类

访谈、语言行为记录和问卷调查,这三种既相互独立又彼此关连的调查手段,为外国学生汉语学习策略的研究提供了大量的材料和数据。将这些材料和数据汇合起来,经过整理、统计、归类、分析,获得了外国学生学习汉语所采取的最具普遍性的学习策略。这就是:有选择的注意策略,有效记忆的策略,利用或创造学习环境的策略,补偿策略,回避策略,借用母语的策略,摆脱母语、习惯再建的策略。

三 分析

(一) 有选择的注意策略

这是外国学生在汉语学习中运用得最为广泛的一种学习策略。问卷调查结果,在"课堂注意"、"对待课堂上他人的学习活动"、提问或回答等项目中,对这种学习策略的运用作了具体的反映。这些数据表明,有选择的注意策略是外国学生在学习汉语的各种场合和条件下随时在运用着的一种学习策略。

注意是一般的警觉功能,是知觉的集中。外部世界的信息是大量的、难以穷尽的,而人的大脑的信息加工量则是有限的,这是因为大脑加工信息的能力受"通道容量"的限制。因而,人在清醒的状态下,当大量的信息刺激作用于感官时,人们只能对小范围的信息作出选择性的反应。以课堂学习的注意策略为例,学生在接受信息的同时,不断地对大量信息作出选择性的反应,这种情况在课堂上是不断地在发生着。因为一堂课的信息是很多的,学生必须不断地进行选择。有的信息是学生熟悉的或掌握的,他就不一定很注意;有些信息是新的,学生不熟悉的,对这种刺激他必然作出较强烈的反映,加强注意的力度。提问和回答这种表现形式的注意是一种有意识的注意,是预先有一定目的的,并需要一定的意志努力。但这种努力往往会对学习起较大的作用。以回答问题为例,问卷调查结果显示,绝大部分学生(96.6%,包括积极参与和被动参与)在运用着这一学习策略。但同时,调查数据还反映出欧美学生和日韩等亚洲学生在回答问题方面存在着一些差异。积极参与问题回答的24人中,欧美学生有17人(另2人要老师点到名才回答)。而41位日韩等亚洲学生中,只有7人是主动回答的(另32人要老师点名才回答,还有2人老师点到名时说不知道)。从访谈中了解到,日韩等亚洲学生对课堂的各种信息刺激都愿作出反应,对各种课堂活动都很注意。但由于顾虑到在集体场合出错,或有一种等待的依赖心理,所以提问或回答问题远不如欧美学生主动。我们知道注意的目的是要对重点注意的语言信息积极开展智力活动,为信息编码和记忆提供足够的线索。主动提问或回答是一种积极的智力活动。各人编码记忆所需要的线索是有差异的,只有主动索取最有利于个人的线索,才能达到最好的编码记忆的效果。所以要使学习取得一定的实效,就应该提倡积极的提问和回答。

在对信息作出选择的同时,人们对注意可以自我控制、进行分配。注意的分配是指人在进行两种以上活动时,能同时注意不同对象的能力,这是注意的选择的另一种表现形式。以"听不懂授课内容时采用的方法"为例,26.6%的学生采用了查词典的方式,这是一种合理的注意分配。听课的同时查词典,短时注意的重心移到了词典上。当问题解决后,他很快又能把注意的重心返回到听课中来。这样既解决了问题,又不影响听课。实践的结果表明,查阅词典勤快、次数多的学生,学习效果往往比较好。再者由于汉字的音、形、义三者,音与形之间没有必然的联系,查阅词典可以加强对字形的注意,加深印象,便于记忆。教学中发现,欧美学生在这方面较日韩学生欠缺。而欧美学生是使用拼音文字来记录母语的,他们对汉字缺乏感性的认识。因而查阅词典,加强对汉字的印象,对欧美学生而言,恰恰是更为需要的。

(二) 有效记忆的策略

第二语言的学习依靠大量的记忆。有效记忆的策略是第二语言学习成功的关键性策略,汉语学习尤为如此。学习汉语要大量记忆单词,习语以及各种句式。特别是汉字这种立体组合的方块文字,不同于可以拼读的拼音文字,主要靠识记来辨认和记忆。所以,对外国学生而言,汉语的学习,记忆占了很大的比重。现代认知的信息加工理论认为记忆是信息的编码,贮存和提取的心理过程。它包括短时记忆和长时记忆两个不同的信息贮存系统。短时记忆系统贮存保持在一分钟以内的信息,容量很小。长时记忆系统则贮存保持在一分钟以上到许多年的信息,并且记忆的容量是无限的。有效记忆必须把信息保持在长时记忆库中。通常,一般的学习,开始时信息如果以听觉和视觉编码,大都进入短时记忆库;如果以语义编码,信息则可以长期保持。所以,有效的学习要让短时记忆库中的信息进入到长时记忆库中。复习、预习、背诵以及多种线索的信息编码,都是保持信息的有效策略。

问卷调查显示,百分之百的外国学生采用了复习的策略(包括每天复习、有时复习和考试前复习)。复习的目的是将在课堂上获得的各种语言知识在尚未遗忘之前进行及时的巩固,并送入长时记忆库贮存、保持,以便提取。这其中,外国学生在复习的内容方面有所不同。77%的学生只看难懂之处;16.6%的学生复习老师讲课的重点;6.6%的学生对所有内容全部复习。这种不同之处反映了学生的认知策略上的差异。心理学家认为,学习过程受内部执行控制过程的修正和调节,这些内部定向过程被称为认知策略。认知策略是处理内部世界、自我控制与调节的能力。各人在具体的学习策略运用上的不同,诸如具体复习内容安排上的差异,这是根据各人对知识的接收、理解的不同,以及长期以来形成的学习习惯的不同,进行自我控制与调节的结果,这是因人而异的。77%的学生只复习难懂之处,这一事实说明了学生在认知策略上的某一种认同。

除复习以外,预习也是外国学生普遍运用的学习策略。调查数据显示,运用这一策略的学生达98.4%。现代认知的信息加工理论认为,编码是把看到的、听到的诸如颜色、形状、大小、距离以及其他有联系的许多信息一起综合起来编织成一个网络交付给记忆。记忆被概念化为庞大而永久的"结节"集。记忆的"结节"是十分复杂的,各结节之间有着相互联系。预习是一种控制自己的注意并对信息进行先期编码的过程。在预习时,学生一定注意未学过的新的知识和内容。在发现新知识的同时，他必然把新知与头脑中内在的旧知识挂起钩来，产生联系，也就是将记忆的各个结节关联起来。预习本身也是对记忆网络进行编码，预习增加了编码进行的次数。而编码进行的次数越多，头脑中表征与现实的对象之间的匹配越密切、线索越多，信息保持的时间就越长，记忆也就越牢固。同时通过预习，学生可以对新知识有个大致的了解，需要注意的内容有哪些，难点是什么。这样当他在听课时就能合理地分配自己的注意，把精力集中在最需要注意的地方。

此外，通过背诵或复述也可以让短时记忆库中的信息进入到长时记忆库。运用背诵这一学习策略的外国学生占调查总数的35%。其中，3.3%的学生每篇课文都背诵，31.7%的学生是有选择的背诵。背诵或复述是一种刺激反应，信息通过多次的刺激反应也能进入到长时记忆库中。但是，这种方法还是属于机械学习的范畴，随着时间的推移，不及时复习也容易遗忘。所以，信息的保持，除采用背诵或多次复述以外，最重要的策略是对信息进行编码。

信息编码有表象编码和语义编码之分。外国学生利用听广播、看电视、跟中国人谈话、逛街买东西、旅行等多种真实的语言环境来进行练习，提高汉语水平，这种实践的过程就是进行表象编码的过程。无论是听广播、看电视还是旅行、交际，信息都是通过视觉和听觉多通道接收的，所以这种形式的信息编码是多线索的编码。而多线索的编码是促进长时记忆的有效方法。再者，听广播、看电视，在真实的语言环境中进行交际，一方面是对课堂学过的东西重新进行识别、巩固；另一方面是利用新的环境来进行刺激,通过重新编码,起到拓宽知识联系的作用。在提高接收新知识的能力的同时,也增强了对语言的感受能力。

(三) 利用或创造学习环境的策略

学习语言,离不开一定的环境和条件。而利用或创造学习环境,则是促进语言学习的有效策略。"参与课堂集体活动"、"首选的提高汉语水平的方法"、"与对方交流的主动性"等等问卷调查项目的数据反映了外国学生利用或创造学习环境学习汉语的情况。认知理论认为,学习者通过多种信息系统收集多方面的信息,收集的信息越多,越是可靠,所获得的知识也就越是真实和有用。例如讨论这种课堂集体活动,学生参与其中,就处于一种特定的语言环境之中。他要同时接受来自多方面的信息,这时感官获得的信息量是十分丰富的。信息的容量大,其可靠性也就越高,对于知识的巩固和运用也就更有实际意义。与此同时,课堂讨论时要思考、提问或回答,这时个体的思想就不是封闭式而是开放型的。外界的刺激是多方面的,必须作出多种反应。这个反应的过程是个体高度检索、提取有关信息的过程。他不仅能够把旧知和新知同当前的讨论内容紧密联系起来,强化了已知信息的痕迹,而且要把已获得的知识重新组合,进行一种创造性的学习。这种丰富的信息量和多种反应,都是外部环境作用的结果。

认知心理学很重视知觉的作用,它认为知觉是将感官获得的信息转化为有组织有意义的整体的过程。清晰、完整的知觉印象的获得,是多种知觉功能作用的结果。而多种知觉系统参与知觉,则有助于知觉印象的保持。外国学生在学习汉语时找中国人谈话,利用看电视、听广播、逛街买东西、旅游的机会练习汉语,这些实践则是通过视觉、听觉、触觉等多种知觉系统来感受外界信息。如与人谈话的察言观色;电视画面的浏览、关注;广播、录音的聆听;旅游、购物的视、听、触(购物时触摸、挑选)三觉并用,等等。这种充分利用语言环境的策略是内隐的认知策略的一种外在的表现。利用外界环境提供的大量信息与知觉系统共同作用,使获得的语言信息通过加工,易于保持、贮存并提取、运用。

外国学生在大量的课余时间积极利用或创造学习环境,把所学的语言知识放到同原先学习情景完全不同的新情景中加以运用,这在认知心理学上被称为"纵向迁移"。纵向迁移,是在不同学习水平上的迁移,迁移的结果将产生新的概念与规则。它的作用不仅仅是一种检验与巩固,而会得到一些创造性的收获。例如主动与对方交流,既要动用听觉系统,同时要输出自己的思想,这就需要检索和提取所学的知识,并将其运用到新的情景中去。这种运用的过程既是巩固的过程也是创造的过程。再如一个句式,在课文中出现的是一种运用条件,当我们看电视或听人谈话时会得到第二种或第三种运用条件,而当自己表达时,可能会有完全不同于前例的创造性的运用。这样,所学的知识在巩固的同时得到了多方面的扩展。

(四) 补偿策略

这是学生在自由学习或自由交际过程中为克服某些语言障碍以获得最佳效果而采取的一些补救、抵偿的措施。外国学生在日常生活中由于表达不出心中所想的意思时常用手势或表情帮助说话或者从外—汉词典中翻检出有关词语示人,这就是在利用补偿策略。当然,学习过程中的补偿策略要比它们高级得多。通过学生的语言行为记录和问卷调查分析可见学生常用的补偿策略有:利用上下文猜测意义,迂回表达,说中介语三种。

利用上下文猜测意义。学生进行课外阅读或听人说话,不一定每个词语都熟悉,或者因时间的流逝而逐渐淡忘,或者因注意的疏忽而不留印象,但在具体的上下文语境中却"若有所悟",这里靠的是"猜测",或者说是"预期"。认知心理学告诉我们,所谓的"快速读者",他们有能够加工庞大信息的巨大能力,是因为他们有关于字母和单词排列顺序的丰富知识,以及对于本文主题的理解和对下文的期望。有这样的实例,学生阅读《万里长城》材料,其中有这样的语句"长城是从两千多年前的战国时代开始建筑的。从秦始皇起到明朝,长城经过多次整修,才成为我们现在看到的样子。它使我们中华民族的历史更加灿烂,更加辉煌"。"整修"是个生词,但上文的"开始建筑",已让学生有"进一步建筑"的预期,加上编结在他们头脑中的有关"整理"、"修理"、"修补"等词义网络的系联作用,使他们能"猜测"到"整理"的意义。"灿烂"、"辉煌"这样的形容词,由于上下文意义的作用,以及学生对汉字形声结构的知识,凭借形旁"火"、"光",他们也猜测到了与之相近的意义"光明"。这里,对旧知材料的熟悉度起着很大的作用,因为熟悉度影响着学习、记忆和知觉,能提高识别单词、短语和字、词的组合能力。

迂回表达。对学生来说,能直截了当地说出某个意思,自然是"上上之策",但交际中常有不"遂意"的情况,或者一下子找不到适当的句式,或者匆忙间寻不到恰当的词语。于是,他们往往采用迂回的策略来表述:用好几个简单句来表述一个复句的意思;或用几个简单句描述某个词语(概念),以此来补偿自己学习、记忆的不足。认知心理学提示我们,短时记忆的信息没有及时通过复述而传送到长时记忆,随着时间的推移就可能出现遗忘,如果不重新编码是回忆不起来的;也有另一种情况,回忆不出某种东西,不是因为信息衰退了或受到了阻碍,而是因为线索条件离我们正试图回忆的事情太遥远,也就是说没有恰当的刺激条件将他们从记忆库中释放出来,这就是学生在交际中产生不"遂意"的原因。而迂回策略之所以有效,正是利用了存在于人们头脑中的网络的复杂关系,因为网络能使人想起其他多个信息,从而"包抄"、"逼近"所要表述的意思或词语。说者因此而输出了自己的信息,听者也因此而接收了对方传来的信息,艰难地、勉强地达到了交流的目的。如果这个时候能给予指导,揭示并提供有关的复句和关联词语,或者罗列可供选择、应用的词语,那么他们就能牢牢记住这样的语言信息而"终身难忘"。

说中介语。学生对自己不熟悉的、驾驭不熟练的语言项目,或者暂时还没学到的语言信息在非用不可时,常常用中介语来述说。所谓"中介语"实际上是从母语走向目的语之间的一种过渡语,既不是母语的直接翻译,也不是目的语使用者所说的话,而是学生在使用目的语时遇到含混不清,难以遵从的规则时,依赖母语知识来"解围"的临时措施。例如,我们常听到学生这样说话:

① 我们谈话他。
② 应该做父母的眼光看得远一些。
③ 我想明天来参观上课。
④ 我希望我们经常见面在相互的国家。
⑤ 我打听一个朋友向他。

例①是学习者不清楚"谈话"是个不及物动词,而添上了宾语。例②是没掌握汉语的能愿动词必须置于动词之前这个规则。例③原意是想说"看一看、听一听、了解一下上课的情况",因为词库里没有合适的词,姑且用个"常用词""参观"来"充数"。例④⑤是介词结构放错了位置。这些话语很显然有其母语的影子渗入其中。虽然听来别扭,倒也能够明白大意,因为中介语的使用有其一定范围:或者是在学生内部之间,或者是习惯了洋腔洋调的人们,各人都能用自己的语言经验来揣摩或译解对方的中介语,所以在一定程度上能起到交流思想的作用。可见,中介语的使用可以补偿学习目的语的不足。诚然,中介语不是语言学习所提倡的。但它是学习外语必然会产生的一种现象,是无法制止的,关键在于引导,最终由过渡语走向语言自动化。

(五) 回避策略

这是学生在使用目的语过程中,由于怕出错的心理以及出于一种惰性即缺乏学习的主动性、积极性、艰苦性而采取的一种"避繁就简、避难就易、避多就少"的消极措施。将外国学生的语言行为记录加以整理分析,归纳出的具体表现是:

多用简单句,少用复杂句。外国学生无论是说话还是回答问题,所选用的句式或者是单部句(只选用充当主语或谓语的某个词)、不完全句(只选用"是""可以""能够"等),当然,这是依赖上下文的合理省略现象,无可非议;或者多选用"主—谓"、"主—谓—宾"等所谓"主干式"句子,少用有较多附加成分(定、状、补)修饰、限制或补充、说明的句子;或者多采用陈述句式、主动句式,少用反问句式。这种"避繁就简"的策略,固然也可以表述出主要的意思,但往往不够精确、缜密。

多用单句,少用复句。外国学生往往碍于把握不稳关联词语,于是全用简单句来表述复句的内容;也有把各种复杂关系的复句一概化为因果句来表述。曾有个练习,让学生就"马路遇雨,进商店买伞,回去,淋湿衣服"的意思连成一段话,其中有两例是:

① 我在回去的路上。(忽然)天下雨了。(于是)我走进一个商场。(可是)雨下得越来越大。我(只好)买雨伞。再走在马路上。一个小时后,我回到了住处。(虽然)有雨伞,(但是)没有用,衣服(还是)淋湿了。

② 我在马路上走。因为下雨了,所以我走进一个商场。因为雨下得越来越大,所以我买雨伞。因为有了雨伞,所以我又走了。走了一个小时,我回到了住处。因为雨伞没有什么用,所以衣服淋湿了。

例①用的全是简单句,回避了括号里的关联词语;例②全用因果句。这样的述说,勉为其难地达到了交流目的,但交际质量大打折扣。

多用常见词,少用复杂词。汉语中的形容词极为丰富,也极有表现力。比如形容孩子气质,有"活泼、机灵、伶俐";形容品格,有"忠厚、朴实";形容饭菜,有"可口";形容生活,有"美满";形容空气,有"清新、清爽";形容自然环境,有"清静、宁静、幽美"等等,但在有些外国学生的口中却将上述极有表现特色的词语一概以"好"代之:"人好"、"品德好"、"饭菜好"、"生活好"、"空气好"、"风景好"……由于人们头脑中对事物所存留的经验和形象可以弥补、充实模糊而笼统的概念,因此这样的述说办法,也能让对方体会到说者的意思,但无法表达出具体而微的细腻感情。

认知心理学理论指出,"信息的激活"和加工有关。加工有两种,自动加工和控制加工。前者纯属出于自然,后者则是人为要求。贮存在短时记忆库中的内部信息,必须有外部信息去刺激,才能激活、作出反应,进而牢牢地编入语言网络。内部信息的加工光靠等待外部机会来刺激(即自动加工),也太被动了,且不说机会本来不多,即使有了机会也可能"失之交臂"。因此,必须积极地去寻找一切外部机会以获得刺激(即控制加工),控制加工越多,进入长时记忆库的信息也越多。从这个意义上说,外语学习运用回避策略是不可取的。因为那样,会使许多临时存在短时记忆库中的信息,诸如复杂句式、关联词语以及切实有用的词语等得不到及时地进一步加工而淡忘、流失,以后还得重新接收,作了许多"无用功",得不偿失。

　　由于人脑的加工容量有一定限度,不可能对外界的众多语言信息全部进行感知和加工,势必留下许多信息有待今后的再刺激和再接收。即使已经进行过粗浅加工的信息,也得在应用过程中,多次刺激,多次编码,才能有效地接收和提取。经验也告诉我们,一个外语学习者语言项目接收越多,感知语言的能力也会随之提高,其所编结的语言网络也愈见精细,提供识别的线索丰富而清晰,提取性能就可发挥到最佳状态。这样就可进入良性循环。反之,接收的语言项目少得可怜,语言的感知能力也必然迟钝,其所编结的语言网络粗疏,提供识别的线索寥寥,提取性能自然不佳。这样,就会进入恶性循环。有的外国学生学习了两年、三年汉语,还停留在单句、短句和有限的几百个词语上,也就是说他一直在某个水平上徘徊不前,其原因就在于无端把不该回避的信息拒之于门外。

　　当然,回避策略,也不完全是消极的。如果在工作或正式场合中,使用自己不太熟悉的句式和词语,可能因表达上的"佶屈"

导致交流质量差,甚至误解,而影响工作和活动。这时采用一下回避策略,运用自己驾轻就熟的语句来表述,效果会好些。但在外语学习过程中,无论课内还是课外,都是在进行信息操作的练习,用不到多所顾忌,也没有必要多方回避。不过,有一种情况值得注意,有的学生在学习的某个时期,罕言寡语,回答问题常只有几个字,有时干脆回说"不知道"。可是,一旦跨过这个阶段,突然一反常态,变得异常活跃,寻找一切机会开口,尽力把新学的语句组织进去,这种"士别三日,当刮目相看"的现象,引起我们的思索:学生的回避策略只是一种权宜之计,或者说只是一种表面现象,可能在他的心灵深处并不回避,他在暗暗地进行着加工和多次编码,构结和编织着自己的语言网络,准备"蓄时而发"。这样,假以时日,酝酿成熟,于是就有"豁然开朗"的积极表现。这个解释如果成立,教师应该抓住契机有意识地设法缩短这个过程,催化学生完成从消极回避进入积极参与的转变。

(六)借用母语的策略

外国学生学习汉语一般来说是成年人的第二语言学习。在这之前,母语已经"根深蒂固"地存在于他们的思维和记忆之中。因而在汉语学习中,一部分学生借用母语来注音(16%,问卷调查数据)或记忆词语(24%,问卷调查数据)便成为很自然的事了。而在接受信息或表达思想时借用母语的学生则更多了。在接受信息——听或读时,翻译成母语再理解的学生占调查总数的75%;在表达——说、写时,先用母语构思再翻译成汉语的占调查总数的85%。由此可见,借用母语是外国学生所运用的一种很主要的学习汉语的策略。学习策略是认知策略的外在表现,借用母语是一种手段,其目的是为了进行信息编码以及利用母语线索来提取目的语的语言信息。编码的过程是人脑将一个复合刺激陈列的许多可资利用的方面转换为神经系统能传递和贮存的代码。外界信息留存在大脑里的并不是人们所看见的刺激的实际摹本，而是将它编码或转化的结果。对一个复合刺激编码，可以注意其颜色、形状、大小、距离以及与它有联系的其他许多事情。在汉语学习中借助母语进行信息编码，主要是利用母语来注音、释词。用母语编码传递和贮存汉语信息。例如，有不少日本学生在阅读汉语句子或短文时，习惯于把这些句子或短文转换为日语再进行理解。借助母语的另一方面是在构义或成句时，利用母语线索来提取汉语的语言信息。比较典型的例子是一些外国学生常常先用母语构思好要说或写的句子或内容再翻译成汉语表达出来。

在教学、访谈等实践和调查中发现，借助母语是有阶段性的。第一阶段初学时，往往比较多地运用此项策略。然而毕竟是学习目的语，进入到第二阶段中级程度时，利用母语就会大大减少。这个阶段的母语借用主要是用于难以解释的词语和语法规则的对比上。到了第三阶段高级水平，母语借用将减少到最低程度。此时，一般的思维过程和阅读，甚至归纳、概括都能用汉语。而母语的借用，主要是在交流过程中，要表达十分复杂的意思，一下子用汉语困难，于是先用母语思维，再进行过渡。母语的借用可能伴随着学习的各个阶段一直存在，但是随着学习水平的逐步提高，利用母语的机会应该越来越少。

先前的学习对后继学习的影响，是一种迁移。积极的影响为正迁移；消极的影响为负迁移。借助母语帮助目的语的学习，从理论上解释，是一种正迁移。这方面比较突出的例子有：日本学生经常利用汉字来猜测汉语词语的语义；英语语法与汉语语法在主要句型句式的语序上差别不大,学生易于类推。经过对比,学生把主要力量放在有差异的方面,如"把"字句、关系从句在汉语句中的位置等等,由此提高了学习效率。在利用母语的同时,要注意避免负迁移。如果不随着学习阶段的推移而减少母语的借用,而是过多地依赖母语,就会造成负迁移。由此形成发出洋腔洋调的音;造出外国式的汉语句子的情况。

(七)摆脱母语,习惯再建的策略

第二语言学习的最高阶段是翻译阶段,目的语和母语的转换已经达到了运用自如的程度。要实现这个目标,就要建立起用目的语思维和表达的习惯。然而,目的语习惯的再建是有条件的。这个条件就是必须有目的语的词汇、语法和句式的积累。当积累达到一定程度时,才有目的语习惯再建的可能。运用目的语进行交际,首先在词汇方面反映出来。大脑接受词汇,在信息编码形式上可以归为表象编码和语义编码两大类。用表象编码的词汇,一般说来都是很具体的、很形象的东西,例如黑板、桌子、毛衣、牛奶、茶等等。这类词语可以依托形象直接跟目的语沟通而不需再经过母语过渡。另一类用语义编码的信息则大都表达的是抽象概念。这类抽象概念的词语信息,学习者往往先借用母语语义编码,然后经过过渡和转换,而不是直接用目的语编码。再比如语法规则,在初级阶段学习的是简单句。简单句的思维比较容易,主要是词语的替换,句型句式都比较单一。随着学习的加深,句式的类型逐步增加并趋于复杂。先是在简单句的主干词语上增加了定语和状语的限制,然后扩展到复句的运用,用几个句子的组合来表达思想。句子的表达是一种思维,建立用目的语思维的习惯要经过一个不太短暂的过程,它不是一朝一夕的事,而要逐步积累、逐渐过渡,当渐变的积累达到一定的量时,就会转化为质的突变。

认知心理学认为大脑信息网络是由多种线索织成的。这些线索有目的语线索,也有母语线索;有表象线索,也有语义线索。当人们要表达某种思想时,就要从大脑的信息网络中提取某些词语或句子。这时能激活贮存信息的线索越多,提取就越方便。当各条线索都集中到这个词语或句式时,提取的效果就会十分理想。要再建目的语习惯,需要激活的不是母语线索而是目的语线索,因而大脑在进行信息编码和提取的时候就要尽量用目的语。也就是说用目的语给词语下定义、用目的语进行描述、用目的语提问、做笔记等等。从问卷调查所得到的数据来看,91.1%的学生有摆脱母语,直接用汉语思考的自我要求。表现在具体的学习方法运用上,75%的学生能尽量用目的语提问;22%的学生能尽量用目的语来记笔记或注释。这些做法都是再建目的语习惯十分具体的措施,一方面为目的语信息的提取和输出提供了便利,另一方面也为直接用目的语思维创造了条件。

对事物的研究从方法论来看,有静态和动态、横向和纵向之分。对外国学生汉语学习策略的认知心理分析也是如此,在这里基本采取的是静态的和横向的研究。但是,任何事物都有一个发展变化的过程。外国学生汉语学习的策略随着语言学习的深入也在发生着一些变化。在某一个学习阶段会比较多地运用一些策略,而在另一个学习阶段又会着重运用另一些策略。将各个阶段进行比较,会发现每个阶段学习策略运用上的一些特点,并可以因此而探究认知策略上的特点。以动态的和纵向的眼光来审视外国学生汉语学习的策略,这将是我们进一步研究的内容。

第四节 成功的汉语学习者的学习策略分析[①]

一 问题的提出

成功的第二语言学习者（good language learner，GLL；successful language learner，SLL）与不成功的第二语言学习者（poor language learner；unsuccessful language learner）之间在学习上的差异一直是教师和第二语言教学研究人员感兴趣的问题，也是第二语言学习策略研究的热点和重点之一。[②] 有的研究者试图通过对某些成功的学习者或不成功的学习者（后者的研究较少）进行调查，找出成功的学习者所具有的特殊的学习策略，而这些学习策略正是不成功的学习者所欠缺的。也有的研究者试图通过对同一学习群体中高分组和低分组（前者被认为是成功者，后者被认为是不成功者）或个体之间的比较找出

[①] 本文作者吴勇毅、陈钰，原载《新世纪对外汉语教学——互动与互补》，2004年北京语言大学编（未发表）。

[②] 吴增生《值得重视的"学习者策略"的研究》，《现代外语》1994年第3期。
庄智象、束定芳《外语学习者策略研究与外语教学》，《现代外语》1994年第3期。
秦晓晴《第二语言学习策略研究的理论和实践意义》，《外语教学》1996年第4期。
王立非《学习策略与外语教学》，《外语研究》1998年第4期。
王立非《第二语言学习策略研究：问题与对策》，《国外外语教学》2001年第4期。
傅政《二语学习成功者策略研究初探》，《外语教学》2001年第3期。

两者在学习策略使用上的差别。

近年来,对外汉语教学界开始对外国学生学习汉语时所使用的学习策略的情况进行调查,[1]得出了一些有益的结论(尽管结论并不完全相同)。但尚未见到专门对成功的汉语学习者的学习策略进行调研的报告。

本文以参加第二届世界大学生中文比赛复赛和决赛的部分选手为样本,用"语言学习策略调查问卷"(SILL),对"成功的汉语学习者"所使用的学习策略进行调查;通过对调查结果的分析研究,并与"一般的汉语学习者"所使用的学习策略进行对比,探讨成功的汉语学习者学习策略的使用情况。

二 研究方法

(一) 调查对象

在以往的研究中,对"成功的学习者"和"不成功的学习者"界定或划分,通常是以某项考试成绩或分组编班为"标杆"来进行的。[2] 高分组或高班学生被设定为成功者,低分组或低班学生被设定为不成功者。

我们调查的对象是2003年来华参加第二届"汉语桥"世界

---

[1] 杨翼《高级汉语学习者的学习策略与学习效果的关系》,《世界汉语教学》1998年第1期。
江新《汉语作为第二语言学习策略初探》,《语言教学与研究》2000年第1期。
江新、赵果《初级阶段外国留学生汉字学习策略的调查研究》,《语言教学与研究》2001年第4期。
[2] 马广惠《高分组学生与低分组学生在学习策略上的差异研究》,《外语界》1997年第2期。
刘亦春《学习成功者与不成功者使用英语阅读策略差异的研究》,《国外外语教学》2002年第3期。

大学生中文比赛(复赛)64位选手中的9位。他们分别来自日本、澳大利亚、英国、美国、比利时、加拿大、墨西哥和新西兰等八个国家,其中女生4名,男生5名。

之所以把他们界定为"成功的汉语学习者",是因为:(1)他们能来华参加中文比赛的复赛,是经过所在国的初赛,在众多汉语学习者中脱颖而出的;(2)他们复赛的总成绩排名为第3、6、7、13、16、25、26、45、52位;(3)其中5人进入了决赛,决赛总成绩排名为1、2、4、5、13位;(4)他们平均学习汉语的年限为三年半左右,其中最长的为7年;(5)他们具有较强的可持续的学习汉语的动机。动机调查显示,他们学习汉语的动机主要是四类:(1)想了解中国,喜欢学习中国的语言(中文是一种独特的语言)、文化和历史,对中国的文化、文学、艺术、历史、语言等感兴趣;(2)希望能够更好地和中国人交际,无障碍地沟通和交谈,学习彼此不同之处;(3)看书,吃中餐时能点菜;(4)未来的机会。

(二)研究方法

研究第二语言学习策略可以通过问卷、内省、追思/追溯、访谈、观察等手段进行;可以对群体进行普查(样本有大有小),①

---

① Huang, X. H. and M. V. Naerssen. Learning strategies for oral communication. *Applied Linguistics*, 8/5:287—307. 1987.
吴一安、刘润清、Jeffrey, P.《中国英语本科学生素质调查报告》,《外语教学与研究》1993年第1期。
蒋祖康《学习策略与听力的关系》,《外语教学与研究》1994年第1期。
杨翼《高级汉语学习者的学习策略与学习效果的关系》,《世界汉语教学》1998年第1期。
江新《汉语作为第二语言学习策略初探》,《语言教学与研究》2000年第1期。
江新、赵果《初级阶段外国留学生汉字学习策略的调查研究》,《语言教学与研究》2001年第4期。

也可以对个案进行剖析。① 但这些调查研究的手段大致可以分为两类,一类是采用主位法,也就是让学习者本人指认自己使用的学习策略,如问卷、内省、追思等;另一类是采用客位法,就是通过观察、访谈等来客观地对学习者所使用的学习策略加以考察/观察和证实(找出学习策略或对已经指认的学习策略加以确认)。

本项研究是采用主位法,对确定的对象(假定的"成功的汉语学习者")进行小样本的问卷调查。

(三) 测量工具

我们采用的是跟江新完全相同的,②经过修改的 Oxford 的"语言学习策略调查问卷"(SILL, version 5.1)(共 80 项),③并在此基础上根据汉字的特点,增加了一些汉字等学习策略的调查项目(6 项)。之所以使用跟江新同样的测量工具,是为了便于比较。若能以同样的工具对不同的群体样本进行调查而得出同样的结论,则结论更科学、可靠;即使有差异也可以得到解释。可重复性(replicated)可以指不同的人用同样的工具对同一样本进行重复研究,看是否能够得出同样的结论;也可以是不同的人用同样的工具对不同的样本进行研究,看能否得出重复的/同样的结论,以检验结论的可靠性。目前,对外汉语教学界对学习策略进行调查的几项研究,所使用的都是不同的测量工

---

① 文秋芳《英语学习成功者与不成功者在方法上的差异》,《外语教学与研究》1995 年第 3 期。

② 江新《汉语作为第二语言学习策略初探》,《语言教学与研究》2000 年第 1 期。

③ Oxford, R.L. *Language Learning Strategy: What Every Teacher Should Know*. New York: Newbury House. 1990.

具,有时较难对其研究结论进行比较。

Oxford 把学习策略分为 2 大类,共 6 组/小类,即直接策略:记忆策略、认知策略、补偿策略,间接策略:元认知策略、情感策略、社交策略。记忆策略主要涉及"有效记忆"(remembering more effectively),包括归类,建立联系,把新词放在上下文环境中记忆,使用想象、声音、声音与图画结合、动作等帮助记忆新的表达方式,有组织有条理地复习,回过头去复习早先学过的材料等。认知策略主要涉及"使用心理(加工)过程"(using your mental processes),包括反复练习,操练口头与书面系统,使用惯用语和句型,把熟悉的东西用新的方式重新组合,在不同的真实情景中操练新的语言(包括听说读写四项技能),通过略读和浏览快速获得内容意思,使用参考资源,做笔记,概述,运用一般规则推断,分析表达方式,和其他语言对比分析,谨慎从事词语对译和从其他语言直接迁移,找出句型,按照新信息调整你的理解等。补偿策略主要涉及"补偿缺少的(语言)知识"(compensating for missing knowledge),包括利用一切线索猜测听到的或读到的新语言的意义;试着理解总的而非每一个单词的意思;尽管新语言的知识有限,但仍要寻找办法在说或写中获取信息,例如,使用手势、短暂转而使用你自己的语言、使用同义词或迂回描述、杜撰新词等。元认知策略主要涉及"有序安排和评价自己的学习"(organizing and evaluating your learning),包括概述和联系已知的材料,集中注意力,把注意力集中在特定的细节上,找出语言学习的规律,安排学习(作息表、环境、笔记本),设定目标,确定完成一项语言任务要达到的目的,制定完成语言任务的计划,寻找操练机会,注意错误并且从中学习,评价学习进程等。情感策略主要涉及"控制情绪"(managing your emotions),包括减轻焦虑感,通过正面陈述自我鼓励,勇于冒险,自我奖励,注意身体的紧张和压力,记语言学习的日记,告诉他人自己的感受和态度等。社交策略主要涉及"合作学习"(learning with others),包括向别人询问以求证或检验,请别人纠正,与同伴合作学习,与新语言的流利使用者合作,发展文化意识,了解/意识到别人的思想和感情等。

"语言学习策略调查问卷"的每一项策略的使用情况采用5级分制:1=从不这样做(几乎不或极少这样做),2=一般不这样做(有一半时间不这样做,但做的次数比1级多),3=有时这样做(有一半的时间这样做),4=一般这样做(有一半以上的时间这样做),5=总是这样做(几乎都这样做)。

调查得到的数据用 SPSS 软件包统计。

三 调查结果

(一)策略使用的总体情况

我们调查的成功的汉语学习者使用学习策略的情况见表1。这一结果与江新对留学生汉语学习策略的调查结果(见表2)不尽相同。[①] 可能的解释之一是两个调查的样本群体不同,我们调查的群体是"成功的汉语学习者",而江新调查的是"一般的汉语学习者",其中可能既包含成功的汉语学习者,也包含不成功的汉语学习者。不同的群体使用学习策略的情况可能不

---

① 江新《汉语作为第二语言学习策略初探》,《语言教学与研究》2000年第1期。

同。

表1

	策略类型	平均数	标准差
直接策略	记忆策略	2.5373	0.5952
	认知策略	3.7422	0.4691
	补偿策略	3.5972	0.5069
间接策略	元认知策略	3.2500	0.5000
	情感策略	2.2381	0.6662
	社交策略	3.5679	0.7317

表2

	策略类型	平均数	标准差
直接策略	记忆策略	2.7671	0.4434
	认知策略	3.3291	0.4757
	补偿策略	3.4658	0.5442
间接策略	元认知策略	3.4833	0.5843
	情感策略	2.8608	0.7023
	社交策略	3.5240	0.6729

根据我们的调查,成功的汉语学习者使用最多的是认知策略、补偿策略、社交策略,其次是元认知策略,最不常用的是情感策略和记忆策略。而江新的调查表明,"留学生在学习汉语的过程中,最常用的策略是社交策略、元认知策略、补偿策略,其次是认知策略,最不常用的策略是记忆策略和情感策略。"

按照 Oxford 量表的规定,1级(平均值1.0—1.4)、2级(平均值1.5—2.4)是低频度(low),3级(平均值2.5—3.4)是中频度(medium),4级(平均值3.5—4.4)、5级(平均值4.5—5.0)是高频度(high)。在我们的调查中,认知策略、补偿策略和社交策略的使用,落在高频范围之内;元认知策略和记忆策略的使用落在中频范围之内;只有情感策略落在低频范围之内。可以认为情感策略是成功的汉语学习者最少/最不常使用的策略。在江新的调查中,只有社交策略是落在高频范围之内,其余均落在中频范围内,可见两个调查的样本有较大差异。

表3 根据策略使用的常用频度排列的顺序

顺 序	1	2	3	4	5	6
成功的学习者	认知策略	补偿策略	社交策略	元认知策略	记忆策略	情感策略
一般学习者	社交策略	元认知策略	补偿策略	认知策略	情感策略	记忆策略

(二)关于认知策略

在我们的调查中,成功的汉语学习者使用最多的是认知策略,而在江新的调查中,认知策略只排在第四位。这个差异怎么解释?江新对一般学习者使用认知策略的分析有一个非常有意思的结论。她指出,"多重比较结果显示,学习时间在1年以上的被试比学习时间在1年以下的被试更经常使用认知策略,二者的差异达到显著水平($p<0.05$),……这个结果表明,经过大约1年的学习之后,学生对认知策略的使用开始增多,但是其他策略的使用没有变化。"我们的调查对象学习汉语的平均时间是三年半,两个调查的结果得到了互相印证。认知策略的使用增多显然与学习时间有关。从表面上看,这并不能直接用来解释成功的学习者为什么使用最多的是认知策略,但我们知道,各种认知策略是直接用于帮助汉语学习的,"增多变化"和"最常用"也许可以说明成功的学习者越来越"会"学习了(懂得使用各种认知策略来帮助学习汉语)。

(三)关于性别特征

统计结果表明(见表4和曲线图1),在6组策略中,有5

组女生比男生使用更频繁,只有认知策略是男生比女生使用更频繁。女生使用最多的是间接策略中的社交策略,男生使用最多的则是直接策略中的认知策略。前面说过,社交策略主要涉及"合作学习"(Learning with Others),包括向别人询问以求证或检验,请别人纠正,与同伴合作学习,与新语言的流利使用者合作,发展文化意识,了解/意识到别人的思想和感情等。统计结果似乎表明女生比男生更倾向于"合作学习"和"移情"。

表 4

	策略类型	女平均数(标准差)	男平均数(标准差)
直接策略	记忆策略	3.04 (0.4543)	2.15 (0.3257)
	认知策略	3.54 (0.6009)	3.90 (0.3093)
	补偿策略	3.91 (0.6049)	3.35 (0.2542)
间接策略	元认知策略	3.38 (0.6147)	3.15 (0.4348)
	情感策略	2.79 (0.5517)	1.80 (0.3457)
	社交策略	4.19 (0.5343)	3.07 (0.3858)

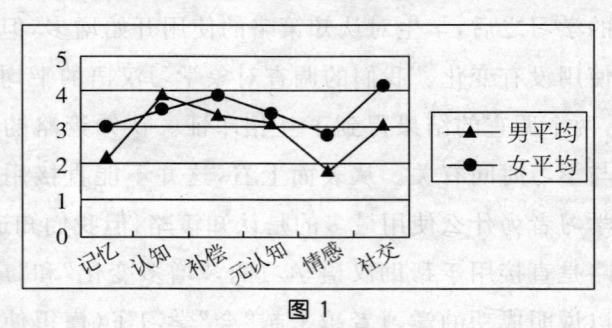

图 1

统计结果还显示,男女生最不常使用的都是情感策略,其次是记忆策略,这跟总体的统计结果是一致的。

四 具体策略使用情况分析

(一) 常用性与非常用性

考察每一类策略的具体使用情况:记忆策略15项,认知策略25项,补偿策略8项,元认知策略16项,情感策略7项,社交策略9项。我们把9人中有6人以上(包括6人)选择4、5级的项目定为"常用策略",把9人中有6人以上(包括6人)选择1、2级的项目定为"非常用策略",看每一类策略中,常用策略与非常用策略各自所占的百分比。

表5

记忆策略	常用(百分比)	非常用(百分比)
共15项	1(6.7%)	5(33.3%)
认知策略	常用	非常用
共25项	16(64%)	1(4%)
补偿策略	常用	非常用
共8项	4(50%)	0
元认知策略	常用	非常用
共16项	6(37.5%)	2(12.5%)
情感策略	常用	非常用
共7项	0	4(57.1%)
社交策略	常用	非常用
共9项	4(44.4%)	0

从表5中可以看到,情感策略的7个项目,常用的一项都没有,非常用的有4项,占57.1%;记忆策略15项,只有一项是常用的,占6.7%,非常用的有5项,占33.3%。情感策略和记忆策略的非常用性表现得非常突出。与此相反,认知策略25项,常用的就有16项,占64%,非常用的只有1项,占4%;补偿策

略8项,常用的有4项,占50%,非常用的一项也没有;社交策略9项,常用的有4项,占44.4%,非常用的一项也没有。这三项策略的常用性表现得很突出。

统计结果显示,成功的汉语学习者在策略使用方面两极化的倾向比较明显。

(二)情感策略和记忆策略的使用

1. 我们的调查显示,成功的汉语学习者和一般的汉语学习者一样,使用很少的两类策略是情感策略和记忆策略。(我们调查的成功的学习者最少使用的是情感策略,其次是记忆策略;江新普查的一般学习者最少使用的是记忆策略,其次是情感策略)这一点并没有因为他们是成功的学习者而改变。

情感策略是成功的汉语学习者使用最少的策略,常用的一项也没有,非常用的却有4项。在情感策略7个项目中,有1项虽未达到定为常用策略的指标(即6人以上选4、5级),但我们以为仍然值得关注(或可被视为常用策略),即"我积极鼓励自己在学习汉语时要敢于冒险,例如敢于猜测、尝试去说,不怕犯错误"。

这项策略,9人中有5人选4、5级,有4人选3级(3=我有时候这样做/有一半的时间这样做,有一半的时间不这样做),没有人选1、2级。Beebe认为,成功的学习者具有"冒险精神",善于利用一切学习机会。高度的冒险精神能影响整个第二语言习得的进程,而中等程度的冒险精神则对猜测语义具有优势。[1]

---

[1] Beebe, L. Risk-taking and the language learner. In Seliger, H. and Long, M. (eds.), *Classroom Oriented Research in Second Language Acquisition*. MA: Newbury-House. 1983.

Seliger 也有类似的观点。① 我们的调查也证明,成功的汉语学习者是不怕犯错误,勇于"吃螃蟹"的人。他们大多敢于冒险(risk-taking),即使犯错,也要大胆尝试理解和使用新学的语言。

成功的学习者不(太)使用的情感策略大都是一些遇到困难时消除焦虑感,给自己建立信心的策略。如努力使自己放松;不断自勉,使自己继续努力学习;注意学习时产生的不良身体状况;给自己一些实际的鼓励等等。这些策略不被或不常被使用,可能是由于成功的学习者在汉语学习方面遇到焦虑的情况并不多见,且由于他们的学习动机很强,无需经常对自己说些鼓励的话或奖励自己(通常是遇到较多学习障碍或困难时,才需要不断地鼓励自己)。

2. 记忆策略的 15 个项目可以细分为建立思维联系,利用声音、形象、语义特征和动作等记忆,复习等几类。这些项目中,只有 1 项是成功的学习者常用的,即"学习生词时,我在生词和已有知识之间创建某种联系"(选 4、5 等的 7 人,选 3 等的 2 人)。这是利用旧知在思维中和新知建立联系进行学习。成功的学习者很少或几乎不用的大都是利用声音、形象、语义特征、动作等来帮助记忆的所谓记忆技巧或记忆术。尽管"这些记忆策略可以帮助学生记忆大量的汉字、生词甚至句型,对提高汉语水平很有好处"②,但我们的感觉和学习外语的体会是,不经过专门的指导,或对汉语本身的知识有相当的了解是很难利用这

---

① 吴增生《值得重视的"学习者策略"的研究》,《现代外语》1994 年第 3 期。
② 江新《汉语作为第二语言学习策略初探》,《语言教学与研究》2000 年第 1 期。

些记忆技巧的。

(三) 补偿策略和社交策略的使用

1. 补偿策略和社交策略都是成功的学习者经常使用的策略。补偿策略共 8 项,有 4 项是常用的(41、42、43、46),45 也有 5 人选 4、5 级,非常用的一项也没有。从表面上看,补偿策略是学习者为了补偿语言知识的不足,如词汇、语法知识等,而采取的策略,但实际上它们几乎都是在交际中遇到困难时使用的策略,因此也可以看做是一些"交际策略"。表 6 是 8 项补偿策略(标号是整个问卷的顺序)。

表 6

41	当我遇到听不懂或读不懂的词时,我利用一切线索(例如上下文或者情境)来猜测生词的大概意思。
42	我阅读时不是每个生词都查词典。
43	在对话时我根据前面谈话的内容预期别人将要说什么。
44	如果我正在说话,一时想不到正确的表达方式,我使用手势或者暂时使用母语。
45	在谈话时如果我想不出适当的词,我请别人告诉我。
46	当我想不出正确的表达方式来说或写时,我寻找另一种表达方式,例如使用同义词或者描述想表达的意思。
47	如果我不知道适当的词,我就造一个新词。
48	我将谈话引向我熟悉的话题。

在这些策略中,44、48 和 47 这 3 项值得我们注意。47 涉及生造/杜撰(coin)新词。44 和 48,从交际的角度说,是积极主动的应对策略,但从汉语学习和运用的角度说,则是消极被动的回避策略。48 是 4 个人选 2 级,4 个人选 3 级,只有 1 个人选 4 级。由于说话人不能够用目的语就一个自己不熟悉的话题进行

交际,于是采取放弃的策略,将谈话引导到一个自己熟悉的,能够用目的语交际的话题,进行话题转移。这虽然解决了暂时的困难,但却背离了学习和交际的最终目的,所以成功的汉语学习者对这一策略的使用表现得相当保守。44 的使用也有同样的倾向(3 个人选 1、2 级,3 个人选 3 级,3 个人选 5 级)。47 是 3 个人选 1、2 级,4 个人选 3 级,2 个人选 5 级。可见,成功的学习者用目的语进行交际的意识尽管是比较强的,他们积极地使用各种方式用目的语进行交际,且不畏难,不消极回避,但对杜撰新词还是比较谨慎的。

2. 江新对一般学习者学习策略的调查结果显示,社交策略是留学生最经常使用的策略,排在第一位。[①] 她对此的解释主要是环境使然:"留学生是在中国学习汉语,除了正式的课堂学习外,在自然交际环境中的非正式学习也是一个重要途径。他们在中国生活,随时要用汉语直接和中国人交际,为了达到交际目的,常常自觉不自觉地运用社交策略,比如,为了听懂而进行提问、对别人移情等。这不仅有助于实现交际的目的,而且有助于他们在运用语言的过程中学习汉语。语言学习环境对学习是非常重要的,它通过影响学习者对学习策略的选择,从而影响学习的结果。"在我们对成功的汉语学习者的调查中,社交策略尽管不是排在第一位,但仍然落在高频使用范围内(平均值为 3.5679)。我们调查的对象,其当前学习环境主要是在本国(尽管他们可能来中国学习过),这一点跟学习环境主要在中国的留

[①] 江新《汉语作为第二语言学习策略初探》,《语言教学与研究》2000 年第 1 期。

学生不同。我们对此有两个解释，一是跟学习方式有关，另一个是跟学习动机有关。跟补偿策略一样，社交策略也跟交际相关。社交策略的9个项目大致可以分为两类，一类是合作学习(跟同伴或中国人合作学习也是一种交际，在交际中学习)，另一类是移情(移情也是为了更好的交际)。成功的学习者具有良好的语言学习意识和方法，他们善于合作学习，即使环境因素不利，但他们仍然会寻找机会，创造条件学习。而移情作用我们认为主要是汉语学习的动机使然。成功的学习者特别关注所学语言的文化以及在交流/交际中另一方的感受和想法(尽量理解对方)。他们认识到语言和文化的息息相关性，对目的语文化具有认同感(这一点可以从他们参加"汉语桥"世界大学生中文比赛的"才艺表演"中得到佐证，他们各具中国文化的"才艺")。正是对目的语所属文化保持着强大的兴趣，想要不断地了解它，也使得他们可能成为成功的汉语学习者。

我们的分析还显示，女生比男生更频繁地使用学习策略，尤其是社交策略。这证明了 Oxford 和 Nyikos 的发现：性别和学习策略使用有关，女生比男生更经常使用学习策略，特别是社交策略。①

五 讨论

1. 对成功的汉语学习者的调查分析显示，成功的汉语学习者最经常使用的学习策略依次为认知策略、补偿策略、社交策

---

① Oxford, R. L. and Nyikos, M. Variable affecting choice of language learning strategies by university students. *Modern Language Journal*, 73(2). 1989.

略,其次是元认知策略,最不常用的是情感策略和记忆策略。这与一般的汉语学习者(在华学习的留学生)不尽相同,留学生在学习汉语的过程中,最常用的策略是社交策略、元认知策略、补偿策略,其次是认知策略,最不常用的策略是记忆策略和情感策略。从总体上说,成功的汉语学习者比一般的汉语学习者使用策略频繁。在我们的调查中,成功学习者的认知策略、补偿策略和社交策略的使用,落在高频范围之内;元认知策略和记忆策略的使用落在中频范围之内;只有情感策略落在低频范围之内。一般学习者只有社交策略落在高频范围之内(3.5240),其余的都落在中频范围之内(2.7671—3.4833)。两个群体的共性,突出地表现在都不经常使用记忆策略和情感策略。

2. Rubin 认为 GLL 有七个方面的共同特征:(1) 善于主动猜测;(2) 具有强烈的交际欲望并能从实际中学习知识;(3) 不受缺乏二语知识的束缚,不怕出错;(4) 除了注重交际,也注重语言形式的学习;(5) 寻找一切机会与说本族语者接触、操练;(6) 监控自己与他人的言语;(7) 注意语言形式在社会环境中的意义。[①] 这些特征在我们的成功的汉语学习者的调查基本上得到了证实。但对元认知策略(主要用来监控、管理、协调、评价自己的语言学习过程、学习活动等)的使用,成功的学习者并没有表现出凸显的特征。这与江新对一般学习者进行调查所得出的结论不同,却证实了国外的一些研究。江新指出,"尽管元认知策略非常重要,可是从国外的研究结果看,学习者并没有认

[①] Rubin, J. What the good language learner can teach us. *TESOL Quarterly* 9:41—51. 1975.

识到这一点,他们并不经常使用这些策略,学生对元认知策略的使用比认知策略少,而且使用的范围(种类)也很有限。我们的研究发现了不同的结果,即被试在学习汉语的过程中元认知策略的使用比认知策略多,种类也不少,如集中注意、自我监控、计划和组织等策略都经常使用。"[1]我们的结论也与文秋芳个案调查的结论不同。她比较了两个英语学习者,一个是成功者,一个是不成功者。她认为,她们在学习方法上最重要差别体现在管理策略上。由于缺少面谈的机会,我们对成功的学习者并未凸显使用元认知策略的特征(尽管不是使用最少的)暂时还无法作出更多的解释。

3. 在我们的调查中,成功的汉语学习者使用最多的是认知策略。江新发现,认知策略使用的增加与学习时间相关,经过大约一年的学习之后,学生对认知策略的使用开始增多。我们的调查对象,平均学习汉语的时间在三年半以上,因此认知策略使用最经常、最频繁的原因究竟是学习时间造成的,还是成功的学习者特有的,下结论还为时尚早。认知策略是直接用语学习语言的,用来理解和产生语言的。它包括重复、模仿、利用目的语资源、归类、推测、演绎、迁移、概括、记笔记、翻译、利用关键词、利用上下文情景等,既有语言形式的,也有语言功能的。成功的学习者比不成功的学习者或一般的学习者更"会"使用这些策略帮助自己学习,这一点应该是肯定。另外,为什么男生比女生更多地使用认知策略,还有待于进一步研究。

---

[1] 江新《汉语作为第二语言学习策略初探》,《语言教学与研究》2000年第1期。

对成功的汉语学习者的调查研究,就我们目前掌握的材料来看,在国内对外汉语教学界,这还是第一次。我们需要更多的对成功的汉语学习者、不成功的汉语学习者、一般的汉语学习者进行调查研究,尤其是对比研究,以找出他们之间在学习策略使用上的异同。大样本、小样本、个案分析的都应该有。问卷调查也只是一种手段,可以使用的,且有效的还有"观察"(observation)、访谈(interview)、"内省"(introspection)和"追思"(retrospection)等方法。

第五节 初级阶段外国学生汉字学习策略调查研究[①]

一 汉字学习策略的研究意义及相关研究

近二三十年来,语言学习策略的问题吸引了很多研究者的注意。[②] 已有的大多数研究都是探讨英语、法语等印欧语的第二语言学习策略,20世纪90年代后期,也出现了一些汉语作为

---

① 本文原标题为"初级阶段外国留学生汉字学习策略的调查研究",作者江新、赵果,原载《语言教学与研究》2001年第4期。

② McDonough, S. H. Learner strategies. *Language Teaching*, 32, 1—18. McGinnis, S. 1995. Student attitudes and approaches in the learning of written Chinese. Paper presented at the Annual Conference of the American Association for Applied Linguistics, Long Beach, CA. 1999.

Ellis, R. *The Study of Second Language Acquisition*. Oxford: Oxford University Press. 1994.

第二语言学习策略的研究,①但并不多见,而关于汉字学习策略的研究则更为罕见。

第二语言汉字学习策略的研究是非常重要的。从理论研究的角度看,研究汉字识别技能的发展是汉语阅读学习过程研究的一个组成部分,而阅读过程的研究一直是学术界研究的热门课题。从教学实践的角度看,汉字学习的研究成果,可以有助于设计更好的教程,帮助学生更有效地学习汉字、发展汉字识别技能和汉语阅读技能。

在探讨汉字学习策略的研究中,最早的是 McGinnis 对初学者汉字学习方法的研究。他发现被试自我报告的汉字学习方法很多,包括机械记忆、对汉字的外形或发音编造一些故事、利用意符和声符。他还发现利用意符和声符策略不是学生最常用的策略,最常用的策略是机械重复、编造与意符和声符无关的故事。后来,Ke 研究了以汉语作为外语学习的一年级学生对不同汉字学习策略有效性的认识。② 他通过问卷调查的方法发现,学生认为比较有效的汉字学习策略包括汉字部件(即意符和

---

① Everson, M. E. and Ke, C. An inquiry into the reading strategies of intermediate and advanced learners of Chinese as a foreign language. *Journal of the Chinese Language Teachers Association*, 32(1), pp. 1—20. 1997.

杨翼《高级汉语学习者的学习策略与学习效果的关系》,《世界汉语教学》1998年第1期。

徐子亮《外国学生汉语学习策略的认知心理分析》,《世界汉语教学》1999 年第 4 期。

江新《汉语作为第二语言学习策略初探》,《语言教学与研究》2000 年第 1 期。

② Ke, C. Effects of strategies on the learning of Chinese characters among foreign language studies. *Journal of the Chinese Language Teachers Association*, 33(2), pp. 93—112. 1998.

声符)的学习和应用、重复写汉字、注意新旧字在字形结构和意义上的联系。但是,Ke 的研究是要求学生比较两种学习方法的相对有效性,反映的是学生对不同汉字学习方法的有效性的认识,而不是学生使用不同学习方法的实际情况。为了了解学生学习汉字的策略,需要编制一种量表,对汉语作为第二语言的汉字学习策略进行有效的测量。

我们这个研究的主要目的,就是建构一个有一定信度和效度的汉字学习策略量表,并对初级阶段外国留学生的汉字学习策略进行分析。

二 汉字学习策略量表的编制

问卷调查是研究语言学习策略常见的方法之一。到目前为止,研究者用来研究语言学习策略的流行量表是 Oxford 的 SILL,[①]这个量表是用来测量第二语言学习者整体的语言学习策略的,并不针对某种具体的语言学习任务。迄今为止我们还没有看到一种专门为文字系统的学习而设计的学习策略量表。由于汉字具有不同于拼音文字的特点,留学生(特别是母语采用拼音文字的留学生)学习汉字和汉语阅读遇到很大的困难,因此有必要设计一种专门的学习策略量表,用它来了解不同学生学习汉字的具体策略有什么特点,以便更好地设计教学和因材施教。

我们以现代认知心理学、教育心理学关于学习策略在信息

---

① Oxford, R. L. *Language Learning Strategies: What Every Teacher Should Know*. NY: Newbury House/Harper & Row. 1990.

加工过程中的作用的理论为基础,将汉字学习策略分为两大类:认知策略和元认知策略。认知策略(cognitive strategies)指在对学习材料进行直接分析、综合和转换等问题解决过程中采取的步骤或操作,具有操作加工或认知加工的功能,是与完成具体学习任务直接联系的。元认知策略(metacognitive strategies)指利用对认知过程的认识,试图通过计划、监控和评价来规范语言学习活动,具有执行和控制的功能,如引导注意、自我管理等。元认知策略可以为汉字学习任务的完成提供间接的支持。

我们在这个分类的基础上编制汉字学习策略量表。具体地说,包括确定原始量表的项目、施测、因素分析、信度的检验等几个阶段。

(一) 确定原始量表的项目

在对初级阶段汉语学习者进行观察和访谈、对教师访谈的基础上,参照 Oxford 的语言学习策略量表,以及 McGinnis、Ke 对汉字学习策略的研究,选择、编制和确定备选项目,最后确定原始量表项目为 48 项,包括认知策略(40 项)和元认知策略两个分量表(8 项)。认知策略量表的项目涉及学生在汉字学习过程中各种练习和记忆汉字的活动,例如按笔画顺序书写汉字,在头脑中想象汉字的字形,反复写生字。元认知策略量表的项目涉及学生对自己的汉字学习活动进行的调节和管理,例如对汉字学习的结果进行自我评价、计划汉字学习要达到什么目标。

(二) 施测

选择北京语言文化大学汉语学院基础系的学生作为施测对象。他们是来自不同国家的初级汉语学习者,施测时他们在基础系学习汉语时间为 4—9 个月。考虑到初级阶段学生汉语汉字水平有限,英语是大多数学生熟悉的语言,因此我们将量表翻译成英语、用汉英两种语言呈现。要求学生根据自己的实际情况对量表上的每个项目作出5等级评价(从"从不这样做"到"总是这样做",其中1表示"从不这样做",5表示"总是这样做")。共回收问卷138份,其中136份为有效问卷。

(三) 因素分析

将原始数据输入计算机,使用 SPSS 统计软件进行分析。主要是采用因素分析的方法对原始项目的因素结构进行分析检验,以便将同类项目组成一组,保留区分度高的项目,剔除区分度低的项目。

具体做法是:采用因素分析法中的主成分分析法和最大方差旋转法,对认知策略和元认知策略两个分量表的项目进行分析。从碎石图检验和公因素的直观意义上看,认知策略量表以抽取6个因素为宜,笔者尝试将这6个公因素分别命名为:(1)笔画策略,即学习笔画笔顺并且按照笔画笔顺书写;(2)音义策略,即注重汉字读音和意义;(3)字形策略,即注重汉字整体形状和简单重复;(4)归纳策略,即对形近字、同音字和形声字进行归纳,利用声符意符学习汉字;(5)复习策略,即对学过的汉字进行复习;(6)应用策略,即应用汉字进行阅读和写作,在实践应用中学习汉字。元认知策略量表以抽取两个因素为宜,分别命名为:(1)监控,即对汉字学习中出现的错误进行自我监控,并对学习进展情况进行自我评价;(2)计划,即制定汉字学习的计划以及要达到的目标。

根据各项目在公因素上的负荷值和共同度的大小,来判断各项目区分度的高低,并以此作为标准对原始量表的项目进行筛选,保留负荷值和共同度较大的项目,剔除负荷值和共同度较小的项目。筛选后量表共保留36个项目,认知策略量表保留31个项目,元认知策略量表保留5个项目。

在认知策略量表中,抽取的6个公因素解释了总变异的57%,在元认知策略量表中,抽取的2个公因素解释了总变异的67%。各项目的因素负荷值见表1。

表1 项目的因素负荷值

认知策略											
项目	笔画	项目	音义	项目	字形	项目	归纳	项目	复习	项目	应用
S5	0.832	S23	0.680	S25	0.598	S13	0.834	S33	0.726	S39	0.668
S2	0.830	S18	0.669	S11	0.579	S14	0.831	S34	0.688	S40	0.662
S4	0.775	S27	0.661	S28	0.568	S15	0.736	S36	0.608	S38	0.655
S3	0.749	S26	0.653	S19	0.561	S12	0.714			S37	0.459
S1	0.741	S24	0.503	S8	0.468	S21	0.614				
S6	0.571	S17	0.486			S22	0.465				
						S16	0.410				

元认知策略			
项目	监控	项目	计划
S43	0.794	S46	0.862
S42	0.769	S47	0.818
S44	0.726		

注:S5代表量表中的第5个项目,其他依此类推。

(四)信度的检验

认知策略量表的内部一致性系数 $\alpha=0.8798$,分半信度 0.6921,每个公因素项目的内部一致性系数分别为:归纳 $\alpha=0.8447$,笔画 $\alpha=0.8785$,音义 $\alpha=0.7243$,复习 $\alpha=0.6775$,字形 $\alpha=0.6657$,应用 $\alpha=0.6456$。元认知策略量表的内部一致性系数 $\alpha=0.7419$,每个公因素的项目一致性系数分别为:监控 $\alpha = 0.6944$,计划 $\alpha = 0.6618$。可见,该量表对于测量初级阶段外国留学生的汉字学习策略具有比较好的信度。

三 外国学生汉字学习策略使用的结果

为了了解初级阶段外国留学生汉字学习策略使用的情况及其影响因素,我们还对所测被试样本的汉字学习策略结果进行了分析。

(一)认知策略使用的结果

计算每个学生在每个公因素(即分策略)上的平均分数,以被试作为随机变量对平均分数进行 2×2×6(性别×母语×策略)的多元方差分析,其中性别和母语类型为组间变量,策略类型为组内变量。需要说明的是,我们根据母语背景将学生分为"汉字圈"学生和"非汉字圈"学生两大类,前者指日本、韩国、泰国、越南、印尼等东亚及东南亚地区的学生,其母语中有汉字或者常常接触到汉字,后者指欧美非及中亚西亚地区的学生,其母语和生活环境中几乎没有汉字。分析结果如下:

(1)策略的主效应显著($F(5,660) = 36.049, p < 0.001$),表明学生对不同策略的使用频度是不同的。对该效应进行事后多重比较,结果显示,除了字形和音义之间、音义和笔画之间、笔画和复习之间的差异不显著外($p > 0.05$),其余差异都是显著的($p < 0.05$)。这个结果表明,在认知策略中,留学生最常使用的是字形策略,音义策略,笔画策略和复习策略,其次是应用策略,最不常用的是归纳策略(见表 2)。

表2　认知策略使用的平均数和标准差

	平均数	标准差
字形	3.86	0.72
音义	3.79	0.67
笔画	3.73	0.95
复习	3.58	0.80
应用	3.34	0.76
归纳	3.00	0.81

(2)性别的主效应不显著($F(1,132) = 3.376, p > 0.05$)。表明男生和女生在认知策略使用上不存在显著差异(见表3)。

表3　男生和女生认知策略使用的平均分数

策略	性别	
	男($N = 66$)	女($N = 70$)
字形	3.79	3.92
音义	3.75	3.83
笔画	3.59	3.85
复习	3.54	3.63
应用	3.17	3.50
归纳	2.99	3.01

(3)母语的主效应不显著($F(1,132) = 0.523, p > 0.05$),但母语与策略类型之间的交互作用显著($F(5,132) = 7.670, p < 0.001$)。对该交互作用进行简单主效应的检验,结果显示,在音义、字形、应用和复习策略上,母语的效应都是显著的($F(1,134) = 5.017, p < 0.05; F(1,134) = 8.521, p < 0.01; F(1,134) = 10.366, p < 0.01$),在笔画和归纳上,母语的效应不显著($F(1,134) = 0.985, p > 0.05$), $F(1,134) = 1.343, p > 0.05$)。这个结果表明,"汉字圈"学生比"非汉字圈"学生更多使用音义策略、应用策略,更少使用字形策略、复习策略(见表4)。

第五节 初级阶段外国学生汉字学习策略调查研究

表4 "汉字圈"和"非汉字圈"学生认知策略使用的平均分数

策略	母语背景	
	汉字圈（N=78）	非汉字圈（N=58）
音义	3.90	3.64
字形	3.71	4.06
笔画	3.64	3.84
应用	3.52	3.11
复习	3.45	3.76
归纳	3.00	3.00

其他二维和三维交互作用都不显著（$p>0.05$）。

（二）元认知策略使用的结果

计算每个学生在元认知策略2个公因素上的平均分数，以被试作为随机变量对平均分数进行 $2\times 2\times 2$（性别×母语×策略）的多元方差分析，其中性别和母语类型为组间变量，策略类型为组内变量。分析结果如下：

（1）策略的主效应不显著（$F(1,132)=2.372, p>0.05$）。从总体上看，监控和计划策略的使用没有显著差异（见表5）。

表5 元认知策略使用的平均数和标准差

	平均数	标准差
监控	3.20	0.86
计划	3.35	0.95

（2）性别的主效应不显著（$F(1,132)=0.485, p>0.05$）。男女学生在元认知策略的使用上没有显著的差异（见表6）。

表6 男女学生元认知策略使用的平均分数

策略	性别	
	男（N=66）	女（N=70）
监控	3.09	3.31
计划	3.30	3.40

(3)母语的主效应不显著($F(1,132) = 2.183, p > 0.05$)。但母语与策略之间的交互作用接近显著水平（($F(1,132) = 2.866, p = 0.093$)，因此，对该交互作用进行简单主效应检验，结果显示，在监控策略上，"汉字圈"学生与"非汉字圈"学生无显著差异，而在计划策略的使用上，两者有显著差异，即"汉字圈"学生比"非汉字圈"学生更加经常使用计划和目标策略（见表7）。

表7 "汉字圈"和"非汉字圈"学生元认知策略使用的平均分数

策略	母语背景	
	汉字圈（N=78）	非汉字圈（N=58）
监控	3.25	3.14
计划	3.50	3.16

其他二维和三维交互作用都不显著（$p > 0.05$）。

四 讨论

留学生对字形策略、重复策略使用比较多，而对归纳策略使用比较少，这和 McGinnis 的研究结果是一致的。McGinnis 要求一年级学生对其使用的汉字学习方法进行自我报告，发现最常用的方法是进行机械重复和对汉字的整体外形编造一些故事，而利用声符和意符不是学生常用的策略。我们的研究也发现一年级学生学习汉字最常用的策略是记忆整体字形和机械重复，例如对汉字的字形进行想象、把汉字字形作为一个整体来记忆、做汉字书写练习，反复写生字，练习单个汉字。实际上，教师在教学实践中也会发现，初学者经常想象某个汉字看起来像什么，例如把"商"字看成一张悲伤的脸。这种方法是把汉字作为一个整体来记忆。对于汉字这种"图画式的文字",初学者常常试图根据其整体形状赋予其一定意义,即将之和大脑已有的图式建立某种联系,这种联系对学生本人来说是有意义的,可以帮助其记忆汉字。但这或许也是学生书写汉字时常常出现"缺胳膊少腿"、"丢三落四"现象的原因之一。

利用声符和意符不是学生常用的策略,这个结果很值得我们重视。虽然汉字教学要求学生利用声符和意符,但是,实际上初级阶段的学生很少使用这个方法学习汉字。对此可以有三种可能的解释:一是学生没有认识到声符和意符的重要性。尽管许多研究者认为利用声符和意符学习汉字的方法是非常重要的,学生却没有认识到这一点。但是 Ke 的研究结果与这个解释不一致,在他的研究中,初级阶段的学生认为利用汉字的部件(包括声符和意符)记忆汉字是比较有效的方法。二是学生认识的汉字比较少。声符和意符的利用要建立在一定识字量基础上,初级阶段学生的识字量还比较小,难于对数量有限的汉字进行归纳、总结,自然无法很好利用声符和意符去识记生字。当学生认识的汉字达到一定数量时,他们会自然而然地利用声符和意符去学习和记忆汉字。其实,这两种解释不一定是矛盾的,我们在实际教学当中可以将两者结合起来考虑,既要认识到学生对声符和意符的利用可能是一个随着识字量增加而自然出现的过程,又要设法加强学生对声符意符的意识。

汉字学习策略的使用与学生的母语背景有关。"汉字圈"学生比"非汉字圈"学生更多使用音义策略、应用策略,更少使用字形策略、复习策略。"汉字圈"学生经常做汉字的发音练习和意义理解练习(例如把汉字放在词语和句子语境中练习),并且能够借助词典或词汇表的帮助去阅读汉字课文、用汉字写作(例如记笔记、写信)。我们认为,这些策略的经常使用,与他们具有一定的汉字知识有关。"汉字圈"学生在学习汉语之前,或多或少接触过汉字,对汉字的字形特点并不陌生,记忆汉字的字形不会成为其难点,因此,他们可以更多使用注意汉字发音和意义方面的策略;而且相对于"非汉字圈"的学生来说,他们认识的汉字数量增加较快,这使得他们能够进行简单的汉字阅读和写作,能在使用汉字中学习汉字。"非汉字圈"学生则相反,他们大多数人在学习汉语之前没有接触过汉字,对汉字的感性认识少,特别是对汉字字形结构完全不同于拼音文字的特点感到很迷惑,汉字对他们来说就像是图画,字形是大难点,这使得他们更多地使用整体字形记忆的策略,同时还要采取及时复习所学汉字、避免遗忘的策略。有意思的是,无论是"汉字圈"学生还是"非汉字圈"学生,都不经常利用声符和意符学习汉字,这可能是因为,尽管"汉字圈"学生的识字量比"非汉字圈"学生的大一些,但还是比较有限,没有达到对声符和意符进行归纳、利用的阶段。

在元认知策略方面,对于监控策略,"汉字圈"学生和"非汉字圈"学生的使用频度没有显著差异,但对于计划策略,前者比后者更加经常。也就是说,"汉字圈"学生比"非汉字圈"学生更加经常使用制定汉字学习的计划、设置汉字学习的目标(达到什么程度)的元认知策略。这可能与"汉字圈"学生学习汉语的职业动机比较强有关。我们在汉字学习策略问卷调查的同时,对学生学习汉语的动机也进行了问卷调查,发现"汉字圈"学生与"非汉字圈"学生学习汉语的动机有显著差异,"汉字圈"学生学习汉语的动机由强到弱依次是:将来职业需要＞对汉语感兴趣＞旅游需要＞父母要求＞对中国文化感兴趣＞有朋友说汉语,"非汉字圈"学生学习动机由强到弱的顺序是:对汉语感兴趣＞对中国文化感兴趣＞将来职业需要＞旅游需要＞有朋友说汉语＞父母要求。由此可见,在各种汉语学习动机中,"汉字圈"学生由于将来职业的需要而引发的汉语学习动机最强,"非汉字圈"学生由于对汉语感兴趣而引发的汉语学习动机最强。将来职业需要是语言学习的工具性动机,这种动机强的"汉字圈"学生,对汉字学习有明确的目标,并能根据该目标制定具体的汉字学习计划。例如,有的学生将来要在与中国有贸易关系的公司工作,需要汉语读写能力,因此计划半年后要能够阅读教材上的汉语课文,一年后要能够阅读一般的汉语书报、能够写常见的应用文,等等。

我们发现,汉字学习策略的使用与汉语学习动机有关,这个结果与国外关于学习动机与学习策略关系的研究结果是一致的。Oxford 和 Nyikos 研究美国的大学外语系的学生,发现动机的强度是影响学习策略选择的唯一重要因素,动机强的学习者比动机弱的学习者使用更多的学习策略。而且动机的类型也影响策略的选择,如果学外语的动机主要是为了完成课程的要求、获得一个好分数,那么形式(语法)练习策略比功能(交际)练习策略更加经常使用。[1] Ehrman 研究美国外事服务中心的成人学生,发现这些因为职业需要学习外语的学生,功能(交际)练

---

[1] Oxford, R. & Nyikos, M. Variables affecting choice of language learning strategies by university students. *Modern Language Journal*, 73, pp. 291—300. 1989.

习策略比形式(语法)练习策略更加经常使用。① Ellis 在综述别人研究的基础上,也认为学习动机对学习策略的使用应该有决定性的影响,二者之间存在因果关系。我们的研究结果发现,在具体的汉字学习任务中,学习策略的使用也和学习者的动机有关,但二者之间的因果关系,还有待在进一步的实验研究中得到证实。

五 本研究在教学上的意义

影响语言学习的速度和结果的个人因素有多种,包括智力、语言能力倾向、语言学习动机、语言学习策略、语言焦虑、个性等认知因素、情感因素,许多研究表明,能力倾向和学习动机是预测语言学习成绩的最重要变量。但是作为教师,我们很少能够去影响、改变学生的语言能力倾向、学习动机以及个性等,对于学习策略则不一样,我们可以鼓励学生采取更加积极有效的学习策略去完成语言学习任务。

具体地说,本研究可以为对外汉语教学实践提供以下启示:

(1)可以利用汉字学习策略量表来了解不同学生的汉字学习策略特点。

(2)教师应当了解不同学生的汉字学习策略特点,鼓励学生采用多种方法来学习汉字。

(3)应当设法使学生更好地利用形声字、利用声符和意符学习和记忆汉字,教材编写和实际教学应该加强学生在这方面的

---

① Ehrman, M. The role of personality type in adult language learning: an ongoing investigation. In T Parry & C. Stansfield (eds.), *Language Aptitude Reconsidered*. Englewood Cliffs, NJ: Prentice Hall. 1990.

意识。

(4)鼓励学生经常使用制定计划、设置目标的元认知策略来调节、管理自己的汉字学习活动。

第六节　第二语言学习者交际策略研究[①]

有一位外国旅游者在饭店点菜,他想吃鸡蛋,却想不起来这个单词。这时,正好有一只大公鸡走过,于是,旅游者和服务员之间就有了下面这段对话:

旅游者:"那是什么?"

服务员:"是公鸡。"

旅游者:"他爱人是什么?"

服务员:"母鸡。"

旅游者:"母鸡的孩子叫什么?"

服务员:"叫小鸡。"

旅游者:"小鸡出生以前叫什么?"

服务员:"鸡蛋。"

旅游者:"我就要鸡蛋。"

我们在使用外语时,一定会碰到许多无法表达的事物或概念,那么,如何解决这样的问题呢?当然可以回避。例如,在上例中旅游者可以点他知道的菜而不点鸡蛋。但也有许多时候是

[①] 本文原标题为"第二语言学习者的交际策略研究",作者彭增安、张少云,原载《云南师范大学学报》2003年第1卷第2期。

回避不了的。于是,许多第二语言学习者就采用迂回等手段来达到交际的目的。我们把这些努力都叫做交际策略。

一 交际策略的定义

我们先看一下这个领域的专家是如何定义第二语言学习者的交际策略的:

交际策略是第二语言学习者在表达上遇到困难的时候所采用的技巧;[1]交际双方为了表达一定的意义没有能共同理解的结构时双方做出的努力;[2]交际策略是交际者为了达到一定的交际目的而有意识地考虑解决遇到的困难;[3]运用不太熟悉的第二语言交际时为解决交际中的困难所采用的技巧。[4]

他们的定义虽然各异,但我们不难看出交际策略至少应包含以下几个因素:1.交际出现问题;2.学习者有意识地寻找解决问题的途径;3.学习者是有计划、有选择地使用交际策略。下面我们将分述之。

首先,只有在交际出现障碍而不能继续进行时人们才去思考如何用适当的交际策略解决问题,这是交际策略最基本、最明

---

[1] Corder, S. P. Simple codes and the source of the second language learner's initial herristic hypothesis. *Studies in Second Language Acquisition*, (1977)1, pp.1—10.

[2] Tarone, E. Communication strategies, foreigner talk, and repair in interlanguage. *Language Learning*, 1980, 30, pp.417—431.

[3] Faerch and Kasper, G. Plans and strategies in foreign language communication. In C. Faerch and Kasper (eds.), *Strategies in Interlanguage Communication*. London: Longman. 1983.

[4] Stern, H. H. *Fundamental Concepts of Language Teaching*. Oxford: Oxford University Press. 1983.

显的特征。但是这样的定义很难操作。问题之一是如何知道一个人是否采用了交际策略,也就是说,我们怎么把使用交际策略的语言和没有使用交际策略的语言区分开来。虽然有一些语言教学专家提出过一些区分特征,但在实际语言运用过程中很难区分。问题之二是怎么看待交际中出现的问题,在一个人看来交际出了问题,另一个未必认为有问题。例如,有时候本母语者为了确保交际不出现问题也会不厌其烦地解释一些词语,这种解释对非母语者来说可能就应当做是交际策略。例如,本人就不止一次听到过中国人在饭店吃饭时这样向服务员要开罐器:"小姐,拿那个开啤酒的来。"如果此话出自外国人之口,我们可能就会把它当做是一种交际策略。当然,不可否认的是大部分情况下都是因为交际出现了问题才使用交际策略的,但我们并不能只依据是否出现问题作为判断交际策略的标准。

其次,是关于"有意识"的问题,诸多定义中都提到了这一点。也就是说,在使用交际策略时,说话者知道他在使用,但我们很难证明他们是否有意识地使用了交际策略。交际过程中当然包括策略的选择,但我们很难说他是弃此而用彼。一个人使用"番茄"或者"西红柿"可能是受方言影响,未必是一种策略的选择,说话者对此可能毫无察觉。

说到"有意识",我们很自然地另一个反应就是它只局限于那些"可以有意识地选择交际策略"的说话者。这就排除了不能有意识地控制谈话的孩子。然而,研究发现,孩子的交际像成人第二语言学习者一样使用了交际策略。所以,我们只能说他们在交际策略的使用中部分是有意识的。

最后是"有选择、有计划"。它指的是说话者可以从一系列交际策略中有意地选择一种有助于说话者达到交际目的的策略。它的深层意思就是说话者可以针对出现的问题有计划地选择一种适合此情此景的策略,也就是说,学习者可以根据相关因素比较系统地选择交际策略,这些因素包括语言程度、话题和谈话伙伴等。但是,研究发现他们并不能在交际策略和交际场景及其他因素之间建立联系。

由上我们不难看出,要想给交际策略下一个大家认可的定义是非常困难的。但我们又不能因此而放弃,至少可以在以下一些方面加强研究:一是如何辨别交际策略,哪些语言行为是使用了交际策略,哪些没有;二是通过分析言语行为解释交际策略,我们需要研究学习者在特定的语言环境中是如何选择和使用交际策略的;三是在教学中的运用。交际策略是否有可教性,如何进行教学才能提高学习者运用非母语交际的能力。

二 语言使用中的交际策略类型

交际策略是研究学习者学习过程的一个重要因素,虽然统一定义较困难,要想从理论上进行演绎推理也不容易,但也不能就此放弃。我们不妨采用归纳的方式,先看一下交际策略有哪些变体,经常出现的场合有哪些,如何对它们进行分类。

首先是在中介语中交际策略的使用。第一个指出中介语的范围和次范畴的是塞林格(Selinker)。[1] 在他开创性的论述中提出了中介语发展的5个过程:语言迁移;目的语语言规则的泛

---

[1] Selinker, L. Interlanguage. *International Review of Applied Linguistics*, 1972, 10, pp. 219—231.

化;训练的迁移;第二语言学习的策略;第二语言交际策略。这5个过程对中介语这个连续体的发展都起着重要的作用。因此,在塞林格看来没有必要明确区分学习策略和交际策略。在塞林格之后,Tarone 首先区分出语言使用策略和语言学习策略,她指出前者又包括两个次范畴:交际策略和表达策略。她把交际策略解释为"交际双方为了表达一定的意义没有能共同理解的结构时双方做出的努力",而表达策略是"用最少的努力试图更清楚有效地使用一个人的语言系统"。两者的区别就在于努力的程度不同。如果这样理解,交际策略就不只包含语言形式,还包含有社会语言学和心理语言学的因素。这一点以前的研究中较少引起人们的注意。Tarone 把语言学习策略解释为"发展目的语的语言和社会语言学能力的一种努力",这就涵盖了几乎所有的能够帮助学生记忆和练习的教学活动。她把交际策略和学习策略一样当做是中介语发展过程中一个不可或缺的环节。

如果对这些交际策略按照语言、心理和情景进行梳理,就不难发现它们还是有一定规律的。

(一)调整信息还是拓展资源

Corder 从话语手段的角度把交际策略分为不同的类型。[1]他的区分是基于这样的推理:每一个说话者心里总有一个交际目的和目标,为达到此目标而从一定的交际手段中做出选择。当这种机制不能为他的交际目标提供合适的手段时,他就会做

---

[1] Corder, S. P. Strategies of communication. In C. Faerch and G. Kasper (eds.), *Strategies in Interlanguage Communication*. London: Longman. 1983.

出如下两种选择：一是改变交际目标，选择有足够表达手段的交际目标；二是改变达到目标的方式，也就是选择其他能达到交际目标的表达手段。例如，孩子就经常使用前者。当他们的语言表达不清楚某一事物或事件时，就选择那些可以用现有的语言能表达得清楚的事物或事件。在外语教学中我们经常碰到的情况不外乎两种：一是裁剪信息，让信息与语言水平一致；二是裁剪（包括增加、减少和调整等）语言以达到传递信息的目的。Corder 把他们分别叫做信息调整策略（message adjustment strategies）和资源拓展策略（resource expansion strategies）。在信息调整上，说话者可以采用一系列的方法，如话题回避、语义回避、缩减信息等。例如，我对运动的词汇比较熟悉，在同外国人交谈时就多谈运动，对我不熟悉的烹调就采取回避的方法。资源拓展策略我们可以依说话者承担风险的程度进行分级。任何拓展资源（主要是语言手段）的努力都存在一定的风险，它们都存在着出错的可能，这也就意味着他们要承担交际失败的风险。变换语码（如改用母语）对外语学习者来说是最有效的一种方法，但对听者来说是最无效的，这种方法最容易导致交际失败。如果用同义手段变换一种说法可能就会更有效。用副语言（态势语）表达风险最小，但交际成功的可能性也最小。

（二）缩减策略还是成功策略

Faerch 和 Kasper 提出了另一种分类方法，不过，这很容易让我们想到 Corder 的分类。他们把交际策略分为缩减策略（reduction strategies）和成功策略（achievement strategies）。当学习者遇到交际问题时，他可能采取两种办法：一是避开困难，跳过障碍，实际上就是调整信息；另一种方法就是为了达到交际目的而求助于其他表达手段,一切为了交际,这就是成功策略。他们进而又把缩减策略分为两类:形式缩减策略和功能缩减策略。学习者为了减少错误而采用他们熟悉的、有把握的、简单化了的语言形式来表达他们的意思,但这是建立在如下的假设基础上的:各种结构规则和语言项目(简单的和复杂的)都存在于学习者的中介语系统中,他们使用简单的结构只是因为他们没有选择更为复杂的。这中间又有两种情况:一种是学习者为了避免出错不使用那些结构复杂的或没有把握的,而有意使用简单的结构;另一种可能是学习者为了表达更加流利而避免使用那些还没有内化的结构。功能缩减是在言语计划阶段估计会出现交际困难而采用的一种策略,可能采用的方法包括降低或回避原来的交际目标。

(三) 调整意义还是调整形式

Varadi 根据调整意义还是形式对交际策略提出了他的分类方法。[①] 他的模式我们可以从两对对立的概念中看出:一对是意义和形式,另一对是缩减和替换。在日常交际中,我们是为了达到一定的交际目的而传递一定的信息。如果学习者的中介语系统中有现成的可供使用的表达手段,那么,表达的信息就是实际的信息。如果意义不能得到充分的表达,那么,学习者就会调整交际目标以适应他自身的编码能力。这样传递的信息就是经过调整的意义。调整意义又可分为两种方法:一是牺牲部分原始意义,即表达的意思比原先少。比如修饰语和附带成分的

---

① Varadi, T. Strategies of target language learner communication: message adjustment. *International Review of Applied Linguistics*, 1980, 18, pp. 59—71.

省略,它们对意义的传递影响较小。这是意义的缩减(meaning reduction)。还有一种是全部或部分替换原有的信息。因为现有的语言手段不能表达原来的意思,于是就全部或部分地进行替换。这叫做意义替换(meaning replacement)。

我们还可以对形式进行调整。这当然是以意义的调整密切相关的。形式的缩减包括对词语、短语和句式的省略等。形式的替换是指用同义手段来表达所传递的信息。

在对交际策略进行的比较成功的分类中,Tarone 的分类影响最大。Tarone 是较早研究外语学习者的交际策略的学者之一。她选取了来自三种不同语言背景的 9 位被试者,他们的语言水平是中等。她给被试者两幅简单的图画和一幅复杂的图画,然后让他们用自己的母语和英语分别描述这三幅画,最后对这些记录进行分析,试图找出学习者在相同的困难情况下所采用的方法。这种方法为这个领域的研究作出了重要贡献。她总结出以下常用的交际策略:

1. 回避　a 回避话题　b 取消信息
2. 释义　a 相似　b 造词　c 迂回
3. 有意识的迁移　a 直译　b 语码转换
4. 请求帮助
5. 副语言或称态势语

那些交际策略被分成五个主要范畴,有三个下面还有次范畴,这些都能从一定程度上反映出第二语言学习者在面对交际问题时是如何解决的。

首先是回避。如果学习者在交际的时候知道他可能会出现错误,最有可能采用的方法就是回避。在 Tarone 的实验中,当被试者缺少表达"蘑菇"的词汇时,最多的是采用回避的方法。Tarone 又把它分为话题回避(topic avoidance)和舍弃信息(message abandonment)。前者是指说话者根据自己的语言能力有意识地回避某些话题和词汇。后者是指说话者不经意提及某些话题而又迅速转向其他话题。回避是使交际继续进行的一种手段,但是对说话者来说未必是一件好事。如果一个人总是回避困难,他就很难提高语言表达能力。

其次是释义。Tarone 认为,释义是"在一定的交际语境中没有或找不到合适的形式或结构时选用另一种可以接受的语言形式"。这是一个很宽泛的范畴。Tarone 又把它分为三个次范畴:第一是"相似"。Tarone 解释为"学习者知道这个词汇或结构不正确但对学习者来说有足够的语义特征可以表达意义"。也就是说,这样的表达虽不够准确但也不影响交际。这种替换可以是概念正确但层次不同,也可以是不同事物但可以提供参考的。第二是造词(word coinage)。"学习者为了表达某一概念而造出一个新词。"最常引用的一个例子就是以 airball 来指代 baloon(气球)。第三是"迂回"。"学习者不能说出某个词汇或结构,但是他们可以通过描述事物或行为特征的方式来达到交际目的。"比如有学生不知道汉语词汇"白粉",他们却会使用"他们抽烟,白色的东西"。这可能是最常用的一种方式。

第三是"有意识的迁移"。这又分为两个层次:一是直接翻译字面意思。Tarone 的一个例子是一个中国人把"致祝酒词"(toast)翻译成"他请大家喝酒"(He invited them to drink)。二是语码转换,就是直接使用母语中的一些词汇或结构。比如学汉语的美国学生可能会说"我们吃面包的时候还要吃 cheese"。

第四是"请求帮助",这是一种常用的交际策略。这种情况经常发生在学习者与权威(本母语者和老师等)交际时。学习者可能会直接问老师,"这个在汉语里怎么说?"

第五是有的学习者使用副语言或者叫态势语。它包括交际中为了达到交际目的所使用的一切非言语手段。比如为了表达"帽子"这个概念,他会用手指自己的脑袋。

后来还有其他的一些分类方法,但还不够全面和系统。

三 影响交际策略选择的因素

在实验中已发现和总结出了许多交际策略,但影响学习者选择交际策略的因素有哪些呢?

一是学习者的语言水平。有一些策略对语言水平要求较高,而有些要求较低。但是,许多实验并没有发现交际策略的选择与语言水平有直接关系。实际上,交际策略的选择与其他因素都有关系。比如学生的性格。我们在对外汉语课堂上也可以看到日本同学不爱讲话,大部分人甚至不愿意尝试,而美国人又说得太多,他们总是用各种手段尽力传达自己的意思。交际策略的选择跟老师也有关系。如果课堂气氛比较宽松,学生就愿意多尝试,反之,学生在大部分时间里都会保持沉默。

二是任务类型。在分析交际策略的过程中我们可能会使用不同的方法,让学生完成不同的任务,其中包括描述图画、翻译、完成句子、完成对话和采访等。不同的任务会影响学生选择不同的交际策略。我们不难想象一个人在自然环境中和在有压力的环境中所采用的策略是不同的。许多实验已经证明:同一个人在不同环境下完成同样的任务会采用迥异的策略。

三是第一语言的影响。语言背景不同的被试者在选用交际策略时是否会有不同,现在还没有明确的证据,但这也是我们需要研究的问题之一。

四是语言的使用。本母语者和外语学习者在完成同样的任务时(比如描述一些不太熟悉的事物或概念),他们会不会使用同样的策略?

这些都有待我们进行深入地研究。

第七节 日本学生汉语词汇学习中的母语借用策略研究[①]

在对外汉语教学中经常会碰到日本留学生写的错句,有些错句不是在语法上出现了错误,而是句子中有些词在词形或词义上出现了偏误,究其原因就是日本留学生经常把日语中的汉字词直接运用到汉语表达中,那么,日本留学生为什么会出现这样的偏误呢?本节认为这些偏误是由于日本留学生在汉语词汇学习的过程中,借用母语策略泛化使用造成的。

一 借用母语策略与母语迁移

学习策略简单来说就是学习者为了提高学习效率而采用某些方法的行为。在第二语言学习过程中每个学习者都会采用一些提高学习效率的策略,不同的学习者在使用学习策略时体现

[①] 本文原标题为"日本留学生汉语词汇学习过程中借用母语策略研究",作者孙俊,原载《北京第二外国语学院学报》2005年第2期。

出不同的特点,在汉语词汇学习过程中日本留学生往往比母语为其他语系的留学生更多地采取借用母语这一学习策略。

借用母语是第二语言学习过程中常用的学习策略。第二语言学习者在学习第二语言过程中,必然会将母语中的知识和规律运用到第二语言的学习中,但是母语和第二语言是两种不同的语言,将母语中的词汇或语法规则借用到第二语言的学习过程中有时就要产生偏误。那么,这种由于学习者借用母语不当导致的偏误和母语负迁移所导致的偏误是不是一致的呢?

Selinker 在分析中介语产生的心理过程时,归纳出了五种心理过程,即语言迁移过程,由训练造成的迁移过程,目的语语言材料的泛化过程,学习策略与交际策略。可见,Selinker 认为语言迁移和运用学习策略的心理过程是不同的。

本节也认为上述两种偏误产生的心理机制是不同的,借用母语策略是有意识的行为,留学生在借用母语时,已经部分了解到母语和第二语言之间的异同,并认为这种对母语的借用有助于第二语言的掌握或交际的达成,而当学习者意识到这种借用不成立而导致了偏误后,能很快自觉地做出纠正,并在以后遇到类似情况时能主动回避使用借用母语这一策略,从而避免偏误的发生。

母语迁移是指第二语言学习者在第二语言习得过程中其母语对习得过程所产生的影响,从学习者心理过程来看,这往往是一种无意识行为所产生的结果。母语迁移既有正迁移也有负迁移,正迁移对第二语言的习得有促进作用,负迁移则会使学习者产生偏误。这种偏误具有化石化、反复性的特点,学习者往往很难自我纠正。而借用母语策略不当所产生的偏误没有化石化的特点,也不具有反复性的特点,只要学习者意识到发生了偏误,就可以主动对偏误做出纠正。

二 日本留学生较多采用借用母语策略的原因

这是由日语和汉语的关系决定的。汉语和日语分属不同的语系,两种语言在语法特征上的差异很大,但是由于两种语言之间的特殊关系使得日本留学生在学习汉语时较多地借用母语成为可能。

(一) 日语中的汉字

日语和汉语虽然分属不同的语系,但日语却很好地吸收了汉字作为其书写工具。据统计,现代日语书面语中,汉字占到了很大比重,在日语的学术用语中汉字所占的比重更大,其中逻辑学学术用语中汉字比重占到了88.6%。[①] 1981年修订的《常用汉字表》共有汉字1 945个,人名用字为166个。[②] 虽然日语中的汉字和汉语中的汉字读音不同,但日语在对汉字吸收过程中基本上保持了其原义,这样字义上的共同性成为日本留学生借用母语策略的基础。

(二) 日语中的汉字词

日语的词汇系统按来源分为三个部分,即汉语词汇、和语词汇、外来语词汇。和语词是日本本民族语言原有的词汇系统,日语中的外来语是指从英语、葡萄牙语等西方语言中吸收进来用片假名书写的词汇,汉语词汇来源于汉语,用汉字书写。在日

[①②] 李月松《现代日语中的汉字研究》,上海外语教育出版社1998年版,第141页。

的发展过程中,汉语词汇曾经在日语词汇系统中占到相当大的比重。比如《源氏物语》中汉语词共有1 888词,占到所用词的12.6%。①而1956年《例解国语辞典》中收汉语词汇21 656个,占全部词汇的53.6%,②正因为日语中存在如此大量的汉字词,日本留学生在汉语词汇学习中就可以对这些汉字词进行借用。

(三)日语对汉语的反哺

古代中日两国间的文化交流历史悠久,在文化交流中日本不但学习中国古代的文化习俗,且创造性地吸收汉字作为其语言的书写工具。到了近代两国间的文化交流也未中断,且呈现出了新的特点。日本在向西方学习的近代化过程中,利用汉字和成词规则创造了大量新词语,由于这些词的构词方法和汉语的构词方法相同,并且词的形态也一致,到甲午战争以后,这些新词大量进入到汉语词汇系统中,这样出现了一个现象,即日语里用汉语原有的语素造成新词或将汉语中已有的但只存于典籍中的词在赋予它新的词义后又反哺到汉语中,丰富了汉语的词汇系统。

因为日语和汉语有很多形义相同的字和词,日本留学生来到中国后,即使不懂汉语,通过这些字和词也可以得到很多必要的信息。久而久之就产生了这样的思维定式,即日语中的汉字词在汉语中也会出现且词义相同,只要按照日语中的词义进行认读或表达就一定成立。这样,在汉语词汇的学习过程中,日本留学生往往较其他国家的留学生会更多地运用借用母语的策

---

① 刘元满《汉字在日本的文化意义研究》,北京大学出版社2003年版,第17页。
② 同上,第19页。

略。

三 日本留学生对母语借用的表现

（一）在词汇识别阶段对母语的借用

第二语言学习者在对目的语词汇学习时，第一步是要对这些词进行识别，就汉语而言首先就是要认识汉字。对欧美学生来说这具有相当大的难度，但对日本留学生来说一般不会有问题。很多日本留学生来到中国刚开始学汉语时一句汉语也不会说，但是这不会影响他们在中国旅行、购物等基本生存活动，因为在中国街道上商店里很多牌子、产品名称、各种标识所用汉字的形义与在日本所出现的相同。这些日本留学生借用他们在母语中已经掌握的汉字和词的形义可以猜出这些牌子、标识所表示的意思。比如这样一些词：自由、民主、皇帝、身体、太平洋、大西洋、地中海、古代、自然、大理石、宗教、地球、地名、宇宙、研究、国旗、世界、欧洲、首都、政府、社会、国家、移民、原料、原因、挫折、茶色、傀儡、歌声、旅馆、书店、花店、水族馆、学校、警察等，这些词与日语中的对应词为同形同义词，因此，日本留学生在识别上述这些词时一般不会有什么困难。

有些汉语词与日语中相对应的汉字词只有微小的差别，日本留学生在见到这些词后只要借助母语稍加猜测也能得出正确的词义。如高速公路、邮局、幼儿园、飞机场、儿科、洗手间、地铁、人行横道等，这些词在日语中相对应的词分别是：高速道路、邮便局、幼稚园、病院、小儿科、御手洗、地下铁、横断步道等。

汉语中还有一些词在日语中并没有对应的同形词，但是只要词中的语素与日语中的语素相同，日本留学生根据母语中汉字的形义和构词规律也能猜出该词的词义。如洗衣店、红绿灯、邮票、收费等。

汉语中有一些词在汉字简化以前其形态和日语中对应词的形态完全一致,简化以后有微小的形态变化,如马车、人力车、教师、军事、经济、环境、生产、遗产、历史、难度、问题、距离、运动、观光、列车、国际、统治等。日语中相对应的词形为：馬車、人力車、教師、軍事、經濟、環境、生産、遺産、歷史、難度、問題、距離、運動、観光、列車、国際、統治等,这与汉字简化以前的词形相同。

在对汉日同形同义词的识别过程中,日本留学生借助母语的知识都能够识别且不会产生偏误。在对汉语中在形义上与日语有差异的词进行识别时,学习者因教育、想象力等个体因素的不同会导致不同识别结果的产生,有些人通过借用母语能够正确识别,有些人则会产生偏误。

(二) 在词语学习阶段对母语的借用

日本留学生在对汉语词汇学习过程中,如果碰到一个汉日同形同义词,他只要把这个词和母语中已经掌握的词建立链接即可,省去了对这个词进行理解、记忆和学习如何使用这一系列的过程。在输出过程中也只需要在记忆中搜索出这个词然后直接运用即可,恰当地借用母语对其学习汉语有很大促进作用,日本留学生汉语的阅读水平总体上要高于同层次的欧美学生,其原因就在这里。

(三) 在输出阶段对母语的借用

第二语言学习者在学习顺序上先从输入阶段开始,学习者在这个阶段将目标语的语言信息输入到大脑中,经过理解、记忆、归纳等一系列消化过程,然后在输出阶段把已经掌握的语言知识输出。第二语言学习者的第二语言信息的输出量总会小于输入量,即第二语言学习者的写作、口语水平总会低于其阅读、听力的水平。第二语言学习者只有在对第二语言"学"了以后才能"用",同时对第二语言"用"的知识总是少于"学"的知识。

　　任何一个第二语言学习者都是在掌握了母语以后再学习第二语言,这样在输出过程中都会受到母语的影响,都会采用借用母语的策略。母语为英语的学习者其输出阶段总会晚于其输入阶段,对母语的借用一般体现在对词序等母语语法元素的借用上,而日本留学生在输出中对母语的借用突出表现在对词和构词规则的借用上。

　　在汉语学习的初始阶段,日本留学生的潜在输出量大于其输入量,有这样一个真实的事例可以说明问题。有一个日本留学生,刚到北京不久,他的自行车坏了,于是把自行车推到修车铺去修理,可是见到修车师傅时却不知道该说什么,情急之下用日语说"修理修理",修车师傅居然听懂了,用汉语回应说"好!修理修理!"。这两个人用各自的母语在特定环境下达成了交际,这是该留学生对其母语词和语音的借用。可以看出日本留学生对母语的借用在汉语学习的开始阶段就可以进行,在书面语的输出过程中日本留学生对这种借用策略运用得更多。但是日本留学生对母语借用并不是每次都正确,当汉日同形词的词义也相同时,对日语汉语词借用一般不会发生偏误,如果有差异,日本留学生就容易发生偏误。

四 借用母语汉字词导致偏误的表现

（一）对名词借用导致的偏误

日语中的名词没有形态的变化,这一特点和汉语相同,这样两种语言中的汉字名词较容易进入到对方的词汇系统中。日本留学生借用日语中的汉字名词表达时,在语法上不会有偏误,但是日语中的汉字名词和汉语中的名词在词义上有时并不是完全一致,有时在形式上也不是完全一致,如果留学生不了解这些就容易导致偏误的出现。如：

(1) 我哥哥是工作人①。
(2) 我的同屋是米国人。
(3) 你的主人做什么工作？

在上述三个误句中,留学生不知道汉语对应名词的情况下,借用母语中的汉字名词来表达,但是这些汉字名词有时在汉语中并没有出现[如:例(1)],有些是不同形态的词[如:例(2)],有些日语中的词在汉语中虽然也出现了,但是词义完全不同[如:例(3)]。上述例句中的名词在汉语中相对应的表达分别是:有工作的人、美国、丈夫。这类汉字名词在日语中大量存在,因此,日本留学生对这部分词的借用较多,也较容易出现偏误。以下列举的一些汉字名词只是本人在日本留学生作文中收集到的,有些词在汉语中有相对应的词,有些则没有。如：

社会人（进入社会的人）②、电车（城市轻轨）、爱人（情

---

① 加点词均为日本留学生借用母语出现偏误的词。
② （ ）中为该词在汉语中的对应词。

人)、主人(丈夫)、先生(老师)、娘(女儿)、素人(非专业人员)、手纸(信)、硝子(玻璃)、珈琲(咖啡)、私塾(补习班)、映画(电影)、人间(人)、时间(时间、小时)、床屋(理发店)。

(二)对日语成语的借用

日语中有一些来源于古代汉语类似于汉语成语的词,可称之为"日语成语",这些日语成语基本保留了原来汉语成语的词义,并用汉字书写,日本留学生在对这些词借用时,往往忽略了这些词在形态上与现代汉语成语之间的不同。如:

(4)现在日本是秋天,天高马肥很漂亮。

"天高马肥"在汉语中相对应的成语是"秋高气爽",像这样的日语成语还有塞翁之马、兴味津津、同工异曲等。这些词在汉语中对应的成语分别是:塞翁失马、津津有味、异曲同工等。

日语中还有些成语和汉语中的成语词形完全一致,但是两者的词义不同,比如:朝三暮四,汉语中的"朝三暮四"是指变化很快,在日语中是指用花言巧语进行哄骗。

(三)对日语称谓语的借用

日语中的称谓系统与汉语中的称谓系统是不同的,但是很多日语中的社会称谓用汉字书写,而且构词规则也相同。日语中有些社会称谓已经进入到了汉语的称谓系统中,这样就更容易使日本留学生犯以偏概全的毛病。日语中有些职务称谓在汉日系统中都有且词义相同,比如:首相、天皇、部长、校长、院长、村长、总理等。但是有些称谓在汉语系统中却没有,比如:课长、学长。还有些称谓语的书写形式相同,但是意思却不一样,比如:干事、先生等。这样有时日本留学生在借用母语表达时,就要发生偏误。

(5) 你的彼氏真的很帅。
(6) 昨天我的课长来北京了。
(7) 昨天我的先辈喝了很多酒,他醉了。

"彼氏"在汉语中对应的是"男朋友";"课长"在汉语中相对应的是"科长";"先辈"对应的汉语词是"高年级同学"。

(四) 对量词的借用

日语和汉语都使用量词,有些日语中的量词和汉语中的量词形义都相同,而有些日语中的量词是日语独有的,如:人前。有些日语量词所使用的对象和汉语不同,如:羽,日语中作鸟类的量词使用,而汉语中一般鸟类的量词都用"只","羽"只有在信鸽比赛中才用来做量词。如果忽视汉日之间量词的区别,将日语中用汉字书写的量词借用到汉语中就会发生偏误。如:

(8) 我只做了三人前的饭,怎么办呢?
(9) 在我的房间看见了一匹蟑螂。

"人前"在日语中是量词,意思是一个人的分量;"匹"在汉语中一般只用于马或布的量词,蟑螂的量词在汉语中是"只"。与汉语不同的日语量词还有:

羽(鸟)①、人前(套餐)、匹(昆虫、哺乳动物)、本(头发、笔、树、道路、公共汽车的车次)、枚(纸、硬币、纸币、树叶、盘子、碟子、衣服)、册(书本)、足(袜子、鞋子)。

(五) 对母语动词的借用

日语中有些动词从汉语中来,同时也保留了汉字书写的基本形式,但是这些动词在词义及用词范围上和汉语中的词并不

---

① ( )中为该量词在日语中所接名词的种类。

等值,日本留学生在借用时也会发生偏误。如日本留学生在看到桌子上的菜很漂亮时,他们会说"很感动!",看到美丽的风景也会说"感动",而在汉语中这两种情况下都不用"感动"这个词。再比如下列例句:

(10) 我跟朋友相谈相谈。
(11) 昨天班长没出席孙老师的课。

上述例句中的"相谈、出席"都不太准确,分别应该是"商量、上",这也是对日语动词借用不当造成的偏误。

(六) 对母语语素的借用

日语中有些形容词和动词是由汉字语素与平假名组成,其中主要是汉字语素起表意功能。日本留学生受这部分汉字的影响,在汉语表达过程中对这些词借用时,略去这些词后半部分的平假名,只借用其中的汉字部分。有些日语词的汉语语素的语义和汉语中的语义已经不完全相同了,日本留学生有时不能全面了解其中语义上的差异,结果发生了偏误。例如:

(12) 下星期朋友到我家遊一遊!
(13) 我一个人在家里很寂!

上述例句中的"遊"实际上是借用日语中动词"遊びに"的汉字语素,日语中的"遊びに"翻译成汉语是"玩"的意思。故此句中的"遊一遊"应为"玩一玩"。"寂"则是借用日语形容词"寂しい"中的汉字"寂",现代汉语中"寂"一般不单独成词,而是使用"寂寞"一词。

(七) 对母语固定结构的借用

日语中"名词+中"这一结构经常使用在各种招贴牌子上,以引起人们的注意,比如营业中、工事中、受付中等。汉语中也使用这种结构,但是没有日语中使用频率高,汉语里一般出现在句子中,日本留学生往往忽视这点,在他们的漫画作品中就出现了这样的结构:"上课中"、"学习中"。在汉语里,"上课中"、"学习中"这样的结构一般做句子的状语,意思是"在上课的过程中"、"在学习的过程中",一般不单独使用。

五 对策与评价

第二语言学习者对其母语中的词语或语法元素进行借用,这种行为符合一般认知规律,有时也是行之有效的手段,有助于对第二语言的掌握。但是,这种借用母语策略如果过度泛化使用就容易导致偏误的出现,因此借用母语策略使用度上如何把握,需要教师对学生进行适当干预,但如何干预以及何时干预则需要进一步研究。

日本留学生在汉语文字输出过程中对日语汉字词借用,对这种现象有时很难评价。如果判为正确,会觉得不太自然,因为汉语中并没有这样的词。如果认为不正确,但是有时会觉得这个词用得很好,中国人很容易理解,如果换一个汉语中成熟的词很难准确表达造句者想要表达的意思。本文认为,实际上这样的词语很容易进入到汉语中,我们不妨对这样的词语加以吸收。比如这个句子:"日本是时差通勤,每个大学上课的时间不一样。""时差通勤"就是各单位在不同的时间上班以错开上班高峰。这个词在汉语中还没有对应的词出现,日本留学生不可能自己造一个汉语词来表达,用汉语加以解释对留学生来说也是较困难的,因此只能借用日语词。另一方面,这个词对中国人来说符合我们的阅读习惯且容易理解,因此,没有必要再重新造一个词出来,但是,这样的词最终是否能进入到汉语词汇系统中,还需要时间的检验。

第八节　外国学生汉语学习过程中的回避策略分析[①]

第二语言学习者在交流遇到困难,他们的语言能力不能解决的问题时,往往使用语言的或非语言的手段,即交际策略,使交际得以继续进行。回避策略是学生在社会交往及学习过程中较多使用的一种交际策略,具体表现是,学生在运用目的语的过程中,语言能力不足以自如地表达意思时,对语言表达的内容、形式作出避难就易,避繁就简的选择,以求跨越语言运用的障碍,达到表达思想的目的。我们将针对外国人汉语学习过程中使用回避策略的现象、原因以及教学对策进行分析探讨。我们讨论所涉及的,除了一些研究者很关注的回避现象,如:回避某类不熟悉的话题或不适应的交际场合,以及回避使用没有把握的词语、句型等;[②]还包括使用近似方式(use approximation)、调整(简化)方式(adjust the message)等交际策略的其他类别的问题。因为它们都体现出学生回避难点以排除语言障碍的行为方式,我们都列入回避策略的讨论范围。

[①] 本文原标题为"外国人汉语学习过程中的回避策略分析",作者罗青松,原载《第六届国际汉语教学讨论会论文选》,北京语言大学出版社 2000 年版。

[②] Littlewood William *Foreign and Second Language Learning*, Cambridge University Press, 1984. p.84.

王初明《应用心理语言学》,湖南教育出版社 1990 年版,第 81—82 页。

一 回避策略在学习过程中的表现形式

(一) 回避某些不熟悉、有难度的话题

在学习过程中,如果让学生自由选择话题做成段口头或书面表述时,学生几乎毫无例外地会选择自己熟悉的,比较容易组织语言的话题。如在中级阶段的口语练习中,不少学生愿意选择物价、旅游、娱乐活动等日常生活问题来讨论,对这个阶段开始涉及的一些政治、经济及社会问题的话题,虽然有兴趣,表达意见时有畏难情绪。在一个中级班的自由发言的练习中,9个学生中有2个谈家庭,5个谈旅游见闻,1个谈留学生活,只有1个介绍自己生活的城市的历史、文化。在书面表达如选题作文时,一般愿意选择记述的文章,对于议论文和说明文则不会主动选择。这里虽然有文化知识、思维水平的局限,但对学习第二语言的成人来说,主要问题还是由于语言水平造成的障碍,使得他们有意回避某些话题。

(二) 用手势等非语言手段辅助短暂的,不连贯的话语,代替连贯完整的表达

口头交际的特点之一就是可以利用其他非语言手段来配合、补充语言表达,如表情、手势、动作等。这种表达方式的具体表现是回答问题时,急于调动这些非语言手段。客观原因是语言实力不足,主观上则是因为不自信、有依赖性,于是就采取回避完整的表述,而寻求"代用品"的手段。如笔者在一个中级水平的口语课堂提出"中文信封怎么写?"这个问题,刚学完这项内容的学生,只有个别学生完整说出"收信人的地址写在信封左上角,寄信人的地址写在右下角。"这样的句子,而大部分学生部分

使用了手势,夹杂"左边""右边"指出"左上角""右下角"的位置。另外有一半左右没有规范准确地表达"收信人地址"、"寄信人地址",而是简化为"收到信的人";"写信的人"等。当被要求讲述某次购物或旅游经历时,学生借助事实本身的易懂性,即听话人一般能够凭借基本词语明白意思,讲述语言有很多断续、跳跃,并夹杂手势,内容简单而不完整,语法错乱。这种表达方式不仅初级水平的学生使用较普遍,有的中高级汉语水平的学生也用。如果不注意限制,学生脱离不了"习惯",语言输出会在低水平状态停滞不前。

(三)选择较为浅显的词语,而回避使用意义、用法比较复杂的词语

学生使用目的语表达时,词语的问题最为突出,采用回避的方式也最频繁。因为词汇运用的选择余地较大,尤其在词汇量达到 3 000 以上的中级水平时(《汉语水平词汇等级大纲》的甲级词 1 000,乙级词 2 000),他们的选用幅度可以有很大的差异。学生表达中趋于简单化的现象还是很普遍的。有的是由于可供调动的积极词语少,有的是习惯使用那些稳妥、不易出错的词语。例如有个学生讲他的朋友请他吃饭,一顿饭花了上千元,想不起"浪费"一词,犹豫一下后便说:"我想他花太多钱。"学生复述学过的课文时,仍习惯使用比较熟悉的词语代替课文中新学习的词语,如用"太麻烦"来表达"费事"。自由表达中频繁运用常用简单词语的现象更普遍,如:"人和人的关系很强",用"强"取代"密切";"环境污染很大",用"大"替代"严重"。在课堂上如果让学生评价某个电影戏剧小说,甚至某个人,某门课等,往往简单地说"很好"、"很有意思"、"不错"等泛泛而谈的评价语言。

这并不是因为没有学过"真实、自然、生动、感人"、"开朗、活泼、热情"等词语,而是缺乏使用的信心和热情、动力、习惯。

(四) 用简单句式代替复杂的、易出错的句式

学生在学习掌握汉语中独特的句式时会有一定的难度。于是在一些可以自由选择的情况下,往往回避使用这类句式。例如被动句、"把"字句等句型,在教学中是作为重要的语言点来讲授、训练的,但是在学生的语言运用中明显表现出回避的心理。如笔者调查了中级班(语言水平 HSK3—6 级之间,母语为日语和韩语的学生)45 份写作考试试卷的"把"字句和"被"字句的使用情况,作文选题有记叙文、说明文等不同文体,每篇平均字数 500 字左右。所有这些作文中,只有 5 个"把"字句,7 个"被"字句。

另外,"着"字句,即带动态助词"着"的句型,学生也表现出回避使用的倾向,采用不用或代用的方式绕开使用"着"字句来表达,结果是影响了正确表达。[①]

对关联词语及复句形式的运用,笔者曾经做过一个统计,在 42 份母语为英语的中文专业 4 年级学生的写作考卷中,使用关联词语的统计数字如下:

因为……所以……90

但是/但 68

如果……就……53

由于 26

---

① 岑玉珍《"着"字句的教学探讨》,《对外汉语教学探讨集》,北京大学出版社 1998 年版。

虽然……(但是)24

不过 19

因此 18

而且 14

为了 12

尤其 9

不但……(而且)8

可是 7

而 6

要是 4

并且 3

尽管 3

只要……就……3

只有……才……3

无论……都……3

不管……也……3

反而 3

假如 2

以下词语各出现一次：

于是；不是……就是……；不是……而是……；与其……不如……；从而；然而；否则；此外；先……后……①

这里除了母语背景、文章内容等其他影响关联词语及复句

---

① 罗青松 Advanced Chinese Writing: error analysis and teaching principle, *Selected Papers of the 10th EACS Conference*, Charles University, Prague. 1996.

形式选用的因素之外,学生避难就易的语言运用方式也可略见一斑:一些关系比较简单的关联词语及复句形式使用较频繁,而相对来说语义关系较为复杂的则较少使用。

(五)用书面表达方式代替直接的口头表述

让学生口头表达时,如果给准备的时间,他们往往手拿讲稿念;要求复述课文内容时,经常摆脱不了课本,甚至"照本宣科";要求只准备提纲的口头作文中,不少学生仍是选择照写好的稿子念;在口语考试中,如果事先知道选题范围,这种先写后背的情况更为普遍。大部分学生在考前把口试题目以书面形式答卷,再背诵。

(六)用词典、书本上提供的现成的语言形式代替活用和创造

学生做词语搭配、造句练习时,往往照搬词典,用书上或者词典上现成的句子,不敢越雷池一步。这样就很难跨越从语言知识接受理解到真正创造性地运用这一过程,也就很难真正掌握语言。

以上所列举的,有的是语言内容本身的避难就易的转换,有的是在形式上采取回避有可能犯错误的表达方式。但共同的特点都是为了避免出错,用比较方便容易的方式进行表达。

二 原因分析

回避策略是一种表现在语言运用中的心理行为,根本原因是学生语言水平和要表达内容的不协调。学生或是语言能力无法达到表达的要求,不得已而求其次,找"代用品";或是语言能力有可能达到,但由于心理上的原因,便选择比较稳妥、简易的表达方式。以下我们从学和教两方面来探讨学生使用回避策略的原因。

（一）学生母语和目的语的差异

学生第一语言和第二语言的差异会导致对他们在使用目的语时，回避某些相异的语言形式。一些学生母语中没有的或有区别的语言结构方式，往往在学习、理解过程就有一定的障碍。而要使这些语言方式内化，自如地运用，自然会感到困难。如前面我们提及的"把"字句、被动句等。这种差异反映在学生的语言行为上，有两种可能，一是套用自己头脑中的某个母语的规则而过度使用，如有的研究者对英国学生"了"的使用调查，就指出因为受英语时态影响，滥用"了"的现象。① 二是回避使用，这是比较消极的，但也是很普遍的对策。

（二）学生语言能力与思维水平的差异

第二语言学习者大都是思维成熟的成人。在需要完成比较复杂的表达内容，但语言水平又无法达到时，作为有应变能力的成人，作出的自然、直接的反应往往是采取一些简化、迂回的方式，对所用的语言做一些调整，回避某些难点，即语言上的障碍，以达到传达意思的目的。

（三）畏难心理

运用回避策略自然是出现在语言表达遇到障碍的时候。在这种情况下，有的学生愿意积极尝试新的表达方式，而有的产生畏难情绪，怕出错，为了完成学习任务或交际活动，便选择使用降低标准的语言，或非语言手段，以避免直接面对

---

① 赵立江《外国留学生使用"了"的情况调查与分析》，《第五届国际汉语教学讨论会论文选》，北京大学出版社 1997 年版。

挑战。

(四) 应试心理

这同上面的畏难情绪联系的。考试时学生的求正确、稳妥的心理体现得最充分。如写作考试中,对一些较为复杂的词语,一些体现汉语特点的句式:把字句、被动句、存现句,较为复杂的复句等,都不敢涉及,宁可用其他简单的语言形式代替。前面已经列出了一些考卷的统计可以说明这一点。

(五) 输入语料贫乏

由于学习时间、教材容量等的限制,像阅读、听力等方面的材料,在量上面的要求没有充分重视。教学材料主要是阶梯性的,而缺乏平台式的辅助材料。学生对目的语的接触面有限,直接影响到他们知识的牢固程度和技能的熟练程度。在脑海中没有充分的储备,一旦交流出现问题,就很难有更好选择,只好退避三舍。王魁京谈到话语编制的几个必要条件:"(1)需要对输入的第二语言材料真正理解,不能似是而非、模棱两可。(2)需要有一定数量的词汇、句子结构方式以及它们在应用上的有关知识的储备。(3)词语、句子结构的使用要熟练。"[①]这些影响到输出语言质量的基本条件中,输入的量是一个很重要的因素。如有的研究者指出的:"学生对目的语的接触面及目的语输入量的多与少,直接影响到语言学习的效果。"[②]

[①] 王魁京《第二语言习得内在过程的认识与作为外语的汉语教学理论问题的思考》,《第三届国际汉语教学讨论会论文选》,北京语言学院出版社1991年版。

[②] 刘珣《试论汉语作为第二语言教学的基本原则》,《第五届国际汉语教学讨论会论文选》,北京大学出版社1997年版。

（六）教师对待学生语言运用的错误比较严苛，而心理疏导不充分

对待表达中的问题有错必纠，过于严格容易造成学生的心理压力，使他们对一些没有把握的语词望而却步。威尔金斯谈到过分纠错的负面作用："既然错误是学习过程的一个正常部分，那么就没有理由对错误加以非难，也没有理由不惜一切代价去排除学习者犯错误的可能性。其实不那样做更好，因为如果学习者千方百计避免犯错误，加上害怕老师纠正他的错误，那他就不能放心大胆地自由使用外语。"[①]学生怕出错的心理是普遍存在的。教师应该在心理疏导、语用提示两方面着手，消除学生的紧张情绪。

（七）教师评价看重对错，而不关注语言质量

教师的评价直接影响到学生的语言行为方式。如果只以对错来评价，就会起一种误导作用。学生可能会首先考虑不出错，对一些可以尝试的，还没有完全在脑海里转换成积极词语——能够随时调动起来运用的词语，不敢轻易尝试。一篇没有语言问题的作文并不一定是语言质量高的作文，因为可能一些隐藏的问题没有暴露出来，学生只是用一些自己有把握的、比较简单的语言形式来表达，而回避了自己没有把握的语言形式。这种情况下，老师的评价应该看到隐藏的另一面。

三 教学对策

在语言有障碍时，一切促使完成交际的手段都是有意义的。

---

① 威尔金斯《外语学习与教学的原理》，国际文化出版公司1987年版。

回避策略作为一种达到交际的手段,无疑有积极作用。除了可以克服由于语言水平的欠缺造成社会交往的障碍之外;在课堂教学过程中,还可以帮助完成师生之间、同学之间的交流,推动课堂教学的进程。但是,如果过多运用回避策略,就会对学生的学习进程产生负面影响。它容易使学生因为能够应付交际而满足现状,形成一些简化用语的定势,并使一些错误的语言形式"固化"。所以在我们的教学中,尤其是中高级阶段,要加强引导,采取多种形式限制学生过度使用回避策略,鼓励他们在语言障碍面前,大胆尝试,循序渐进地提高语言水平。我们这里提出几点教学中可能采取的策略:

(一) 扩大语言输入

语言表达运用不是无源之水,它需要学生接受大量的语言信息,并经过强化,保留储存在大脑中。我们的教材,侧重关注阶梯性的语言材料各个等级的划定以及量的限定;而对在教学过程中如何给学生提供大量的平行的、辅助性材料考虑不周。克拉申(Krashen)提出的输入假设(Input Hypothesis)就强调语言输入材料的可懂性以及充分的量等要求。[1] 大量的语言材料可以帮助学生巩固所学的语言知识,强化语言技能,促使他们在运用中能够比较自如地调动储存的词语、句型等语言手段。学习转化到运用不是收支平衡的关系,而是需要大量的积累。积累有限,运用时就难免捉襟见肘,穷于应付。

(二) 限定性训练

这是对学生语言输出如何合理控制的问题。我们在指导学

---

[1] Krashen, Stephen D. *Principles and Practice in Second Language Acquisition*, Pergamon Press, 1982. pp.63—73; pp.16—17.

生练习目的语表达时,尤其是组织学生口语练习时,需要有一定的自由度,否则会影响学生发挥。但是,在关注课堂教学的交际性,如开口率、课堂气氛的活跃程度的同时,对语言的质量,如新词语的覆盖率,用词、语法的准确率也不可忽视。课堂教学的交际性原则不只是体现在教学过程,更重要的是体现在目标、导向上。所以,输出语言是否能经过控制、指导,一步步在准确率和得体性上有进展,是体现交际性原则更为实质的问题。拿口头表达训练来说,发言的自由度最好表现在话题上,而在语言运用上则要控制,在难度上有要求,有由简到繁的规定性,不可信马由缰。比如自我介绍,你可以谈得极其简单,也可以说得比较复杂。教师如何要求,直接影响到学生语言表达水准的定位。我们对中级水平学生,练习自我介绍时就提出一些句式上的要求,如:"我对……感兴趣","我计划在一年之内……","我之所以……是因为……"。这与初级的类似练习在难度上分开了层次。一些体现汉语特点的句型,是汉语学习过程不应该,也无法回避的问题,就要强制性地融入练习中,让学生逐步形成第二语言的语感。限定性训练不仅体现在语言的限定上,还应该在表达方式上有要求。口头作文就不能念作文,口头表述就不要拿讲稿照念,复述就应该离得开书本等等。这些要求当然要循序渐进地提出,朝着改进学生的输出语言的质量的目标努力。即使出现错误,也可以视为前进中的必由之路,学生一旦在教师的指导下掌握了正确的方式,就可以在语言水平上迈上一个新的台阶。

(三)订正式引导

教师不仅应该订正语言运用上的错误,还要引导学生在语言运用上更加符合阶段标准、更加成熟完美。学生完成表达后,要对有可能上升到比较复杂、准确的语言表达方式适时提醒、订正。如有的学生说:"我朋友回国以后,常想这儿的生活。"我就提醒用上"留恋"这个已经学过的词。有个学生在讲述购物经过,表达中出现"我要他便宜一点儿,他不同意。他说 200 元,我说 80 元可以吗……"这种表达没有语法、词汇的问题,但是句子不连贯,用词简单化。我就提醒应该用"讨价还价"、"砍价"等新学的词语,并帮助他们进行语言上的整理,把他们没有用上的连接词语、连句方式补上。这样的指导越具体,学生的收益越大。他们在自己表达完后,对自己不得当之处往往有所觉察,如果给予引导,能够帮助他们在语言运用上有所提高。教师有这方面的要求,学生才会更自觉地使用学过的词语、句型等。

(四) 调动学生的目的语知识

学生进行交际时,对于内容的关注甚于语言形式。这是一种正常的交际状态。但在课堂学习过程,就应该调动学生自己的认知,使得他们的第二语言在表达运用时不只是被动地接受评价和指导,而是运用成年人的分析能力,把自己学到的语言知识运用到语言实践中,自觉推动语言知识到技能的转化,使自己的语言方式更完善。Krashen 提出的"监控假说"(monitor hypothesis)中,提出学生的语言知识在到语言运用(输出)过程中起着监督调整作用的三个基本条件:时间、对问题的关注、对语言规则的了解。在我们课堂教学指导中,这是可以设法通过调配予以满足的条件。这种"监控"还可以超出 Krashen 提出的针对语言形式的正误,即输出的语法的准确性的控制,还可以用来调整语言程度的高低,包括用词、句型选择的丰富性、得体性等。在我们讨论引导学生克服回避策略的过度使用时,它的意义主要就体现在后者。教师和学生在课堂教学过程中可以共同完成这个过程,使得语言输出质量更高,更完善,而避免停滞不前。

(五) 进行心理疏导,积极评价学生语言输出中的一些发展中的错误

对学生大胆的、通过思考的尝试,即使有问题,也要分析,肯定合理的方面,鼓励这种尝试。不少教师有这样的经验:学习更为积极的学生,往往愿意尝试比较复杂的表达形式,而语言错误也可能更多。而一些一般水平的学生,文章整体语言水平低,内容简单平淡,但语言错误相对来说较少。教师评价应该是肯定积极尝试的做法,不能只看错误率,对语言难度应该考虑。这像跳水之类的体育项目,评价时不仅看完成情况,而且有难度等级这个关键因素。第二语言教师对学生的作业或口头表达的评价都应该有这个难度等级意识,这样才能起到鼓励学生循序渐进,冲击高峰的意识,最终达到提高语言表达能力的效果。

学生在第二语言学习运用过程中使用回避策略是不可避免的;我们不能简单地对它的价值和作用,作出肯定或否定的评价。作为一种交际策略,它在社会交往中,与在学习过程中的作用是有所不同的。我们认为在社会交往中,回避策略的使用有利于疏通障碍,使得交际顺利进行;而在学习过程中,它对语言提高的消极作用是不可忽视的。我们总的原则是:指导教学过程中,要引导学生不回避难点,尤其是不回避阶段目标规定之内的语言内容和表达方式,以求得充分发挥学习潜能,最终达到提高语言运用水平的目的。

第五章

学习者个体差异因素研究

第一节 外国学生个体差异因素与汉语学习成就的相关分析[①]

一 问题的提出

（一）研究目的

随着当代语言教育的中心价值观从"以教师为中心"转变为"以学生为中心"，第二语言教学研究的重点也已从专门寻求最佳教学法转移到对影响学习过程和学习效果的各种变量及常量进行研究上来。从学习者的角度看，这些变量和常量既有外部因素，又有内部因素。就学习者的内部因素来说，比较突出的有年龄、性别、母语背景、学习过程、学习者的认知和情感特征，等等。[②] 目前，对外汉语教学界在这方面已经取得了许多可喜的成果。除了对比研究、偏误研究、中介语研究、习得顺序研究和认知过程研究等产生了较大影响以外，[③]近年

---

① 本文原标题为"留学生的几项个体差异变量与学习成就的相关分析"，作者曹贤文、吴淮南，原载《暨南大学华文学院学报》2002年第3期。

② 刘润清、吴一安《中国英语教育研究》，外语教学与研究出版社2000年版。

③ 刘珣《近20年对外汉语教育学科的理论建设》，《世界汉语教学》2000年第1期。

来还有不少研究分别涉及了留学生的学习动机、学习策略和学习焦虑等学习者的个体差异方面,其中一部分研究还进一步探讨了这些因素与学习成就的关系,结果表明学习动机、学习策略、学习焦虑等因素会对学生的学习成就产生直接或间接的影响。[①] 然而,以往的个体差异研究都只是考察了某一个方面,没有把多种因素联系起来考察。因此,笔者打算在已有研究的基础上,对学习者的内部因素做一项多变量调查研究,并分析这些变量与学习成就的相关程度。如果最终条件成熟,我们将对影响学习成就的诸变量进行回归分析,以找出哪些变量在多大程度上能解释学习成就。由于这是一项规模较大的研究,而目前我们的资源有限,所以笔者打算在本次研究中,只选取一部分变量进行考察。本次调查将要考察的因素除了学生的性别、母语背景、学习时间等个人信息以外,重点是学习态度、学习动机、学习信念和学习策略等几项个体差异变量。通过对调查所得到的数据进行统计分析,揭示这些变量与学习成就的相关程度,并探讨此研究结果对教学的意义。

---

① 杨翼《高级汉语学习者的学习策略与学习效果的关系》,《世界汉语教学》1998 年第 1 期。
刘晓雨《语言获得与对外汉语课堂教学》,《语言文字应用》1999 年第 1 期。
徐子亮《外国学生汉语学习策略的认知心理分析》,《世界汉语教学》1999 年第 4 期。
钱旭菁《外国留学生学习汉语时的焦虑》,《语言教学与研究》1999 年第 2 期。
江新《汉语作为第二语言学习策略初探》,《语言教学与研究》2000 年第 1 期。
张莉、王飚《留学生汉语焦虑与成绩相关分析及教学对策》,《语言教学与研究》2002 年第 1 期。
赵果、江新《什么样的汉字学习策略最有效?——对基础阶段留学生的一次调查研究》,《语言文字应用》2002 年第 2 期。

(二) 所调查的几项个体差异变量的定义及其相互关系

态度是一种情感因素,主要指对某一目标的好恶程度。Rod Ellis 认为,语言学习者在如何看待目的语、目的语文化、目的语社团成员、目的语的社会价值等几个方面显示出不同的态度。① 动机通常是指某种需要、意愿、欲望、兴趣所产生的动力,是行为激起和维持的原因。Biggs 把学习动机分成两类:表层动机和深层动机。② 表层动机通常与个人的前途直接相关,动力来自外部;深层动机一般不与个人的前途和经济利益发生直接的联系,学习动力来自对目的语及其文化本身的兴趣。学习策略一般指学习者为有效学习所采取的措施。③ 我们根据 O'Malley 和 Chamot 的分类,把学习策略分为三大类:元认知策略、认知策略和社会/情感策略。④ 元认知策略指学习者在学习过程中自我管理、自我监控、自我调节、自我评价等一系列管理措施;认知策略指语言学习活动中的具体认知办法;社会/情感策略指学习者与其他学习者或本族语者的互动方式及调整自己的感情状态所采取的措施。学习信念指学习者在学习过程中通过自身的体验或别人的影响而形成的一套确信不疑的看法。与学习策略相对应,我们把学习信念也分为元认知信念、认知信

---

① Ellis, R. *The Study of Second Language Acquisition*. 上海外语教育出版社 1999 年版,第 198 页。

② Biggs, J.B. Individual differences in study processes and the quality of learning outcomes. *Higher Education* 8.1979.

③ 文秋芳《英语学习者动机、观念、策略的变化规律与特点》,《外语教学与研究》2001 年第 2 期。

④ O'Malley, J.&A. Chamot *Learning Strategies in Second Language Acquisition*. Cambridge University Press. 1990.

第一节 外国学生个体差异因素与汉语学习成就的相关分析

念和社会/情感信念 3 种。元认知信念,也叫管理信念,即学习者对学习过程中自我管理、自我监控、自我调节、自我评价等一系列管理活动的内在认识;认知信念,指学习者对于为学好语言而采取的具体认知步骤和行动的稳定看法;社会/情感信念,指学习者如何看待与其他学习者或本族语者的互动及如何认识调整自己的感情状态。

学习态度是影响具体学习行为的内部准备状态或反应的倾向性,它不是学习行为本身,但它与学习动机的关系密切,常常通过动机影响学习的过程。学习动机一般也不直接参与学习的认知过程,但它会通过努力、增强注意与持久性等方式对学习产生间接的影响。学习态度和动机跟学习信念关系密切,态度的好恶、动机的强弱对学习信念的形成具有一定的影响。学习信念直接参与学习过程,支配学习行为,决定学习策略的选择和使用,对学习成就具有直接的影响。Rod Ellis 曾用下面的框架来描述学习者的个人差异与学习成就的关系:

```
          学习信念
          情感状态
       ↗  共同因素  ↖
      ↙              ↘
         学习过程和机制
  学习策略  ←————————→  学习成就
```

二 研究方法

(一) 调查对象

在南京大学考点报名参加 2001 年 12 月举行的 HSK(初、中等)考试的考生。报名时我们随机选取了其中的 65 人填写了本项调查的问卷。后来 1 人未参加考试,6 份答卷填写不全,5 份答卷存在明显的矛盾,还有 2 份问卷为操双语的华裔所填,排除这 14 份问卷后,实际有 51 份答卷进入了统计分析。其中男性 25 人,女性 26 人,有汉语(主要是汉字)背景的亚洲学生 44 人,无汉语(主要是汉字)背景的欧美学生 7 人。

(二) 研究工具和评定学习成就的依据

研究工具:留学生汉语学习因素问卷。该问卷由笔者参考有关文献并根据自己的教学经验自行设计。[①] 问卷包括 5 个部分:(1)个人信息,包括姓名、性别、国籍、母语和学习汉语的时间等;(2)语言态度,共 5 项;(3)学习动机,共 6 项,分为深层动机和表层动机,各 3 项;(4)学习信念,其中元认知信念 7 项、认知信念 10 项、社会/情感信念 8 项,一共 25 项;(5)学习策略,包括元认知策略 10 项、认知策略 16 项、社会/情感策略 9 项,一共 35 项。第一部分以填空形式完成,第二部分到第四部分采用 5 级选项,即从"1 = 我很不同意这种说法"到"5 = 我很同意这种说法"。第五个部分也采用 5 级选项,即从"1 = 这句话对我从来不是真的"到"5 = 这句话对我总是真的"。

---

① 本问卷在编制过程中主要参考了国外学者 Gardner, R. and W. Lambert, Oxford, R., 以及国内学者刘润清、吴一安、文秋芳等量表和问卷。

为了方便学生答卷,问卷尽可能降低叙述语言的难度,并采用汉语和英语两种语言并列陈述。为了鼓励学生如实回答问题,我们给每个答题的学生赠送一份小纪念品。另外,为了防止学生不假思索地答卷,我们适当地增加了一些反向题,这些反向题一方面增加了问卷的区分度,另一方面我们也把它们作为一种手段来检测学生是否如实回答了问题,对于答题明显存在矛盾的答卷,我们将它们排除在外。

对于如何评定学生的学习成就,曾经有的研究依靠授课老师打印象分,或者自编试题请学生回答,但这样得出的成绩信度未必很高。考虑到 HSK 是一项国家级考试,具有较高的信度,我们决定使用它的成绩作为衡量学生学习成就的标准。由于 HSK 的等级比总分能更好地衡量学生的综合成绩,[1]我们把获得初、中等证书的 6 个等级,即从初等 C 级到中等 A 级转化为从 1 到 6 的 6 级量分表,加上低于初等 C 级没能获得证书的记为 0,一共 7 级。

(三) 数据收集和分析

在调查正式开始之前,此问卷首先在小范围内进行了试测,并根据对各类变量内部一致性检验的情况,对原有的问卷题进行了删除和修改。2001 年 11 月 HSK(初、中等)报名时,笔者在办公室工作人员的协助下,随机选取了一部分报名参加考试的留学生,请他们填写了调查问卷,又于 2002 年 1 月查阅了他们每个人的 HSK 成绩。在把回答的内容和 HSK 成绩转换成相应的数据(参见上文)并输入电脑后,运用社会科学统计软件

---

[1] 刘镰力《汉语水平测试研究》,北京语言文化大学出版社 1997 年版。

(SPSS)对数据进行了分析。分析分 3 步进行:(1)用描述统计列出各项变量的频率,对少数问卷中未做回答的个别题目用该题目的平均数代替;(2)用相关分析的方法,得出各变量之间的相关数据;(3)用 L.J.Cronbach 所创的 α 系数[①]来检验量表的信度。

三 研究结果与讨论

(一) 学习成就与其他各变量之间的关系

下面是我们经过统计得出的数据,上面的一行是皮尔逊相关系数,下面的一行是表示显著性水平的 p 值。由于学生性别和母语背景等名称变量不便于统计计算,故把它们转化为刻度变量,如,男 = 0,女 = 1;母语无汉语(汉字)背景 = 0,母语有汉语(汉字)背景 = 1。

表 1

		学生性别	母语背景	学习时间	语言态度	深层动机	表层动机	元认知信念	认知信念	社会/情感信念	元认知策略	认知策略	社会/情感策略
学习成就	相关系数	0.106	0.129	0.590**	0.215	0.287*	−0.053	0.519**	0.379**	0.374*	0.362*	0.321*	0.334*
	P 值	0.459	0.368	0.000	0.130	0.041	0.711	0.000	0.006	0.007	0.009	0.022	0.017

(注: * p<0.05, ** p<0.01)

相关分析的结果显示,学习成就与学习时间、元认知信念、认知信念、社会/情感信念、元认知策略、认知策略、社会/情感策略、深层动机显著正相关(p<0.05),而且学习成就与前 5 项的相关达到了 p<0.01 的显著水平。学习成就与学习时间正相关

---

① 参见吴明隆《SPSS 统计应用实务》,中国铁道出版社 2000 年版,第 47 页。

符合常理——学习时间越长学习成就越高。学习成就与学习信念、学习策略和深层动机正相关,支持了有关研究结论,即好的学习信念、策略和强的深层动机能够促进学生学习,提高学业成就。分析结果还显示,学习信念与学习成就之间的相关性高于学习策略与学习成就的相关性。由于我们调查的留学生都是成人,他们对语言学习有一套自己的看法,往往是带着不同的学习信念走进教室的。他们根据自己的信念来学习并控制自己的学习行为。"学习者的学习'哲学'(信念)控制着学习者的学习过程,支配着学习者选择什么样的学习策略。"[①]跟学习信念相比,学习策略处于较低的一个层次,而且学习策略也要在学习信念的支配下根据不同的学习情景灵活加以运用,才能收到好的效果。因此,对成人的第二语言学习来说,运用合适的学习策略是重要的,确立良好的学习信念更重要。

学习成就与学生性别、母语背景、语言态度呈现出一定程度的正相关,与表层动机呈现出低度负相关,但它们的 p 值都大于 0.05,因而没有统计学上的显著意义。然而人们一般认为,母语有汉语(汉字)背景的学生,他们的学习成就应好于母语无此背景的学生。本研究结果之所以没有得出相同的结论,也有可能是因为本次样本中的西方学生太少(仅 7 人),故造成了一定的抽样误差。由于参加 HSK 的西方学生太少,怎样做到抽样既能反映全体学生的构成状况,又能获得具有较高信度的学习成绩是今后的研究要解决的课题。

---

① Ellis, R. *The Study of Second Language Acquisition*. 上海外语教育出版社 1999 年版,第 479 页。

(二) 语言态度、学习动机、学习信念和学习策略之间的关系

表 2

		语言态度	深层动机	表层动机	元认知信念	认知信念	社会/情感信念	元认知策略	认知策略
深层动机	相关系数	0.344*							
	P值	0.014							
表层动机	相关系数	0.028	0.305*						
	P值	0.847	0.029						
元认知信念	相关系数	0.327*	0.351*	0.184					
	P值	0.019	0.012	0.195					
认知信念	相关系数	0.200	0.281*	0.085	0.489**				
	P值	0.159	0.046	0.552	0.000				
社会/情感信念	相关系数	0.018	0.231	0.126	0.385**	0.345*			
	P值	0.903	0.102	0.378	0.005	0.013			
元认知策略	相关系数	0.022	0.237	−0.085	0.480**	0.347**	0.407**		
	P值	0.878	0.094	0.554	0.000	0.001	0.003		
认知策略	相关系数	−0.014	0.257	0.222	0.396**	0.500**	0.290*	0.568**	
	P值	0.922	0.069	0.118	0.004	0.000	0.039	0.000	
社会/情感策略	相关系数	0.193	0.200	−0.095	0.455*	0.320*	0.535**	0.543**	0.379**
	P值	0.254	0.159	0.509	0.001	0.022	0.000	0.000	0.006

(注：* $p<0.05$，** $p<0.01$)

相关分析的结果显示,语言态度与深层动机显著正相关,说明对目的语的正面态度越强,学习该语言的深层动机也越强。深层动机与表层动机、元认知信念和认知信念显著相关,与其他信念和策略的相关度也较大。说明深层动机影响学习信念的形成和学习策略的选择。表层动机除了与深层动机显著相关以外,与其他变量的关系都没有统计学上的显著意义。各种学习信念和学习策略都分别显著相关,说明它们互相间的影响明显。

(三) 问卷的信度分析

所谓信度(reliability),就是量表的可靠性或稳定性,统计分析中常用 L.J.Cronbach 所创的 α 系数来检验,α 系数值介于 0—1 之间,α 出现 0 或 1 两个极端值的概率极低,但究竟 α 系数要多大,才算有高的信度,不同的方法论学者的看法不尽相同。一般认为,α 系数值达到 0.6 以上就可接受,α 系数值介于 0.70—0.80 之间比较好,α 系数值介于 0.80—0.90 之间很好。以此为依据我们对量表的信度进行了考察。经过统计分析,各分量表和总量表的 α 系数值如下:学习态度 0.6148,学习动机 0.6342,学习信念 0.7920,学习策略 0.8309,总量表 0.8808。由此可见,本量表各个分量表(特别是后两个分量表)及总量表具有较好的可靠性和稳定性,信度较高。

四 本研究对教学的意义

本研究结果显示,学习成就与深层动机、学习信念和学习策略显著正相关,它给我们的启示是:应当把增强深层学习动机、确立良好学习信念、培养有效学习策略贯穿于我们的日常教学之中,从而达到提高学习成就的目的。就培养和增强学生的深层动机来说,尽管绝大部分留学生学习汉语都是出于工具目的,但如果在他们学习语言技能的同时,注意激发他们对汉语、汉文化和中国社会本身的兴趣,将有利于培养和增强他们学习汉语的深层动机,从而促进学习过程,提高学习成就。例如,不少学生(尤其是西方学生)认为汉字难认、难记、难写,汉语语法缺少形态,结构特点和规律难以把握,因而对学习汉语产生了畏难的情绪和消极的态度,这种情绪和态度如果任其发展下去,无疑会影响他们学习汉语的动机。虽然汉字难是客观事实,但如果我们能采取一些积极有效的措施,让学生换一个角度来看的话,难事也可以转化为易事和乐事。一种可取的做法是,我们除了把汉字的构造方式和规律告诉学生以外,还可以通过开设书法课把学汉字变成一种审美活动,让现实中的汉字难上升到美学的高度,这样难就会变成易,痛苦就会变成快乐。针对汉语语法缺少形态的问题,我们可以引导学生认识到这实际上是汉语的一种优点:汉语语法简单灵活,既易于掌握又便于运用。

不过,我们在教学中应避免空洞的说教,最好让学生对学习材料本身感兴趣,通过学习让他们体悟到汉语言本身的优点和中华文化的博大精深,激发他们了解中国社会的兴趣,从而加强学习汉语的深层动机。所以,我们在奉行"送去主义"的时候,绝不能强人所难,更不能借贬低其他语言、文化和社会的价值来抬高自己,否则只能引起学生的反感,减弱正面学习态度和深层动机。例如,笔者在教高级汉语口语课时使用过一本国内颇有影响的教材,[①]里面有一篇谈烹调和中西文化的文章,文章对西方烹调有不恰当的看法,并把西方文化说成是男女文化以衬托作为饮食文化的中国文化,许多西方学生对此十分反感,甚至有学生说这是"大清王朝"的看法。用这样的材料来提醒学生注意文化的差异本意是好的,但效果却有违初衷。

我们还要注意帮助学生确立良好的学习信念,运用有效的学习策略,将学习信念和学习策略的训练贯穿于日常课堂教学,

---

① 章纪孝《高级汉语口语——话题交际》,北京语言文化大学出版社 1997 年版。

让学生认识到学习信念、学习策略与学习成就的关系,提高他们对学习信念和学习策略的认同程度,鼓励他们在学习中积极、正确地运用各类策略。另外,深层动机、学习信念,学习策略和学习成就之间的关系很可能是交互性的,即强的深层动机、好的学习信念和学习策略能促进学习,反过来,取得的学习成就又可以加强深层动机,巩固有效的学习信念和学习策略。因此,我们要帮助学生及时获得反馈,让他们反省哪些观念和策略有利于学习,并利用学习成就来改善或巩固学习观念和策略,最终达到提高学习成就的目的。

第二节 东西方学习者学习动机及相关因素的调查分析[1]

一 学习动机及相关因素

(一) 学习动机的基本含义

所谓学习动机,是指引起个体活动,维持引起的活动,并导致该种活动朝向某一目标进行的内在历程。在此所谓的活动,自然指的是行为。所以,动机一词乃是心理学家们对个体行为原因表现方式的一种推理性的解释。动机本身是一种中间变项,不能直接观察,只能按个体当时所处情景行为的表现去推理、解释。

---

[1] 本文原标题为"对东西方学生学习动机及相关因素的调查和分析",作者陈郁,原载《语言与文化论丛》第二辑,华语教学出版社 2000 年。

动机这一内部历程是以内趋力和诱因为必要条件而存在的。内趋力是当需要缺失时有机体内部所产生的一种能量或冲动,以组织行为去获得需要的满足。人的动机不仅由内趋力来激起,外在刺激也可以引起动机。而所有能引起个体动机的刺激就称为诱因。诱因分为两种:凡是驱使个体去趋向或接近目标者,称为正诱因;凡是驱使个体逃离或回避目标者,称为负诱因。上述对动机性质的说明,也完全实用于解释学习动机。所谓学习动机乃是唤起个体进行学习,引导行为朝向一定的学习目标,并对此种学习活动加以维持、调节和强化的一种内部心理状态。有些心理学家认为,学习动机是学习活动的先决条件,在没有学习动机时,任何学习活动都不会发生。其实,一个学生缺乏学习动机时,也可以先引导组织他开展学习活动,然后通过学习活动逐步地激发和形成其学习动机。同时,学习动机一旦形成后,他就会自始至终,贯穿于某一领域的全过程。这样一来,学习动机可以促进学习活动,同样,学习活动又可以激发、增强、巩固学习动机。

（二）学习动机和学习效果

在学习动机和学习效果的关系上,大多数心理学家则认为,学习动机和效果的关系不是直接的,他们之间往往以学习行为为中介;而学习行为又不单纯只受学习动机的影响,它总要制约于一系列主客观因素,如学习基础、教师指导、学习方法、学习习惯、个性特点、智力水平、健康状况等的影响。因此,应该把学习动机、学习行为、学习效果三者放在一起加以考虑。

（三）动机分类

动机的分类有很多,主要介绍几种:

1. 生理性动机和社会性动机

动机的分类与需要的分类是紧密相连的,这是因为动机是在需要的基础上产生的。人的需要分为生理性需要和社会性需要,与此相应,动机分为生理性动机和社会性动机。生理性动机也就是内趋力,它以有机体自身的生理需要为基础,例如,饥、渴、吸氧、母爱等动机都是生理性动机。生理性动机会使有机体采取相应的行为以维持体内的物质和能量的平衡。随着个体的成长,社会性需要随后出现,由此也就产生了社会性动机。如交往动机、成就动机、认识动机。学生的学习动机就是一种社会性动机。

2. 内部动机和外部动机

从动机的来源可把动机分为内部动机和外部动机。内部动机是由于学生本人在学习过程中所形成的学习兴趣、好奇心。外部动机则是由于受到教师或家长的赞赏等外在因素的影响而转化成促进学生学习的动机。有内部动机的学生在他们认为自己有能力或有自主感、不受别人控制时,倾向于表现出更多的自控行为和自主性。内部动机是学生自己在学习中逐渐发展起来的,它的作用持久且有更强的推动效果,形成一种正性循环。

(四) 教育领域中的动机理论

动机理论很多,对教育影响较大的主要有强化理论、需要层次论、成就动机理论、归因理论和目标理论等。

1. 强化理论

强化理论是行为主义心理学家对行为动力问题的看法,这是从外部环境的影响来看待动机的理论。Skinner 等人认为,动机就是趋利避害。如果某个学生获得别人的好评,他就会有继续学习的动机；如果他的学习曾受到批评,他就会有逃避学习的动机。强化理论认为,要想使学生有学习动机只需要对某种行为加以有效的强化即可。值得注意的是,教师不应对学生的消极行为给予过多的注意,避免导致适得其反的效果。但是,很多研究也表明,用强化来培养学生的动机是不合适的,它有可能使学生感到受到限制,从而削弱了学生的内在动机。有的心理学家认为,在应用强化时,应注意强化的适应性与敏感程度,还要正确使用奖励、监督和限制措施。强化理论忽视了人的主动性与能动性,只注意外在环境对人的影响,可说是从一个极端的角度来看待动机。但是,如果这种强化运用得当,使其最终转化为内在动机,那么,它的作用也是不容忽视的。

2. 需要层次理论

马斯洛提出了动机的需要层次论,它是从个体需要发展的角度来看待动机的,认为动机就是满足需要。这些需要可以按低级到高级的次序排列,即由缺失需要逐步满足进而发展到满足成长需要,只有低层需要得到满足后,高层次的需要的满足才有可能。马斯洛认为,学生在学校中的求知需要和理解需要的发展来自于各种缺失需要的满足。在学校中,对学生来说,最重要的缺失需要可能就是爱和自尊的需要。如果他们觉得没有人关心和爱自己,就可能回去找人来满足自己的安全和归属需要,而不会有很强的动机去学习。所以,教师应注意多给学生一些关心,从而让他们去实现更高的需要。

3. 成就动机理论

学生在学校中的动机主要是指成就动机,成就动机是一种社会性动机,它来自人的成就需要。最早提出成就需要的是美国哈佛大学的 Murry,他指出这是一种"追求高目标,完成困难任务,竞争并超越他人的需要"。Atkinson 的研究发现,成就动机高的被试会选择中等难度的任务,因为选取中等难度的认务成功的可能性最大。他们不会去选择太难的任务,表现为知难而退;也不会选取容易的任务,这可以保证他们在失败时不会受到指责。按照成就动机理论,个体在采取成就行为之前,先要考虑目标的诱因价值与成功的可能性,从而决定自己的抱负水平。个体的成就动机的强弱取决于其过去的成功经验。因此,教师在教学中应适当把握教学内容的难度,配合学生已有知识结构和能力,使学生只要付出努力,便有成功的机会,从而增强其动机。

4. 归因理论

20 世纪 70 年代,Weiner 提出了归因理论。这一理论强调从任职的角度来看待动机,认为人的动机并非来自客观现实,而是来自人们对他的解释。Weiner 认为,人们对成败的解释涉及三个维度:归因于内部因素(能力)还是外部因素(任务难度、运气);归因于稳定因素(能力、任务难度)还是不稳定因素(努力、运气);归因于可控制因素,还是不可控制的因素(能力、运气);一般来说,有同等智商的学生,内控性高的学生学业成绩会高一些。

控制点是归因理论中的一个核心概念。具有"内部控制点"的人则把成败归于运气、任务难度、他人的干预等外部因素。一般来说,有同等智商的学生,内控性高的学生学业会高一些。

在归因问题上,在东西方文化中也存在一定的差异。研究发现,中国人的成败归因不仅包括能力、努力、任务难度和运气,还包括教师的教法、学习策略、家境等因素。而且,归为后者的程度更大。

5. 目标理论

目标理论现在占据着动机理论研究领域的中心地位。这一理论包括两种动机模式:适应性动机模式和非适应性动机模式。之所以有此不同的模式,主要是由于目标的不同,前者的目标是掌握目标,后者的目标是业绩目标。采用掌握目标的人,更倾向于使用有效的学习策略,喜欢有挑战性的任务,对学校、班级有正性的态度,而且坚信,经过努力后,一个人必定可以成功。而那些采用业绩目标的学生,也称习得性无助之人,倾向于回避困难,把注意的重点放于对自己能力的关注上,对自己能力的评价是负性的,而且把失败归因于无能。

Nicholls 认为,成就动机就是旨在发展和证明能力高的行为。我们从两个角度来看待能力:一方面,可以参考个人过去的经验或知识来评判能力的高低,在这种情况下,获得知识就等于有能力;另一方面,可以通过与他人比较来评判,在这种情况下,知识的获得并不表明能力高,为了证明能力高,个体必须在与他人努力程度相同的情况下得到的更多,或在结果一致的情况下,付出的努力比他人少。他提出了自我卷入、任务卷入。自我卷入强调对自我的评价,强调表现出高的能力和避免对自己不利的评价;任务卷入强调获得心得技能。

Dweck 等人从个体智力的内隐理论来探讨了不同的动机模式。当个体采取业绩目标时,个体感觉上是处于一种竞争情景中,被诱发、指引着,认为智能是天生不变的,这是一种实体理论。这时学生容易以能力归因为中心,注意的是自己是否具有完成任务所需要的能力。他们认为获胜是由于自己有能力,失败是由于自己能力低。此外,获胜者对自己能力的评价有所增强,认为自己更聪明、更优越;而失败者则会对自己能力的评价有所降低,认为自己天生无能。与此相反,当个体采取掌握目标时,个体在感觉上是处于一种非竞争情境,他们一般认为智能是不变的,可以经过学习来改变,这是一种增长理论;其次,在这种情境下,学生常以努力归因为中心更注重完成任务本身,强调只要努力就可以完成任务,自己的能力可以得到提高;此外,这些学生的自我表现评价也不会因失败而降低,只是认为自己方法不对或努力不够。

在对业绩目标和掌握目标的称呼上,有许多不同的术语,如任务投入和自我表现投入,学习定向和业绩定向,掌握定向和能力定向,但他们在意义上是接近的。Ames 把他们整合为掌握目标和业绩目标,业绩目标反映了对能力的评估,而掌握目标则注重发展新技能。

在学校中,学生是处于复杂的社会系统中的,不可能不受社会因素的影响。由此,Maechr(1980)把社会赞许也纳入了这一理论,认为社会目标是引导道德意向,别人或是自己对自我表现的赞许。他认为社会目标与业绩目标有根本性的不同。它能使人在一些困难的、没兴趣的任务前表现出持续的努力和很强的坚持性。

从以上种种的理论观点来看,动机的影响因素较复杂,既有外部环境与教育的影响,也有滋生需要发展带来的影响,此外,个体自身的认识也对动机有着举足轻重的影响。由此可见,动机的产生是内外因交互作用的结果。

二 问题的提出

(一) 动机研究的必要性

目前对留学生学习动机和学习策略的研究,绝大部分停留在描述性水平,缺乏实证性的研究。90年代许多研究者开始认识到学习动机在学习中的重要性,对这方面的研究逐渐深入,但在对外汉语教学中,对留学生学习动机的研究虽然有所涉猎,如在《外国人学习与使用汉语情况调查研究报告》等文章中有所研究,但还是比较薄弱。

(二) 动机研究的背景

文化的差异,对于动机的归因应注重个体的独特性。东西方存在着差异。万翼的研究发现,我国对学习失败的归因是与西方国家不同的。他们把失败主要归于家境不好、学习不认真、教师帮助不够,学习兴趣不高和基础差。在西方学者的研究中,目前对于动机的研究大多数只考虑归因的内外向,尤其是对能力和努力的注重。但是却忽视了对人整个心理过程的综合研究。我们认为,人的动机是在一个范围更广的背景上发生、发展变化的,它也受到很多外界因素的影响。动机受到学校、家庭的影响,但更重要的是这些影响都是在个人自我表现概念的综合加工的背景上起作用的。因此,在对人的动机研究中,也需要一个更广范围的研究,即需要考虑到环境对人的影响,也需要注重个人的独特性。所以,本研究试图针对这一问题进行尝试性的研究,以期寻求东西方学生在学习外语时,是否真的存在动机差异。并寻找激发学习动机的办法。

（三）本研究的设想

本研究运用横向研究法。主要采用 Madeline E. Ehrman 的《第二语言学习困难》问卷,试图调查中、韩和西方学生在学习外语时能力与动机;学习与教学技术等方面是否存在差异,如有差异,则分析其出现差异的原因。

三 实验方法和结果

（一）被试的情况

从北京语言文化大学的汉语学院和文化学院随机抽取韩国留学生124名,欧美留学生132名,中国大学学生108名。剔除无效问卷23份。

调查包括:

1. 对学习动机等有关因素的调查

（1）对学习能力的自我认识

（2）对学习成绩的自我认识

（3）学习动机的强度

（4）学习的目的性

（5）学习的准备性

（6）学习动因的多项选择

（7）学习时的焦虑程度

2. 对学习与教学技术的调查

调查表提供许多教学和学习的方法,主要是讨论学生希望教师怎样和他们进行配合,共同完成学习任务,请学生标出这些方法对他们的帮助程度,共分5个等级:

一是觉得浪费时间;二是觉得没有帮助;三是认为无所

谓;四是觉得一般;五是觉得帮助很大。此部分共有33道题。

(二) 量表的基本组成

第二语言学习困难问卷包括两大部分。

1. 对一些基本情况的了解

问卷包括对学生动机的了解;对学习目的的了解等。

2. 对学生学习策略的了解

问卷提供一些学习策略,了解学生学习外语的主要策略,如学生学习语法的策略;学习复杂材料的策略等。

(三) 测试方法

由一名主试在班级进行集体测试,并随时回答被试提出的问题。也有少许问卷是被试带回宿舍独立完成的。

(四) 数据处理

1. 计分方法:

一般来说,每道题都有五个等级,程度从1—5逐渐递增,也有部分题目是多重选择和填空。

2. 分析方法:

(1) 第一部分:因许多学生不能把调查表中的所有题目用汉语填写出来,或没有表达清楚,则剔除些无效问卷,故采用T检验。

(2) 为了去除学生在智力上的差异对学习策略的影响,只考虑地区差异对它们的影响,故数据处理中有关方差分析的部分均采用协方差分析。

四 结果与分析

（一）中、韩、西方学生在学习能力与动机及相关因素上的差异检验

表1

	1 能力的自我意识			2 能力的自我表现			3 动机的强度		
	中	韩	西	中	韩	西	中	韩	西
平均数	3.88	4.19	3.88	3.79	4.18	4.74	4.21	3.50	3.15
标准差	0.86	0.92	1.20	1.07	1.11	0.93	1.03	1.01	1.15
T 值	4.64		1.97	2.24		3.68	4.38		2.14
显著性	p<0.001		p<0.05	p<0.05		p<0.001	p<0.001		p<0.05

表2

	4 学习的目的性			5 学习的准备性			6 学习的焦虑程度		
	中	韩	西	中	韩	西	中	韩	西
平均数	3.64	3.91	4.75	3.38	3.48	4.40	4.68	4.16	3.47
标准差	1.00	0.33	0.77	1.09	0.84	0.91	0.90	0.87	1.18
T 值	1.68		4.97	0.58		6.31	3.76		4.47
显著性	p>0.05		p<0.001	p>0.05		p<0.001	p<0.001		p<0.01

从表中可以看出下述结果：

1. 学生在对学习能力的自我认识上：中国和韩国有显著性差别，韩国和西方也有较显著性的差别。

2. 学生在对学习能力的自我表现认识上：中国和韩国有较显著性差别，韩国和西方有显著性的差别。

3. 学习动机的强度上：中国和韩国有显著性差别，韩国和西方有较显著性的差别。

4. 学习的目的性上：中国和韩国的差别不显著，但韩国和

西方国家的学生具有显著性的差别。

5. 学习的准备性上：中国和韩国的差别不显著，但韩国和西方国家的学生具有显著性的差别。

6. 学习的焦虑程度上：中国和韩国有显著性差别，韩国和西方有较显著性的差别。

（二）中韩西学生在学习时，对教学的要求上存在的差异

表2—表7中、韩、西方学生在学习与教学技术上差异的斜方差分析：

表3

国别 \ 数据 \ 测题		1地道地遵循教材	2经常分组讨论	3两人一组提问	4与说外语的人谈话	5用学生母语解释语法	6老师带读汉语新材料	7学生讲述新闻和文章
中国学生	M	3.35	2.13	3.56	4.32	3.02	2.79	2.48
	SD	0.44	0.60	0.40	0.54	0.63	0.58	0.59
韩国学生	M	3.34	1.94	3.04	4.30	3.47	3.33	2.54
	SD	0.51	0.70	0.34	0.32	0.55	0.54	0.67
西方学生	M	3.01	2.35	3.36	4.28	3.65	3.62	2.87
	SD	0.50	0.70	0.36	0.29	0.43	0.46	0.61
		15.76***	6.37**	1.96	2.36	4.02*	51.60***	23.49***

从上表统计结果可以看出：

1. 学生在对教师系统地遵循教材和提纲的认识上为：从1—3呈递减趋势，三者总体上有显著的差别。

2. 因为上课时，应把班级分成小组进行讨论：西方学生得分高，中国学生次之，韩国学生最低，三者差异较显著。

3. 学生分成两人一组互相提问：西方学生得分最高，中国学生次之，韩国学生最低，但差异不显著。

第二节 东西方学习者学习动机及相关因素的调查分析

4. 学生对他们希望和母语国家的人谈话的要求为：从 1—3 呈下降趋势，但三者差别不显著。

5. 教师用学生的母语解释语法，从 1—3 呈递增趋势，三者的差异较显著。

6. 教师带读外语新材料：从 1—3 呈递增趋势，并且差异显著。

7. 每个同学阅读并讲述有趣的汉语新闻材料和杂志文章：从 1—3 呈递增趋势，并且差异显著。

表 4

国别	测题数据	8 阅读查生词找母语词	9 阅读不查生词找母语词	10 用习得语解释语法	11 学生用习得语交换意见	12 学生做改错练习	13 教师纠正作业练习	14 教师注意学生的思想感受
中国学生	M	2.73	2.66	3.42	2.63	3.31	2.66	2.83
	SD	0.61	0.63	0.52	0.69	0.70	0.81	0.63
韩国学生	M	2.88	2.53	3.12	2.78	3.54	2.81	2.92
	SD	0.64	0.66	0.63	0.70	0.66	0.69	0.72
西方学生	M	3.22	2.62	2.89	3.09	3.01	2.47	3.47
	SD	0.68	0.59	0.67	0.68	0.56	0.71	0.73
		9.42***	1.77	12.32***	10.10***	14.49***	4.13*	4.95*

8. 阅读课，让学生自己查生词，并找出对应的母语单词：从 1—3 呈递增趋势，并且差异显著。

9. 阅读不查词来推断课文：中国学生最高，西方次之，韩国最低，但差别不显著。

10. 教师用习得语来解释语法：从 1—3 呈递减趋势，并且差异显著。

11. 要学生用习得语来交换意见：从 1—3 呈递增趋势，并且差异显著。

12. 让学生做一些改错练习:韩国学生最高,中国学生次之,西方最低,差别显著。

13. 教师纠正学生作业中的所有错误:韩国学生最高,中国学生次之,西方最低,差别较显著。

14. 教师注意学生作业中的思想和感受:从 1—3 呈递增趋势,并且差异较显著。

表 5

国别 \ 测题数据		15 课后有机会在教室走动	16 户外活动使用汉语	17 教师纠正发音的错误	18 学生参与课程设置	19 默读	20 进行封闭教学
中国学生	M	2.47	2.33	2.07	2.13	3.56	3.65
	SD	0.75	0.60	0.70	0.60	0.40	0.43
韩国学生	M	2.42	2.60	1.82	1.94	3.04	3.47
	SD	0.79	0.62	0.66	0.70	0.34	0.55
西方学生	M	2.58	2.50	1.68	2.35	3.36	3.02
	SD	0.83	0.60	0.63	0.70	0.76	0.63
		1.57	2.28	5.80**	6.37**	1.96	4.02*

15. 下课后,学生有机会在教室里走走。西方学生得分最高,中国学生次之,韩国学生最低,但差异不显著。

16. 班级组织户外活动以便让学生在课堂外有机会使用外语,韩国学生最高,西方学生次之,中国学生最低,但差异不显著。

17. 教师一一纠正我们说话时的错误:从 1—3 呈递减趋势,并且差异显著。

18. 学生参与课程设置:西方学生得分最高,中国学生次之,韩国学生最低,并且差异显著。

19. 默读:中国学生得分最高,西方学生次之,韩国学生得分最低,但差异不显著。

20. 进行几天封闭式教学或更长时间的强化训练:从1—3呈递减趋势,并且差异较显著。

表6

国别	测题数据	21要求学生尽可能用外语说话	22尝试体会外语语法规则	23课堂上做角色模仿练习	24倾听较复杂材料	25阅读较复杂材料	26刚学汉语时多做发音练习
中国学生	M	2.05	2.30	3.00	2.22	2.30	3.15
	SD	0.62	0.68	0.54	0.63	0.65	0.51
韩国学生	M	1.81	1.77	3.15	1.71	2.26	3.43
	SD	0.54	0.65	0.51	0.57	0.62	0.42
西方学生	M	1.58	1.39	3.13	1.44	3.10	3.26
	SD	0.45	0.52	0.59	0.46	0.55	0.46
		32.18***	42.27***	2.44	35.06***	14.32***	13.90***

21. 教师要求学生尽可能地用外语交流:从1—3呈递减趋势,并且差异显著。

22. 尝试自己体会外语语法规则:从1—3呈递减趋势,并且差异显著。

23. 在课堂上我们做角色扮演、模仿滑稽表演:韩国学生最高,西方学生次之,中国学生最低,但差异不显著。

24. 倾听较为复杂的材料:从1—3呈递减趋势,并且差异显著。

25. 阅读较为复杂的材料,西方学生得分最高,中国学生次之,韩国学生最低,差异显著。

26. 在刚学外语时,多做发音训练,韩国学生最高,西方学生次之,中国学生最低,并呈显著差异。

表 7

		27 掌握一些内容后再学较好	28 班组学习是课堂学习的一部分	29 课程按部就班地进行	30 教师要使学生掌握需要内容	31 在课内尽可能多使用外语	32 独力学习	33 在课外与其他人一起学习
中国学生	M	3.16	3.44	3.54	4.30	3.22	3.00	2.22
	SD	0.52	0.61	0.58	0.58	0.53	0.54	0.62
韩国学生	M	3.23	2.32	3.82	4.25	3.15	3.15	1.74
	SD	0.43	0.59	0.57	0.57	0.52	0.51	0.57
西方学生	M	3.45	2.13	2.79	3.89	3.13	3.13	1.48
	SD	0.41	0.52	0.46	0.46	0.59	0.59	0.45
		13.24***	14.36***	42.21***	11.30***	2.34	2.44	32.36***

27. 掌握一项内容后,再学习新内容:从 1—3 呈递增趋势,并且差异显著。

28. 同班同学的小组学习是课程的一部分:从 1—3 呈递减趋势,并且差异显著。

29. 课程是按部就班的,因此我不会混淆:韩国学生最高,中国学生次之,西方学生最低,并呈显著差异。

30. 教师的主要责任是使学生掌握需要的东西:从 1—3 呈递减趋势,并且差异显著。

31. 我在课堂内尽可能多地使用外语:从 1—3 呈递减趋势,但差异不显著。

32. 我独自学习:韩国学生最高,西方学生次之,中国学生最低,但差异不显著。

33. 在课外我与其他人一起学习:从 1—3 呈递减趋势,并且差异显著。

五 讨论

本文把被试分成中国、韩国和西方三个部分,从统计数字显示,在大部分问题上,三者出现显著性差异,但中国和韩国的差异相对小些,一般在 $p<0.05$ 水平上。这说明,中国和韩国这两个东方国家在许多问题上看法接近,但由于韩国是个资本主义国家,有些看法趋于西方,多数看法在中国和西方之间。本文则以韩国作为一个参考数值,来观察人们对某一问题看法的发展趋向。重点以中国作为东方的代表国家,美国作为西方的代表国家来加以分析:

根据上面的统计资料,我们可以发现以下的特点:

研究的第一部分:学习动机等方面

西方社会:

西方社会主要以内因性动机学习为主。相对而言,西方学生来中国学习,主要被中国的文化、汉字、历史所吸引,带有强烈的好奇心。学习动机多是出于本人的内在兴趣,因此,他们大多数人学习没有什么压力,学汉语与他们的生存发展没有直接关系,如,有的人对中国比较好奇,很想了解中国;有的人觉得汉字很神秘,很想去破这个谜;有的是因祖辈是华侨,想让子孙来寻根;当然,也有的是因工作需要,来解燃眉之急;但他们大多数人学习没有什么学习压力,学汉语与他们的生存发展没有直接关系。因此,他们不会太在意外界因素的影响,学习时也不会有太大的压力。

东方社会:

东方学生主要以外因性学习动机为主。东方人学外语,外因性动机对他们的影响大些,他们比较注重教师、同学对自己的评价,希望得到一个好分数,得到表扬和奖励。一般来说,多数人学外语时,是为一定的目的和需要而学的,因此,他们会有一定压力感,焦虑感也随之产生。如有的同学拼命学习外语,为的是在学好外语后,可以找到一份较理想的工作;有的是为了能通过某一类考试等。在这种情况下,如果外语不过关就可能得不到理想的工作;或者通不过考试,所以经常会很焦虑。

学习习惯和爱好方面:

从调查结果可以看出,东西方学生在学习习惯和技巧上,有很多调查项目都存在着区别。相对而言,西方学生独立开放一些,因此,他们和东方学生相比,在对课堂发言的灵活性的要求上;在对教师授课的多样性和趣味性方面;在对教学气氛及情感等内容的要求上;都与东方学生有显著的差别。东方学生对教师的授课方法;教材的编写等方面要求更高一些。他们较注意语法规则等细节。

造成差别的主要原因:

地理环境对于一个民族共同心理素质与性格的形成,确有重要影响;不同民族因为生存条件(或空间)不同,性格与表现的行为方式就会有很大差异。

汉民族具有很高的封建文化。它是一种典型的东方农业文明。在汉民族封建社会里,支配一切领域的是宗教、封建意识形态,人们的行为,都莫不受其影响。经过两千多年潜移默化,不同程度地渗透到各个阶级和阶层中。可以说,宗教封建思想,是历史传统中对汉民族心理素质最有影响的两个因素。另外,地理环境对于一个民族性格的形成,也确有重要影响,不同民族因

第二节 东西方学习者学习动机及相关因素的调查分析

为生存条件不同,民族性格就会有很大差别。

汉民族形成了自己的性格,其表现是多方面的,如:坚韧不拔、兼收并蓄、中庸之道、小康思想、封闭自守等。

由于这些长期形成的心理特征,在行为中得到表现,自然也在他们学习行为中表现出来。例如,有些西方研究者就把内向含蓄归结为"东方人性格",其特点就表现为浑厚、质朴、细致、重感情。由于这些特点,他们在学习时,大多数人更倾向于要求教师在授课时能遵守教材,做一些改错练习,纠正他们在学习中存在的错误,这些都是做事细致的东方人的比较典型的表现方式。汉民族由于封建社会的长期约束,习惯于人的个性和情感的自我抑制,这在学习时,就表现为抑制对情感的要求,对教师是否注意了学生作业中的思想感受没西方学生要求强烈。

西方国家由于文化、地理环境的影响,其性格表现有其自身的特点,由于篇幅有限,不能全部加以研究,仅以美国为代表加以说明。美国人,大多是在17世纪开始,由欧洲移民而去,而共同心理素质具有长期稳定性,所以讨论这个民族的特点,在欧洲社会也有着一定的代表性。因此,则以美国为背景来解释西方学生的特征。

来美国的移民,当时他们抛弃家园,立志去追求那前途莫测的新生活,这件事本身就表现了一种自立自强、富于进取的精神,随着领土的扩大、开发和"西进运动"等,对这种民族性格的铸炼又起了决定性的作用,性格特点则在其行为方式中明显表现出来。有研究表明,美国人的主要性格特点为:富于进取鄙视守成;勤奋工作机会均等;平民精神不尚等级;标新立异旷达不勒。调查结果显示:学生在学汉语时喜欢做角色扮演练习;喜欢分组讨论的学习方式;而不喜欢按部就班的学习,这些都可从一定角度反映了这种性格特征。

第三节 汉语学习者第二语言习得态度与动机研究[①]

一 选题的意义及缘起

第二语言习得研究有两条主要线索:一是关于学习本身的研究,二是关于学习者个体差异的研究。与语言学习研究相比较,关于学习者个体差异的研究很少。然而,学习者存在着明显的个体差异。学习者学习进展与学习成绩的不同只能通过学习者个体差异来解释。对学习者个体差异的研究有助于我们认识语言学习的本质。任何一种语言学习理论,如果不把学习者个体差异放于中心位置,都是不可被接受的。

学习者情感因素是学习者个体差异的重要组成部分,包括态度、动机、性格、焦虑等。学习者的态度、动机对第二语言学习起着及其重要的作用。在过去的三四十年间,国外旨在研究第二语言学习动机、态度的性质与作用的文章为数不菲。许多研究都是由加拿大心理学家 Robert Gardner 和 Wallace Lambert 开创,或是在他们的影响下进行的。Gardner、Lambert 和他们的助手从 20 世纪 50 年代至今进行了一系列的动机、态度

---

① 本文原标题为"第二语言习得态度动机研究",作者高海洋,原载《中国对外汉语教学学会北京分会第二届学术年会论文集》,北京语言大学出版社 2001 年版。

研究,他们除了实验外还进行了理论建设,创立了一套社会心理学模式和社会教育学模式,即所谓加氏体系(Gardner approach),包括一系列研究程序、标准化的测量手段和工具在内。Gardner 最初的第二语言学习动机的定义,即英语的"orientation"一词,分为融合型和动机型两类动机。后来 Gardner 认为动机是指 a 为学习语言而付出的努力;b 学习语言材料的欲望;c 对学习语言材料有利的态度。[①] 实际研究中他更注重融合型动机的研究,而工具型动机的研究仅有一例。Gardner 等人的研究促进了第二语言学习动机研究的成熟化,为第二语言学习动机研究作出了巨大的贡献。但近年来越来越多的学者对 Gardner 等人的研究持批评态度。Dornyei 认为态度和动机是两个完全不同的概念,源于不同的心理学科,是心理学不同分支的关键概念,在心理学文献中很少一起使用。Gardner 的动机(融合型动机)术语,包括了许多不同的概念,他们不仅本质不同,来源相异,而且在课堂上所需的处理也大相径庭。

　　Au 对 Gardner 及其助手们所作的 14 项研究进行了分析,其中 7 项研究显示了语言学习成绩和融合型动机零相关,4 项显示了负相关。Au 同时对其他人所做的 13 项研究也进行了分析,结果只有极少数显示了语言学习成绩与融合型动机的正相关。而 Gardner 在加拿大的一系列研究发现 AMTB 和第二语言学习成绩相关,相关系数为 0.30—0.46,反映了一种持续而稳定的关系。

[①] Gardner, R. *Social Psychology and Second Language Learning—The Role of Attitude and Motivation*, Edward Arnold. 1985.

Stem 区分了外语学习中的三种态度：对语言和语言学习者的一般态度；对目的语语言社团和说目的语者的态度；对学习该语言的态度。Gardner(1985)把 5 种态度测量结果和语言成绩的 9 个指标作相关分析，发现某些态度和成绩的某些方面相关。Gardner 回顾已有的研究发现，在三种态度中，学习者的外语学习成绩与语言学习的态度比与目的语社团的态度关系更加密切。绝大多数研究都发现语言学习态度和第二语言学习成绩相关；但也有研究得出了相反的结论，如 Gagnon 的研究。

　　语言学习策略是指语言学习者为促进语言学习而采用的特定的行为和技巧。最初的研究主要是为了发现成绩优秀的学习者的特点。后来旨在揭示学习策略与语言熟练程度关系的研究渐多。许多学者都认为情感因素对语言学习策略的选择有着非常重要的作用，但有关的研究比较少。Bialystok、Wenden 发现学习者对语言的态度影响学习策略的选择。不少研究者认为动机对学习策略的选择起着关键作用。Oxford & Nykos 在一项对美国外语专业大学生的研究中发现动机是有力影响学习者学习策略选择的唯一变量。动机强的学生更经常地使用更多的学习策略。他们还发现不同的动机种类影响学习策略的不同方面。工具型动机的学生更倾向于使用正式练习和一般学习策略。Ehrman 的研究则表明工具型动机的学生更多的使用交际策略。Politzer & McGroarty 也证明了学习动机决定学习策略的选择。

　　国内对第二语言学习态度、动机等情感因素以及学习策略的研究很少。黄小华对学习策略和英语口语能力的关系进行了研究。北京外国语学院 1987 到 1991 年间就影响英语成绩的各种因素对从全国六所外语院校随机抽样的250名英语专业的学生进行了调查。该研究涉及了18个变量和13种因素。文秋芳通过调查问卷运用路径分析的统计软件,建立了影响英语学习成绩诸因素的模型图。文秋芳把学习者因素分为可控因素和不可控因素两类对学习者因素和大学英语四级考试成绩的关系进行了研究。① Gu Yongqi研究了成绩优秀者和落后者的不同学习策略。② Gu研究中强调要研究和具体学习任务紧密联系的学习策略。

汉语作为第二语言习得研究领域情感因素的研究几乎还是空白。据现有资料,尚未发现国外汉语作为第二语言教学中情感因素及学习策略的研究。

刘珣认为,学习活动必须通过学习者来实现,学习者的个体差异对语言学习起着决定性的作用,应该加强对学习者个体差异的研究,并且指出从对外汉语教学的角度对学习者进行研究不同于外语教学界。③ 外语教学的对象都是中国学生,对外汉语教学要面对来自世界各国的学生,学习者除了具有个体差异之外还有不同的群体特征。这是国内对外汉语界第一次认识到个体差异研究的重要性。高彦德通过调查问卷的方式,调查了学习者的自然状况、学习目的、学习心理和学习难点。其中有关汉语学习目的的调查属于学习者个体差异的研究,但该研究只

---

① 文秋芳《学习者因素与大学英语四级考试成绩的关系》,《外语教学与研究》1996年第4期。

② Gu, Yongqi Robin Hood in SLA: What has the learning strategy research taught us', *Asian Journal of English Language Teaching*, Vol. 6. 1996.

③ 刘珣《语言学习理论的研究与对外汉语教学》,《语言学习理论研究》,北京语言学院出版社1992年版。

是统计出了学习者不同的学习目的的人数,没有对数据进行分析。梁霞第一次考察了对外汉语教学中高级学习者的学习策略与学习效果的关系。

我们可以看出学习者动机、态度的重要意义已经引起了一些学者的关注,但研究还刚刚起步,已有的研究局限于某个别的情感因素的考察,缺少对情感因素与学习策略、语言熟练程度之间关系的全面的考察。

我们的研究是在前人已有研究的基础上构思设计的。目的在于探索学习者的情感因素对学习策略和学习熟练程度的影响,理论上它将有助于我们了解语言学习的本质;实践上,了解哪些个体差异与学习者成绩较高相关,可用来预测学习者的学习成绩,或在教学过程中创造条件,促进这些特征的发展,化消极因素为积极因素,提高第二语言教学的水平。

具体地说,我们试图回答这样一些问题:(1)态度、动机对学习策略的选择有无影响? 如果有,是怎样的影响?(2)态度、动机两种情感因素之间有何相互关系?(3)态度、动机对学习成绩有无影响? 如果有,是怎样的影响?

二 研究方法

我们采用调查问卷的方法获得数据,然后对所得数据进行统计分析,实验步骤如下:

(一) 诸变量及其操作性定义

1. 态度 指学习者对说目的语者、目的语语言社团以及第二语言学习的看法和评价。A. 目的语语言社团和说目的语者的态度,用辨语配对(matched-guise)方法测量。B. 对学习该语言以及课堂教学的态度,用调查问卷测量。

2. 动机　指学习者学习第二语言的目的和深层原因。分为工具型动机和融合型动机两类。工具型动机是指第二语言学习是出于工作的需要;融合型动机是指第二语言学习出于对目的语语言社团文化历史等爱好。

3. 学习策略　学习策略是指语言学习者为促进语言学习而采用的特定的行为和技巧。分为六类:记忆策略、认知策略、补救策略、元认知策略、情感策略、社交策略。分别记为 str1、str2、str3、str4、str5、str6。记忆策略指学生用以记忆汉字,词语的方法;认知策略(congnitive strategies)是指运用各种认知手段学习;补救策略(compensation strategies),指遇到不认识的词语或听不懂的句子时,采用猜测、造词等方法作为补救措施;元认知策略指学习者会通过制定学习计划、集中注意力等方式进行自我监控;情感策略指学习者调整自己学习时的心态、情绪;社交策略指学习者通过合作、求助他人等方法进行学习。

4. 语言熟练程度　本研究应用信度效度较高的 HSK 考试成绩定义学生的语言熟练程度。包括听力、阅读、语法、综合四个方面。

(二) 实验工具

1. 有关态度的测量工具

A. 辨语配对录音两段,发音人为汉—韩双语者,每段长约 50 秒。

B. 辨语配对评价表两份,让学习者对每一段录音从共聚量、权势量两方面作出评价。其共聚量有四个标准:亲切、有趣、友善、有礼貌;权势量也有四个标准:成熟、自信、主动、受过好的教育。

C. 语言课堂、课程评价问卷。

2. 学习动机量表 该量表是 ATMB 量表的一部分,共 8 个项目,ATMB 量表是动机研究中使用最广泛的量表,其信度、效度都很高。

3. 学习策略量表(SILL)该量表曾对不同母语背景的 5700 多名学习者使用过。SILL 量表让学习者对所述项目作出评价(比如:我常把新学习的内容同已经掌握的内容一同记忆)。据已有的研究,SILL 信度很高,信度系数为 0.93—0.98,平均 0.95。学习策略分为直接策略和间接策略两类,前者又分为记忆策略、认知策略、补偿策略;后者又分为元认知策略、情感策略、社交策略。

4. HSK 考试 包括听力、语法、阅读、综合四个部分。

(三) 被试选用

被试 52 名,来自北京语言文化大学汉语学院二年级,年龄 20—27 岁,其中男生 25 名,女生 27 名,均为韩国人。

(四) 数据收集过程

所有情感因素、学习策略问卷、量表均于 1999 年 11 月 25 日—1999 年 12 月 10 日之间完成,由于要测变量较多,共分 2 次完成。HSK 成绩通过 1999 年 12 月的 HSK 考试取得。共收回有效问卷 45 份。

三　实验结果及分析

我们对收回的问卷进行了统计,并用 SPSS 软件进行了计算分析,其结果如下:

（一）动机、态度与学习策略相关分析

我们把学习者态度、动机、性格、焦虑所得数据和学习策略的数据进行了运算，发现了多项相关。

1. 对目的语语言社团及目的语的态度与学习策略的关系

我们发现了 Att1 与 str6 相关（$p<0.01$），Att2 与 str（$p<0.01$）、str1（$p<0.01$）、str3（$p<0.05$）相关。Att1、Att2 表示对目的语社团及操目的语者的态度，Att1 是共聚量，表示双方共同点的多少，认为说目的语者亲切、有趣、友善、有礼貌的程度。Att2 是权势量，表示说话者与听话人之间社会地位差别的大小，地位高的人权势量大。str1 是记忆策略，指学生用以记忆汉字、词语的方法。str3 是补救策略（compensation strategies），指遇到不认识的词语或听不懂的句子时，采用猜测、造词等方法作为补救措施。str6 是社交策略指学习者通过合作、求助他人等方法进行学习。Att1 与 str6 相关显著，认为说目的语者共聚量大（更亲切、更有趣等）的学习者愿意接触说目的语者，与他们交流，向他们学习。而与说目的语者经常交往，有可能使得学习者进一步了解目的语社团的历史文化，从而与目的语社团更加亲近。Att2 与 str、str1、str3 显著相关，说明认为说目的语者权势量（成熟、自信、主动、受教育程度高）大的学习者倾向于更多地使用记忆策略、补救策略。Att3 与 Att4 表示学习者对母语社团及说母语者的态度。统计显示，Att3、Att4 与学习策略的各个方面均无相关。说明学习者对母语社团的评价不影响学习者第二语言学习策略的选择。

2. 对课程的评价与学习策略的关系

对课程的评价是指学习者对所用课本、课程本身及对教师

的满意程度。统计结果表明课程评价与学习策略无显著相关。这可能是因为学习者是成人,学习策略已经形成,而课程、课本、教师都是临时的,不足以改变学生的学习策略。另外,学生同时选修了不同的课程,使用不同的教材,由几位老师同时上课,学习者对不同课程、课本、教师的评价产生了一定程度上的相互抵消,显示不出与学习策略的相关。

3. 动机与学习策略的关系

相关分析结果表明 motiv1 与 str1 相关($p<0.01$),motiv2 与 str6 相关($p<0.01$)。motiv1 是工具型动机,motiv2 是融合型动机,说明有工具型动机的学习者更多地使用记忆策略,而具有融合型动机的学习者更多地使用社交策略。

具有工具型动机的学习者由于有明确的学习目标,为了工作目的而学习,因而多采用各种记忆策略,以记住所学内容。而有融合型动机的学习者由于对目的语社团的文化、历史等有兴趣,因而比工具型动机的学习者更愿意与说目的语者交往、向他们学习。

(二) 态度、动机与学习成绩的相关

1. 对目的语社团与目的语的态度与学习成绩的相关

从下表中可以看出态度与学习成绩关系密切(见统计结果),其中 Att1(共聚量)与 lh(听力理解)相关($p<0.01$),Att2(权势量)与 zh($p<0.01$)、rh($p<0.01$)、lh($p<0.05$)、gh($p<0.05$)均显著相关。共聚量与听力理解相关很好理解,认为说目的语者更亲切、友善、有趣、有礼貌的学习者更愿意与目的语社团交往,因而听说能力较好,而阅读、语法等项目很难从日常交际中得到锻炼。相比较而言,Att2 更有

利于学习。认为汉语社团权势量大的学习者感觉操目的语者成熟、自信、主动、受过良好的教育,因而更促发学习目的语的动机,使得学习成绩较好。Att3、Att4 与学习成绩各个方面均不相关。

表 1 对目的语社团态度与 HSK 成绩的 Pearson 相关分析

	ZH	RH	LH	GH	CH	AT2	ATT1
ZH	1.000	0.811**	0.696**	0.671**	0.740**	0.419**	0.108
RH	0.811**	1.000	0.635**	0.466**	0.627**	0.421**	0.153
LH	0.696**	0.635**	1.000	0.353*	0.561**	0.341*	0.415**
GH	0.671**	0.466**	0.353*	1.000	0.453**	0.299*	−0.025
CH	0.740**	0.627**	0.561**	0.453**	1.000	0.270	0.048
AT2	0.419**	0.421**	0.341*	0.299*	0.270	1.000	0.153
ATT1	0.108	0.153	0.415**	−0.025	0.048	0.153	1.000
ZH		0.000	0.000	0.000	0.000	0.004	0.481
RH	0.000		0.000	0.001	0.000	0.004	0.316
LH	0.000	0.000		0.017	0.000	0.022	0.005
GH	0.000	0.001	0.017		0.002	0.046	0.872
CH	0.000	0.000	0.000	0.002		0.073	0.755
AT2	0.004	0.004	0.022	0.046	0.073		0.316
ATT1	0.481	0.316	0.005	0.872	0.755	0.316	
ZH	45	45	45	45	45	45	45
RH	45	45	45	45	45	45	45
LH	45	45	45	45	45	45	45
GH	45	45	45	45	45	45	45
CH	45	45	45	45	45	45	45
AT2	45	45	45	45	45	45	45
ATT1	45	45	45	45	45	45	45

** 0.01 水平显著(双尾检验)
* 0.05 水平显著(双尾检验)

2. 对课堂评价与学习成绩的相关

从统计中可以看到学习者对课堂的评价只和语法成绩一项相关,这可能是由于学习者同时有许多课程,它们之间互相抵消了;也可能是由于第二语言课堂只注重语法知识的传授,并没有真正培养学习者的语言能力。这也和语言环境有关,在第二语言的环境下学习者除了课堂以外还有个更多别的机会习得第二语言,课堂学习的知识仅是学习者语言能力的很小部分。

3. 动机与学习成绩的相关

从下表中可以看到无论是工具型动机还是融合型动机与语言学习成绩都不相关。Gardner 早年的许多研究也是只考察工具型/融合型动机(orientation),后来他不断批评局限于融合型/工具型动机的研究,而把融合型动机扩大成为一个包括态度、焦虑以及努力水平在内的一个综合体,通过我们的研究可以发现,融合型/工具型动机本身对第二语言学习并没有显著的影响。Gardner 的融合型动机之所以和学习成绩相关,是因为其他的项目。我们可以推测工具型动机或融合型动机只是学习的深层原因,不对第二语言学习水平产生直接的影响。另外,我们的研究是在有语言环境的第二语言学习者中进行的,在语言环境下,学习者既可以通过课堂来学习,也可以通过与说目的语者交往而自然习得语言。因而具有任何动机的学习者都有可能获得进步。

表2 学习者动机与HSK成绩的Pearson相关分析

	ZH	RH	LH	GH	CH	MOTI1	MOTI2
ZH	1.000	0.811**	0.696**	0.671**	0.740**	0.009*	−0.116
RH	0.811**	1.000	0.635**	0.466**	0.627**	−0.022	−0.059
LH	0.696**	0.635**	1.000	0.353*	0.561**	0.173	0.191
GH	0.671**	0.466**	0.353*	1.000	0.453**	0.024	−0.130
CH	0.740**	0.627**	0.561**	0.453**	1.000	0.019	−0.080
MOTI1	0.009	−0.22	0.173	0.024	0.019	1.000	0.098
MOTI2	−0.166	−0.059	0.191	−0.130	−0.080	0.098	1.000
ZH		0.000	0.000	0.000	0.000	0.952	0.448
RH	0.000		0.000	0.001	0.000	0.888	0.700
LH	0.000	0.000		0.017	0.000	0.256	0.208
GH	0.000	0.001	0.017		0.002	0.874	0.394
CH	0.000	0.000	0.000	0.002		0.903	0.602
MOTI1	0.952	0.888	0.256	0.874	0.903		0.524
MOTI2	0.448	0.700	0.208	0.394	0.602	0.524	
ZH	45	45	45	45	45	45	45
RH	45	45	45	45	45	45	45
LH	45	45	45	45	45	45	45
GH	45	45	45	45	45	45	45
CH	45	45	45	45	45	45	45
MOTI1	45	45	45	45	45	45	45
MOTI2	45	45	45	45	45	45	45

** 0.01水平显著(双尾检验)
* 0.05水平显著(双尾检验)

(三)态度、动机之间的关系

我们对态度与动机也做了相关分析,发现态度1与动机2显著相关,态度2与动机1显著相关。认为目的语社团共聚量大的学习者具有融合型动机,这是因为这些学习者由于认为说目的语者亲切、友善、有趣、有礼貌而愿意与之交往,因而具有融合型动机；而认为说目的语者权势量大的学习者更倾向于工具型动机。另一方面，具有融合型动机的学习者，通过和目的语社团的交往更容易发现说目的语者亲切、友善；具有工具型动机的学习者有可能多在工作中与说目的语者交往，因而权势量大。

此外，我们在研究中还发现了记忆策略与阅读理解、元认知策略与综合考试、社交策略与听力理解、补救策略与阅读理解之间存在着显著相关，关于学习策略与学习成绩之间的相关关系，我们将另文详细讨论。

四　研究结果讨论

我们发现情感因素和第二语言学习策略以及学习成绩之间有着密切的联系，归纳如下图：

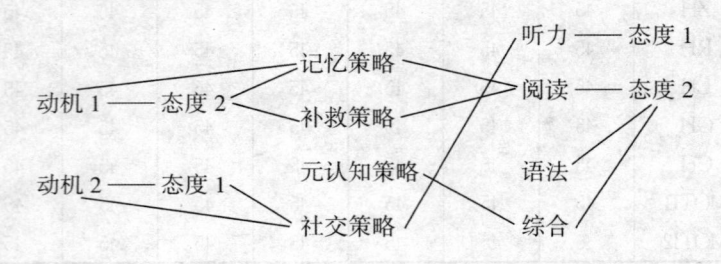

```
                    记忆策略          听力 —— 态度1
动机1 —— 态度2                      阅读 —— 态度2
                    补救策略
                    元认知策略        语法
动机2 —— 态度1
                    社交策略          综合
```

通过上图我们可以看出，在所考察的个体因素中，对目的语社团的态度是影响学习成绩的关键因素，与动机相比，学习者对目的语及目的语社团的态度与学习成绩关系更为密切。学习者对所学课程的评价不影响学习策略及学习成绩。

本研究使我们认识到第二语言学习是一个错综复杂的过程。由于学习者的态度、动机与学习策略和学习成绩相关，我们在教学中除了培养学习者语言能力以外,还应该培养学习者的学习动机及对目的语社团的态度。培养学习者学习策略的某些方面以促进学习成绩某些方面的发展。比如,要想提高学习者的阅读成绩可以通过培养记忆策略、补救策略来实现,而要想提高学生的听力可以培养他们的社交策略。

　　第二语言情感因素研究领域理论还不成熟,还没有一套完整的理论体系。这使我们的讨论不可避免地带有很大的局限性;但是根据我们的样本所能推测的总体范围,我们可以认为对目的语社团的态度能有效地预测作为第二语言的汉语学习成绩。

第四节　第二语言学习者语言能力倾向研究[①]

一　第二语言能力倾向的提出及其概念

　　不同的人学习第二语言的速度有很大差异。这种差异与学习者的个人因素有很大关系,其中语言能力倾向(language aptitude)是影响第二语言学习速度的一个重要因素。它是个人具有的完成语言学习任务的具体能力(Carroll,1981)。如果从个人学习语言材料或发展语言技能所需时间的角度给语言能力倾向下一个操作性定义,那么,语言能力倾向就是能够促进语言材

[①] 本文原标题为"第二语言学习的语言能力倾向",作者江新,原载《世界汉语教学》1999 年第 4 期。

料学习、加速语言技能发展的一整套能力。①

　　国外对语言能力倾向的研究,开始于 20 世纪二三十年代,经过半个多世纪的发展,已经积累了比较丰富的研究资料。最近,国内也有研究者结合汉语水平考试(HSK),对语言能力结构进行过有意义的探讨,②但总的来说,这方面的研究还不是很多。本文对西方语言能力倾向的研究进行综述,目的是增进我们对语言能力倾向这个影响学生语言学习速度的重要因素的了解,以便根据我国语言教学实践的需要开展语言能力倾向研究。

　　为了便于下面的讨论,首先要弄清"能力倾向"这个概念。在心理学上,能力倾向(aptitude)是一个很常见的概念。③ 能力倾向(又称性向)指个人在某个领域经过学习或训练可能达到的某种能力水平,它不是已经具有的现实能力,但是在已有能力中可以显示出来,可以对它进行测量,并且可以预见到经过进一步的训练,能够在某个特定方面取得成就。能力倾向分为一般能力倾向和特殊能力倾向。一般能力倾向指个人在广

---

① Gardner, R. & MacIntyre, P. A student's contributions to second language learning. Part1: Cognitive variables. *Language Teaching*, 25, pp. 211—220. 1992.

② 陈宏《第二语言能力结构研究回顾》,《世界汉语教学》1996 年第 2 期。
陈宏《汉语能力结构差异的检验与分析》,载王建勤主编《汉语作为第二语言的习得研究》,北京语言文化大学出版社 1997 年版。
张凯《语言能力模型和语言能力测验》,载《第四届国际汉语教学讨论会论文选》,北京语言学院出版社 1995 年版。
张凯《语言能力与外语能力的同质性》,载王建勤主编《汉语作为第二语言的习得研究》,北京语言文化大学出版社 1997 年版。

③ 荆其诚主编《简明心理学百科全书》,湖南教育出版社 1991 年版。
朱智贤主编《心理学大词典》,北京师范大学出版社 1989 年版。

泛的活动领域达到某种能力水平的可能性,智力测验所测的就是一般能力倾向,它是完成各种活动都必需的。特殊能力倾向是在某个特定方面,例如音乐、绘画、体育等,达到某种能力水平的可能性,它是完成某一方面特殊活动所必需的。语言能力倾向也是一种特殊能力倾向。无论是一般能力倾向还是特殊能力倾向,都是指可能发展的潜在能力,而不是已经发展的实际能力。

能力倾向测验(aptitude test,又称性向测验)就是测量一个人适合做什么,即他在哪个方面最有潜能,最能作出成就的测验。能力倾向测验常常指特殊能力倾向测验,通常是成套测验,它的主要目的是对将来的成绩作出预测。[①] 和一般能力测验相比,能力倾向测验对学习和训练的预测效果更好。

二 语言能力倾向的早期研究

关于语言能力倾向的研究,早期主要集中在编制语言能力倾向测验上。

在 20 世纪上半叶,研究者开始编制能够预测第二语言学习成绩的语言能力测验。Henmon 对有关研究进行较早的综述。[②] 他发现最初的研究集中在智力即一般能力测验上,但是,后来人们的注意力逐渐转移到编制特殊能力测验上,例如 Iowa

---

[①] 郑日昌《心理测量》,湖南教育出版社 1988 年版。

[②] Henmon, V. A. C. Prognosis test in the modern foreign languages. In V. A. C. Henmon(ed.), *Prognosis Test in the Modern Foreign Languages*, pp. 3—31. New York: MacMillan. 1929.

测验,①Luria-Orleans 测验,②Barry 测验(Rice,1929),③等等。这些测验的目的都是预测第二语言成绩,测验主要采用语法翻译练习,测验分数与语言学习成绩之间的相关不是很显著。

  这种编制测验预测第二语言成绩的积极热情在20世纪三四十年代降温了,但是到了20世纪50年代,Carroll 对语言能力的研究又重新引起了人们对这种测验的兴趣。Carroll 出版了最著名的语言能力倾向测验——现代语言能力倾向测验(Modern Language Aptitude Test,MLAT)④。

  在最初的研究中,Carroll 对参加语言学习教程的军人进行大量的成套能力测验,然后进行因素分析,得到了几种能力,他认为这是成功习得一门第二语言所必需的。通过这个研究以及后来的其他研究,Carroll 提出语言能力倾向由四种成分构成:(1)语音编码能力(phonetic coding ability),指识别不同语音、在语音和符号之间形成联结并保持联结的能力。(2)语法敏感性(grammatical sensitivity),指识别词(或者其他语言单位)在句子结构中的语法功能的能力。(3)记忆能力(memory ability),指迅速有效地学习语音和意义之间的联结并保持这种联

---

  ① Stoddard, G. D. & VanderBeke, G. E. *Iowa Placement Examinations, Series FA—1, Revised, Foreign Language Aptitude*. Extension Division, State University of Iowa. 1925.

  ② Luria, M. A. & Orleans, J. S. *Luria-Orleans Modern Language Prognosis Test*. Yonkers: World Book Co. 1928.

  ③ Rice, G. A. The Barry Prognosis Language Test. In V. A. C. Henmon (ed.), *Prognosis Tests in the Modern Foreign Languages*. New York: MacMillan. 1929.

  ④ Carroll, J. B. & Sapon, S. M. *Modern Language Aptitude Test (MLAT)*. New York: Psychological Corporation. 1959.

结的能力。(4)归纳性语言学习能力(inductive language learning ability),指根据给出的例子对某类语言材料的内在规则进行归纳和推论的能力。

Carroll 和 Sapon 编制的"现代语言能力倾向测验"(MLAT),是一个测量青少年和成人外语能力倾向的测验,它由下列5个分测验组成:(1)数字学习(number learning):首先让受测者记忆某种人工语言的几个数字,然后将这几个数字组合进行听写。例如学习数字1至4,加上10和100,然后听写这几个数字的组合,例如42,312,122。该测验主要测量联结记忆能力。(2)语音记录(phonetic script):受测者首先学习某些英语音素的发音,然后进行测验,例如"在你听到的语音下面画线:Tik;Tiyk;Tis;Tiys"。该测验测量语音编码能力。(3)拼写线索(spelling clues):受测者根据给出的某个词的发音线索,猜测该英语词的拼写。例如根据"ernst"猜"earnest",在几个候选词中选择一个正确的词。该测验测量母语词汇以及语音编码能力。(4)句子中的词(word in sentence):受测者在一个句子中识别出某个词或者短语,该词或短语的语法功能与另一个句子中的某个词或短语的语法功能相似。例如呈现两个句子,在第一个句子中有一个词画线,在第二个句子中有五个词画线,受测者的任务是在第二个句子的五个画线词中选择一个词,该词的语法功能与第一个句子的画线词相似。该测验测量语法敏感性。(5)配对联结(paired associates):受测者先学习一个英语与外语的对译词表,然后进行多重选择测验。该测验测量联结记忆能力。

可见,语言能力倾向的前三个成分在 MLAT 中得到了测量,但是第四个成分"归纳性语言学习能力"没有得到很好测量,

Carroll 自己也承认这一点。MLAT 最初是为美国外事服务研究机构的外语课程招生而编制的,后来有各种版本,包括小学版和简缩版。MLAT 可用于 14 岁以上的人,小学版(EMLAT)用于 8—11 岁儿童,简缩版可在测验时间有限时使用。除了英语版之外,还有法语版①、意大利语版②和日语版③。可以根据需要选择不同的版本来测量语言能力倾向。

另一个著名的语言能力倾向测验是 Pimsleur(1966)的"语言能力倾向成套测验"(Language Aptitude Bettery,LAB),是为 13—19 岁的青少年设计的。④ 它由 6 个分测验组成:(1)年级平均分(grade point average);(2)兴趣(interest);(3)词汇(vocabulary);(4)语言分析(language analysis);(5)声音辨别(sound discrimination);(6)声音与符号的联结(sound-symbol correspondence)。Pimsleur 认为,这 6 个分测验的目的是测量语言能力倾向的三个成分:(1)言语智力(verbal intelligence),测量对词的熟悉性以及对语言材料的推理分析能力;(2)动机(motivation);(3)听觉能力(auditory ability)。

由此可见,LAB 很强调语言分析能力和听觉能力。强调听觉能力,原因是 Pimsleur 研究发现,20%—30%的儿童外语学

---

① Wells, W., Wesche, M., & Sarrazin, G. *Test d'Apitude aux langues Vivantes* (adapted from Carroll, J. B. & Sapon, S. M. (1959)). Montreal: Institute for Psychological Research. 1982.

② Ferencich, C. J. *Reattivo Diattitudine Linguistica*. Florence: Organizzaioni Speciali. 1964.

③ Murakami, K. A language aptitude test for the Japanese. *System*, 2, pp. 31—47. 1974.

④ Pimsleur, P. *Pimsleur Language Aptitude Battery*. New York: Harcourt Brace Jovanovitch. 1966.

习不成功是因为听力差造成的,尽管他们的其他能力处于正常水平。还可以看到,Carroll 和 Pimsleur 关于语言能力倾向的观点有两点不同之处。第一,Carroll 将动机看成是一个与能力倾向无关的变量,Pimsleur 将它看成是能力倾向的一个成分,因此在他的能力倾向测验 LAB 中用分测验 2 来测量动机。第二,言语智力在能力倾向中的作用程度。Pimsleur 认为言语智力是能力倾向的一个重要成分,LAB 的分测验 3 和 4 主要是为了测量言语智力。Carroll 认为言语智力并不是语言能力倾向的一个必要成分,但是他承认 MLAT 的"拼写线索"分测验在一定程度上依赖于言语智力和词汇知识,可以作为一个有用的预测指标。

尽管 MLAT 和 LAB 有这样的差异,但是在对不同语言课程的青少年和成人的语言成绩的预测方面,它们都作出了很大的贡献。Gardner 发现加拿大英裔儿童的 MLAT 分数与他们的法语评定等级水平之间有中等程度的相关($r = 0.41$)。[1] 很多研究得到了类似的结果。Carroll 自己特别提到能力倾向测验对外语成绩的预测效度系数一般在 0.4—0.6 之间。语言能力倾向测验的确为语言学习能力提供了一个合理的估计指标。至今为止,MLAT 和 LAB 是语言能力倾向研究最常用的测验。

三 关于语言能力倾向测验的争论

虽然有证据表明,MLAT 和 LAB 可以成功地预测学生外

---

[1] Gardner, R. On the validity of affective variables in second language acquisition: conceptual, contextual and statistical considerations. *Language Learning*, 30, pp. 255—270. 1980.

语课程的成绩,但是,关于语言能力倾向测验仍然存在很大争论。争论主要集中在两个焦点问题上,一是语言能力倾向测验是否真正测量了潜在的语言能力？二是智力和语言能力倾向之间是什么关系？

有的研究者认为,MLAT 和 LAB 没有测量到潜在的语言能力倾向。他们的理由之一是,语言水平不只是语法知识和声音辨别能力,还应该包括交际能力,语言能力倾向只测了前者,没有测量后者。[1] 交际能力在效标测量中可能也没有得到评价,效标测量只是某门外语课程的最后评分。语言能力倾向测验之所以能够预测语言学习成绩,是因为测验与课堂学习的任务一致[2],而不是因为测验真正测量了潜在的语言能力。

Cummins 认为语言水平有两个不同部分,一是认知/学术专业语言水平(cognitive/academic language proficiency, CALP),二是基本人际交际技能(basic interpersonal communication skills, BICS)。[3] 认知/学术专业语言水平(CALP)指总的语言水平,相当于智力中的一般因素,基本人际交际技能(BICS)指口语流利程度和在社会交往中适当使用语言所需的技能。语言能力倾向测验可能很好地测量了 CALP,但是忽视了 BICS。

---

[1] Ellis, R. *Understanding Second Language Acquisition*. Oxford: Oxford University Press. 1985.

[2] Spolsky, B. The comparative study of first and second language acquisition. In F. Eckman and A. Hastings (eds.), *Studies in first and second language acquisition*. Rowley, Mass.: Newbury House. 1979.

[3] Cummins, J. Cognitive/academic language proficiency, linguistic interdependence, the optimal age question and some other matters. *Working Papers on Bilingualism*, 19, pp. 197—205. 1979.

Krashen 也有类似的观点,他提出能力倾向测验与"学习"有关,与"习得"无关,MLAT 所测的技能只是课堂语言学习所要求的。① MLAT 可以很好地预测 CALP,但不能预测 BICS。

很多研究支持 CALP 与智力有关的观点。Genesee 发现学生的智力与他们的语法(第二语言)词汇、语法和阅读技能有关,但是与母语者对他们的口语技能的等级评定分数无关。② Ekstrand 发现智力与阅读理解、听写和自由写作水平的相关比较高,但智力与听力理解、口语水平的相关比较低。③

Neufeld 提出,每个人都具备掌握语言技能的能力,但是不同的人掌握高级语言技能的能力不同,这取决于个人的智力,不存在先天的语言能力倾向。④ Oller 和 Perkins 的观点与之相似,他们认为语言习得不存在特殊的能力倾向,智力的一般因素就可以解释语言水平的大部分变异。

对此,Carroll 和 Skehan 进行了反驳。Carroll 提出,虽然智力与语言能力倾向可能有交叉重叠,但是这二者不是等同的,因为许多外语能力倾向测验与外语成绩之间的相关高于智力与

---

① Krashen, S. *Second Language Acquisition and Second Language Learning*. Oxford: Pergman. 1981.

② Genesee, F. The role of intelligence in second *Language Learning*. *Language Learning*, 26, pp. 267—280. 1976.

③ Ekstrand, L. H. Social and individual frame factors in second language learning: comparative aspects. In Skuttnabb-Kangas (ed.), *Papers from the First Nordic Conference on Bilingualism*. Helsingsfors: Universitat. 1977.

④ Neufeld, G. On the acquisition of prosodic and articulatory features in adult language learning. *Canadian Modern Language Review*, 34, pp. 163—174. 1978.

外语成绩的相关。① Skehan 对外语能力倾向的研究证实了这一点。② 他发现，用语言能力倾向预测外语学习成绩比用言语智力更加有效，语言能力倾向与言语智力不是等同的。

Skehan 认为，能力倾向测验之所以能够很好地预测语言成绩，不仅因为它的确测量了内在的语言加工能力（这种能力在学习第一和第二语言中是相同的），而且因为它测量了使用非语境（decontextualized）语言的能力（例如正规语言测验测到的就是使用非语境语言材料的能力）。③ 他提出这个观点的证据，来自他对 Bristol 语言项目④被试的继续研究。Bristol 语言项目是一项对英国 Bristol 地区的 125 名儿童第一语言发展的纵向研究。Skehan 对 Bristol 项目中的 64 名大年龄被试进行了语言能力倾向测验，他发现，语言能力倾向与第一语言发展之间的相关大多数是显著的；语言能力倾向与外语成绩之间相关也很显著。而且，语言能力倾向不仅与第一语言发展之间有正相关，与家庭社会阶层也有正相关。虽然儿童的口语能力与家庭的社会阶层无关，但是儿童的文字能力、将语言本身作为一种工具来使用的能力与家庭的社会阶层有关，即儿童处理非语境语言的能

---

① Carroll, J. Twenty-five years of research on foreign language aptitude. In K. Diller (ed.), *Individual Differences and Universals in Language Learning Aptitude*, pp. 83—118. Rowley, Mass.: Newbury House. 1981.

② Skehan, P. Memory and Motivation in Language Aptitude Testing. Unpublished Ph. D. dissertation, University of London. 1982.

③ Skehan, P. Where does language aptitude come from? In P. Meara (ed.), *Spoken Language*. London: Centre for Information on Language Teaching (CILT).1986.

④ Wells, G. *Language Development in the Pre-school Years*. Cambridge University Press. 1985.

力与社会阶层有关。这个间接证据表明处理非语境语言的能力在语言能力倾向测验中得到了反映。Skehan 认为语言能力倾向测验测量了语言加工能力和处理非语境材料的能力,这两种能力对语言学习都很重要。

最近,Gardner 和 MacIntyre 在一篇综述文章中提出,语言能力倾向促进语言习得的可能原因之一是正迁移。如果一个人拥有的知识或技能与新技能或新知识相关,那么可以推论,他对新材料的学习也会快得多。也就是说,语言能力倾向可以看成是一块认知海绵(cognitive sponge),如果某种能力对某种新技能的习得是适宜的,那么,该技能就会被这种能力所吸收。如果个人的这种能力发展得很好,这种技能的获得就比较快;如果不是,就需要花更多的时间,才能把它变成个人能力的一部分。这种解释得到了 Wesche 和 Skehan 研究的支持。Wesche 利用能力倾向测验和访谈将语言学习者分为三组:分析能力强组、记忆能力强组和两种能力相当组。然后分别采用与能力匹配的不同方法进行训练,发现与能力匹配的训练导致较好的语言学习结果。也就是说,当个人的能力与学习的材料相匹配时可以促进学习。[①] Skehan 证明不同的学生能够利用自己的长处去学习语言材料。他用聚类分析方法对在英国语言军校学习阿拉伯语的学生进行分类,所得结果虽然不是很明确,但是也可以说明,有的语言学习者对语法很敏感、很强的归纳学习能力(分析

---

① Wesche, M. Language aptitude measures in streaming, matching students with methods, and diagnosis of learning problems. In K. Diller (ed.), *Individual Differences and Universals in Language Learning Aptitude*, pp. 119—154. Rowley, Mass.: Newbury House. 1981.

型),有的人记忆能力、组块学习能力很强(记忆型),这两种类型的语言学习者都可以获得成功。将语言学习能力倾向看成是一块认知海绵,这种观点表明,(1)如果要研究语言能力倾向的性质,那么就要研究第二语言习得的实际过程,以了解哪种技能或知识是在哪种环境下获得的。确定了与这些技能有关的能力之后,对它们进行测量,这样对成绩的预测就可以得到改进。(2)这种观点有助于区分智力和语言能力倾向。智力之所以重要是因为它影响学生对指导和解释理解的好坏,影响学生根据任何一种学习经验对指导和解释进行推论,语言能力倾向之所以重要,是因为它促进新技能向已有技能的正迁移。这种观点清楚说明,智力和语言能力倾向在正式和非正式语言学习环境中都起作用。(3)这种观点还可以解释智力和语言能力倾向之间之所以存在正相关,是因为它们在相同技能上有共同变异,但在因素分析研究中又可以获得相对独立的维度。

将语言能力倾向和智力进行区分,有人可能要问语言能力倾向是怎么来的。Carroll 发现,开始学习外语的年龄和 MLAT 分测验分数之间没有相关,说明其他语言的学习和训练经验并不影响语言能力倾向。[①] 由此看来,大多数语言能力测验的设计主要集中于第一语言技能、记忆、语言分析等,这样做是合理的。而且,Carroll 确定的基本能力——语音编码能力、语法敏感性、记忆能力、归纳学习能力——并不轻易受其他语言训练的影响。Skehan 的研究也证明语言能力倾向来源于第一语言能

---

① Carroll, J. B. & Sapon, S. M. *Modern Language Aptitude Test*, *Elementary form*. New York: Psychological Corporation. 1967.

力。他发现,第一语言发展较快的学生,童年期词汇较丰富的学生,家庭受教育程度较高的学生,在能力倾向测验上的得分比第一语言处于劣势的学生要高。这个结果说明,存在一种语言能力倾向,这种能力倾向影响任何环境下的语言学习,[1]它的起源可以追溯到早期环境因素和遗传因素。

对智力和语言能力倾向的分析有助于说明它们在语言学习过程中的作用。无论是在正式的还是非正式的语言学习环境中,二者都起作用。在任何一种环境中,如果语言学习材料不是用最佳条件呈现的,智力和语言能力倾向这两个因素都可以解释语言学习成绩的差异。如果学习材料和指导语比较清楚明确,那么智力上的要求就会降低,智力的影响就会比较小;如果课程计划得比较好,机会和练习比较充分,那么能力倾向上的要求就会降低,能力倾向的作用就会减少。但是,无论在哪种情况下,能力倾向和智力这两个因素都与成绩有一定程度的相关。

四 语言能力倾向研究的新进展

在60年代和70年代,关于语言能力倾向的研究非常多。但是从那以后研究越来越少了。原因之一是,在六七十年代,能力倾向模型和当时流行的结构主义语言学观点、行为主义语言学习观点和听说法语言教学观点有密切关系。当这些观点遇到挑战时,人们对能力倾向的兴趣也随之降低了。

到现在,MLAT 已有 30 多年的历史。很多研究者提出,语

---

[1] Skehan, P. Individual differences in second language learning. *Studies in Second Language Learning*, 13, pp. 275—298. 1991.

言教育和心理测量发展了,要求能力倾向测验也要发展。① Bachman 在一篇综述文章中谈到,语言教学和语言测验发展的新成果,有的对第二语言习得领域的研究具有重要意义。Skehan 认为,目前的语言学理论和实践为能力倾向研究提供了新的途径,对语言能力倾向测量的研究应该在多种学习环境中进行。要求编制新的能力倾向测验的呼声越来越强。

对于这些要求编制新的能力倾向测验的呼声,Carroll 提出这样的问题:已有的方法有什么不对?是需要做一些细小的修改还是需要根本变化?

Carroll 确实提出,应该对 MLAT 进行一些小的修改。② 他认识到另一种形式可能有用,在数字学习测验中的词汇部分应该撤销词汇与词汇代表的数字之间字母联系。他也感到应该提高语音记录测验的难度水平以消除该测验分数分布的负偏态,"拼写线索"分测验的指导语应该修改以强调该测验在速度上的要求。他引用 Wesche(1981)的研究,特别提到,听的能力,从听觉敏锐程度到忽视干扰的能力都有不同,但是在 MLAT 中只测量了其中的一部分。

虽然 Carroll 认为语言能力倾向测验应该改进,但是他对

---

① Spolsky, B. Conditions for Second Language Learning. Oxford, England: Oxford University Press. 1989.

Bachman, L. F. Language testing—SLA research interfaces. *Annual Review of Applied Linguistics*, 9. 193—209. 1988.

Skehan, P. *Individual Differences in Second Language Learning*. London: Edward Arnold. 1989.

② Carroll, J. Cognitive abilities in foreign language aptitude: then and now. In T. S. Parry & C. W. Stansfield (eds.), *Language Aptitude Reconsidered*. pp. 11—29. Englewood Cliffs, N. J.: Prence Hall Regents. 1990.

在现有基础上大大提高外语能力倾向测验的预测能力的可能性表示怀疑,认为改进之后的语言能力倾向测验对成绩的预测效果不会有太大的提高。尽管如此,他也提出了一些改进建议,包括:(1)对现在的测验和程序做一些细小的修改;(2)通过吸收认知能力研究的最新成果,将测验工具扩展到多个外语能力倾向领域;(3)对外语学习包含的认知操作做进一步的研究,研制更加符合这些认知操作特点的测验或其他方法(例如工作样例任务)。

然而,几乎没有人去努力编制另一种新的语言能力倾向测验。但 Parry 和 Child 是个例外,他们根据一种人工语言(其语法系统与 Turkish 的语法类似)编制了一种新的能力倾向测验 VORD。[1] VORD 测验将语言学习任务和语言分析任务结合在一起,测验由四个部分组成:名词词法(Nominal Morphology)、动词词法(Verbal Morphology)、短语和句子水平的句法(Phrase and Sentence-Level Syntax)和完成课文(Text Completion)。在一次只有 36 名成人被试的小规模研究中,Parry 和 Child 发现 MLAT 对语言学习成功的预测总体上比 VORD 好,这证实了 Carroll 对提高语言能力倾向测验预测能力的怀疑。该研究还发现 VORD 和 MLAT 的分测验之间的 20 个相关中有 14 个是显著的,说明这两套测验的分测验有许多共同变异。这只是该测验研究的第一步,但是它可能指出了语言能力

---

[1] Parry, T. S. & Child, J. Preliminary investigation of the relationship between VORD, MLAT, and language proficiency. In T. S. Parry & C. W. Stansfield (eds.), *Language Aptitude Reconsidered*, pp. 30—66. Englewood Cliffs, N.J.: Prence Hall Regents. 1990.

倾向测验的一个新路子。

Skehan 认为,目前的语言学理论和实践为能力倾向研究提供了新的途径,对语言能力倾向测量的研究应该在多种学习环境中进行。他提出,可以从三个方面进行语言能力倾向的研究:第一,吸收当前的语言理论和语言学习理论,对能力倾向的基本模型进行修改。第二,对能力倾向测验进行修改,使测验更好地反映 BICS 包含的能力。第三,研究需要在各种语言学习环境中进行,包括正式的语言学习环境和非正式的语言学习环境。

五　语言能力倾向研究在语言教学中的应用

语言能力倾向研究在教学实践中具有重要的应用价值,可以应用于招生录取、分班、改进课程设计使之更加符合学生需要,也可以应用于对学生的学习困难进行诊断,为学生提供咨询服务。

语言能力倾向研究的主要目的,是对学习者将来的语言学习成绩作出预测。在语言能力倾向研究中,常常要计算语言能力倾向测验与语言水平或语言成绩测量之间的相关,以便确定语言能力倾向测验能够在多大程度上预测学习结果。使用语言能力倾向测验来预测学生的语言学习成绩,在人力物力有限的情况下,挑选那些在将来的语言学习中可能获得成功的学生,这是招生录取工作应该考虑的重要方面。

语言能力倾向研究的另一个重要目的,是为了确定学习者个人的语言能力倾向特点(例如哪个方面比较强,哪个方面比较弱),在此基础上为不同的学习者提供适当的教学方式。一般来说,学习者的语言能力倾向有不同特点,有能力倾向强者和弱者,有不同类型,例如分析型和记忆型。不同的教学方法,对不同的学习者的效果可能不同。为了适应这种特点,我们可以采取三种教学策略:

1.将学习者按个人能力特征分班或分组,然后为不同组提供适当的教学方式。由于学习者学习的能力和速度有差异,因此我们应当知道这种差异,了解这个特点,使我们的课程设计、教学方法能够反映这种差异。例如为了适应这种特点,让分析型的学习者接受难度适当的分析型学习材料,记忆型的学习者接受非分析型的材料。也就是说,可以将语言能力倾向信息应用于分班或分组教学,以提高不同学习者进步的速度。

2.如果做不到这一点,教师也应当尽可能了解学生的能力倾向特征,并在课堂上采用不同的教学方法,以适应学生的不同特点。

3.对学生的学习困难进行诊断。利用语言能力倾向测验,了解学生在某个学习任务上完成得特别好或特别差的原因,对学生的学习困难进行诊断,给学生提供咨询和学习辅导,帮助学生掌握适当的学习策略,使他们适应课堂的要求以及在课外继续学习。

总之,利用语言能力倾向测验,不仅可以对学生将来的语言学习成绩作出预测,而且可以帮助教师了解学生的能力倾向特点,使课程设计更加符合学生的需要,加快不同学生的语言学习速度,可见语言能力倾向研究对语言教学具有重要的实践意义。

第五节 外国留学生汉语学习焦虑研究[1]

第二语言教学研究在经历了由"教"向"学"的转变之后,对学习者——"学"的主体——的研究也越来越受到学者的重视。生理因素、认知因素和情感因素都会对学习者学习第二语言产生影响。生理因素包括学习者的年龄、性别等。认知因素包括学习者的智力、学能、学习策略等。情感因素包括学习者的性格、自尊心(selfesteem)、抑制、移情(empathy)和焦虑。在课堂上常常可以看到有的学生不爱说话,有的一发言就脸红,说话结结巴巴,有的甚至连声音也有所改变。还有的学生考试的时候太紧张了,以致连最简单的问题也不会回答。这些现象都是焦虑的缘故。

焦虑是一种比较普遍的心理情感,它是指"个体在担忧自己不能达到目标或不能克服障碍而感到自尊心受到持续威胁下形成的一种紧张不安、带有惧怕色彩的情绪状态"(《心理学百科全书》,1995)。外语学习焦虑是一种特殊的焦虑情绪,是指"语言学习过程中所特有的,对和课堂语言学习有关的自我意识、信仰、感情及行为明显的忧虑和恐惧"[2]。作为第二语言的英语、

---

[1] 本文原标题为"外国留学生学习汉语时的焦虑",作者钱旭菁,原载《语言教学与研究》1999年第2期。

[2] Aida, Yukie. Examination of Horwitz, Horwitz, and Cope's Construct of Foreign Language Anxiety: the case of students of Japanese. *The Modern Language Journal*, 78, ii. 1994.

法语、德语、西班牙语、日语和外语学习焦虑的关系已经有了较多的研究。汉语作为第二语言在这方面的研究还不够。学习汉语时，留学生的焦虑感是否有性别、国别的差异？学习汉语时间的长短对焦虑感是否有影响？华裔和非华裔学生的焦虑感是否不同？期望值高的学生的焦虑感和期望值低的学生是否一样？自我评价和焦虑有什么关系？焦虑感是否影响学习成绩？本文在调查的基础上，用定量统计的方法对外语学习焦虑和学习汉语的关系进行考察和研究。

一 研究方法

（一）问卷调查

我们采用 Horwitz 设计的"外语课堂焦虑等级模式"（the foreign language classroom anxiety scale，以下简称 FLCAS）对学生进行调查。FLCAS 是一份问卷调查，由两部分组成。一部分是个人情况表，调查学生的个人情况。在这个部分我们省去了一些内容，比如"你是否去过中国？"等；增加了一个问题，"你认为你的月考成绩 A 非常好、B 比较好、C 还可以、D 不太好、E 不好"。另一部分是 33 个问题，要求学生根据自己的情况选择 A 非常同意、B 同意、C 不同意也不反对、D 不同意、E 完全不同意。选择 A 得 5 分，选择 B 得 4 分，依此类推选择 E 得 1 分。比如"上课老师叫我回答问题时，我能听到我的心跳。"如果选择 B 得 4 分。有的题是从相反方向问的，比如"在课堂上，我说话的时候很自信。"这时选 A 得 1 分，选 E 得 5 分。将全部 33 题的得分加起来，得到一个焦虑值，可以作为衡量学生焦虑感的尺度。焦虑值越高，焦虑感越强。在

FLCAS33个题以外,我们增加了一个问题,"你什么时候最紧张？A 听汉语的时候、B 说汉语的时候、C 读汉语的时候、D 写汉语的时候"。这一题不计分。

FLCAS33个问题可以分为三类:交际焦虑、对负面评价的焦虑和考试焦虑。交际焦虑是指"对与他人的交际或尚未发生但预期会有的交际的忧虑和恐惧"(Yukie Aida)。交际焦虑还可以分成以下几个小类:①口语表达焦虑,共有11题,占总题数的33.33%;②对和本族人交往的焦虑,共2题,占6%;③对第二语言教学课堂的焦虑,2题,占6%;④听力焦虑,3题,占9%。对负面评价的焦虑指"对他人评价自己的恐惧,对负面评价感到沮丧,总认为他人对自己会有负面评价"(Yukie Aida),共3题,占0.09%。考试焦虑是指"测试时对自己的表现可能不符合要求的忧虑和恐惧"(Yukie Aida),共6题,占18.18%。

(二) 调查对象

我们在北京大学对外汉语教学中心初、中、高各个班发出问卷120份,共收回有效问卷95份。这95位被调查者男性58名,女性37名。年龄从17岁到45岁,平均年龄24岁。学习汉语的时间从半年到三年以上。这95名被调查者的国籍分布如下:

表1

美国①	日本	亚洲②	欧洲	其他	总计
34	31	20	5	5	95

在这些学生中有18个是华裔。我们把这95名学生1997—1998

---

① 包括3个加拿大,1个澳大利亚人。
② 不包括日本人。

学年第一学期汉语和口语的期末成绩作为考察他们学习成绩的标准。我们用 SPSS for MS WINDOWS Release 5.0 统计软件对数据进行了统计分析。

二 结果和讨论

表 2

	人数	语言	焦虑最小值	焦虑最大值	焦虑平均值	焦虑标准差
本次调查	95	汉语	43	131	88.46	15.23
Horwitz(1991)	108	西班牙语	45	147	94.5	21.4
Yukie Aida(1994)	96	日语	47	146	96.7	22.1

我们所作调查的焦虑平均值显著($p<0.05$)[①]低于 Horwitz 和 Yukie Aida 所作的调查。这是因为在目的语以外的国家学习第二语言的焦虑感比在目的语国家学习第二语言强。[②]我们的被调查者都是在北京学习汉语的留学生,而 Horwitz 和 Yukie Aida 所调查的对象都是在美国学习英语以外的第二语言,因此焦虑的平均值比我们的调查结果高。

(一) 性别差异

表 3

性别	平均值	标准差	最小值	最大值	人数
男性	86.81	14.34	43	114	58
女性	91.00	16.60	67	131	37

虽然女性的焦虑平均值高于男性,但二者在统计学上没有显著

---

① "P"为显著性水平。以下若不作特别说明,显著性水平均为小于0.05。

② Yukie Aida 的调查也有类似的结论,即曾经去过日本的调查者——在美国学日语的学生——的焦虑感显著低于没去过日本的学生。(Yukie Aida, 1994)。

差异($p > 0.05$),即可以认为男性和女性的焦虑感没有明显差别,在学习汉语时,男性和女性同样焦虑。

(二) 国别差异[①]

表 4

国别	平均值	标准差	最小值	最大值	人数
美国	83.69	16.65	43	120	34
日本	96.19	14.35	71	131	31
韩国	89.62	10.03	73	104	16
欧洲	88.20	2.39	84	90	5
其他	78.44	12.86	63	105	9

统计结果表明,外语学习焦虑存在着明显的国别差异。日本学生的焦虑平均值显著高于美国学生($p < 0.01$)。日本学生和韩国学生的焦虑平均值没有显著差异($p > 0.05$)。美国和欧洲学生的焦虑平均值也没有显著差异($p > 0.05$)。焦虑感之所以存在国别差异和不同国家的人性格有关。有学者认为,日本文化是一种"耻感"文化,美国文化是一种"罪感"文化。[②] "耻感"文化的动力是外界的舆论,因此,日本人非常在意别人对自己的看法和评价。他们认为外语说得不好很丢面子,所以,日本人很容易焦虑。"罪感"文化的动力是每个人的内心。个人根据自己心中的理想准则行事,所以,美国人一般不太在乎他人对自己的看法和评价。他们不认为外语说得不好是一件丢面子的事,学习外语的时候常常显得很自信。

从总体上说,日本留学生的焦虑感比其他国家的学生强。

[①] 因亚洲学生中韩国学生较多,因此我们在这儿把韩国学生单列出来,把其余的亚洲学生归入其他。

[②] 本尼迪克特《菊与剑》,光明日报出版社 1988 年版。

那是否所有类型的焦虑日本留学生都比其他国家的学生强呢？我们又统计了被调查者各小类焦虑的得分情况，比较一下日本、美国、韩国①这三个国家的学生不同类型的焦虑情况（见下页表格）。

在交际焦虑中，美国人的口语焦虑值（平均 25.87）显著低于日本人（平均 32.6）和韩国人（30.73）。日本人和韩国人之间没有显著差异。和美国人比起来，东方人比较内向。特别是日本人，"谨慎、委婉、含蓄，构成日本人性格的突出特征，鲁莽、率直、外露，是他们所不喜欢和忌讳的"。② 反映在课堂上，美国学生积极发言，日本学生沉默寡言，韩国学生介于两者之间。在和中国人交往方面，美国人的焦虑平均值（4.77）显著低于日本人的平均值（6.23）；韩国人的焦虑值（5.2）也显著低于日本人；美国人和韩国人焦虑值没有显著差异。在对课堂的焦虑方面，韩国人（平均 4.27）显著低于美国人（平均 5.39）和日本人（平均 4.9），日本人和美国人没有显著差异。美国人在这个方面的焦虑值高于韩国人可能是因为美国学生不太适应中国的课堂教学方法。中美两国的教学方法有很大的差异。美国学生来中国以后，常常会有课堂气氛不活跃、教学方法不活泼的感觉。这种感觉会使他们对汉语课的兴趣有所降低。在听力方面，美国人的焦虑值（平均 6.87）显著低于日本人（平均 8.2）和韩国人（平均 9.4），日本人和韩国人没有

---

① 因为欧洲和其他国家的被调查者较少，这儿只比较日本、美国和韩国这三个国家的情况。

② 王顺洪《论学习汉语的日本人》，载《北京大学学报》对外汉语教学中心成立十周年纪念专刊，1994年。

显著差异。

表 5

焦虑类型			日本	美国	韩国
交际焦虑	口语焦虑	日本	/	+①	—
		美国	+p<0.01	/	+
		韩国	—	+p<0.01	/
	对和本族人交往的焦虑	日本	/	+p<0.01	+
		美国	+p<0.01	/	—
		韩国	+	—	/
	对第二语言教学课堂的焦虑	日本	/	—	—
		美国	—	/	+
		韩国	—	+	/
	听力焦虑	日本	/	+	—
		美国	+	/	+p<0.01
		韩国	—	+p<0.01	/
对负面评价的焦虑		日本	/	+p<0.01	+p<0.01
		美国	+p<0.01	/	—
		韩国	+p<0.01	—	/
考试焦虑		日本	/	—	—
		美国	—	/	—
		韩国	—	—	/

对负面评价的焦虑,日本人(平均9.93)显著高于美国人(平均7.48)和韩国人(平均8)。日本人爱面子、过分在意别人的看法的性格从数据上得到了证明。在对考试的焦虑方面,日本人(平均16.67)、韩国人(平均16.73)和美国人(平均17.23)都不存在显著差异。大部分焦虑类型都是美国人低于日本人,而在考试焦虑方面美国人和日本人没有显著差异,这就说明美

---

① "+"表示两个国家之间存在显著差异,"—"表示没有显著差异。

国人的考试焦虑值较其他几类焦虑高。这和美国人比较注重实际有关。"美国人津津乐道体育上的成绩和新纪录,经常在家中展出获得的奖品。他们衡量书和电影的标准不是它们本身的质量,而是销售额和票房价值。在大学也一样,人们注重的是取得的成绩、等级和平均积分点。"①

(三)学习汉语的时间

表6

时间	平均	标准差	最小值	最大值	人数
半年——一年	85.43	15.66	43	112	30
一年——两年	88.50	14.22	63	112	22
两年——三年	89.28	16.47	67	131	25
三年以上	92.77	15.09	67	120	13

虽然从平均值来看,似乎随着学习时间的增加,焦虑感增强。但统计结果表明,不同学习阶段学生焦虑感的平均值没有显著差异。所以,不管是初级学生,还是中级或高级的学生,他们的焦虑感都是一样的。关于焦虑感和学习时间的关系,MacIntyre 和 Gardner 认为,"随着学习经历的增加和水平的提高,学习者的焦虑感会有所减弱"(Yukie Aida)。但我们认为,不管学习者学习第二语言的时间多少,他的第二语言水平多高,他的中介语系统只会和目的语系统无限接近,但始终不会和目的语系统完全一样。12 岁以上的学习者②的第二语言很难达到和本族人完全一样的水平。学习者总会有自己的外语和本族人

---

① 邱懋如《赴美必读》,上海外语教育出版社 1987 年版。
② 很多学者认为,5—6 岁是习得母语的临界期,12 岁是习得第二语言临界期。12 岁以前可以习得母语以外的第二语言的地道口音,12 岁以后很难做到这一点。(卫志强,1992)

不一样的忧虑,因此,学习时间有长短,汉语水平有高低,但焦虑感没有差别。

(四) 华裔

表7

	平均	标准差	最小值	最大值	人数
华裔	86.89	13.85	70	120	77
非华裔	88.81	15.70	43	131	18

华裔学生和其他非华裔学生的焦虑平均值不存在显著差异($p>0.05$),华裔背景并没有使华裔学生在焦虑感方面比其他学生有优势。这也可能是华裔学生有自己应该比非华裔学生学得好的压力。

(五) 期望值

表8

期望值	平均	标准差	最小值	最大值	人数
高	87.92	17.26	43	131	53
中	86.92	10.45	68	104	24
低	93.79	15.17	67	114	14
无所谓	83.00	---	83	83	1

学习汉语的期望值不同的学生,其焦虑感也不存在显著的差异($p>0.05$)。一般可能认为,期望值高的学生焦虑感应该强,期望值低的学生没有什么焦虑感。而事实上,有的学生之所以对自己学习汉语的期望不高,可能就是因为太焦虑。这样的学生不敢期望太高,低期望值可以缓解他们的焦虑。期望值高的学生焦虑感不一定强是因为焦虑有促进性焦虑(facilitating anxiety)和障碍性焦虑(debilitating anxiety)之分。促进性焦虑能使学习者产生学习的动力,对学习有促进作用。而障碍性

焦虑则会阻碍学习进步。促进性焦虑和障碍性焦虑共同起作用的话,两种焦虑的作用就会互相抵消,高期望值学习的焦虑感也就不一定表现得那么强。因而,焦虑感和期望值并没有明显的关系。

（六）自我评价

表9

自我评价	平均	标准差	最小值	最大值	人数
好	78	4.36	75	83	3
比较好	89.05	14.33	68	131	22
还可以	91.43	13.41	63	120	37
不太好	93.56	19.70	73	127	9
不好	99.33	8.14	90	105	3

统计结果表明,"好"、"比较好"和"不好"这三种自我评价的焦虑值存在显著差异($p<0.05$)。自我评价越高,焦虑感越弱;自我评价越低,焦虑感越强。焦虑是对不能达到目标的担忧,当学习者对自己的行为表现比较满意时,就不再焦虑。

（七）年龄、学习成绩

表10

	焦虑感	年龄	汉语成绩	口语成绩
焦虑感	1.0000	−0.1390	−0.1736	−0.4716
	样本数:41①		双尾检测:−0.01	

我们对焦虑感和年龄的关系、焦虑感和学习成绩的关系作了相关分析。分析结果表明,焦虑感和年龄没有明显的关系,即

---

① 有些学生未填年龄,因此相关分析的有效问卷是41份。

不同年龄的学习者的焦虑没有差别。学习者的焦虑感和汉语成绩没有明显的关系,而和口语成绩呈中度负相关,即焦虑感越强,口语成绩越差。北大汉语中心的汉语考试采用笔试的方法,口语考试采用口试的方法。笔试时,学生有较多思考的时间,口试则没有那么多思考的时间,因此焦虑对口语成绩的影响比对汉语成绩的影响大。换言之,焦虑对口头表达的影响较大,对书面表达的影响不太大。

(八)为了了解听说读写四项技能中,学生对哪一项感到最焦虑,我们在 FLCAS33 题之外增加了一题,要求学生从这四项中选一项自己最紧张的

以下是选择各项的人数百分比:

表 11

听			说			读			写		
全体	美国	日本	全体	美国	日本	全体	美国	日本	全体	美国	日本
0.21	0.21	0.19	0.52	0.36	0.71	0.15	0.36	0.03	0.09	0.07	0.03

对学习汉语的外国留学生来说,使他们感到最焦虑的是说,其次是听、读,焦虑感最弱的是写。这是因为听和读是理解能力,说是表达能力。理解能力是被动的输入,表达能力是主动的输出。表达能力的培养和发展比理解能力的培养和发展要难。而难度会增加学习者对不能达到目标的担忧,因此学习者对比较难的项目——说——比对相对而言容易一些的项目——听和读——更焦虑。写虽然也属于表达能力,但因为写的时候学习者有充足的时间考虑,所以学习者没有那么焦虑。在"说>听>读>写"这个焦虑感由强到弱的大致顺序下,不同的国家还存在

着一些细微的差别。在说的方面,美国学生的焦虑感(0.36)低于一般水平(0.52),日本学生(0.71)高于一般水平。对美国学生来说,读的焦虑感(0.36)大大高于一般水平(0.15),和说一起,成为美国人最焦虑的项目。这是因为美国学生的汉字认读能力较差,以致于引起了读的方面高度焦虑。对日本留学生来说,由于汉字的关系,其阅读能力远远超过他们的表达能力,因此读的焦虑感(0.03)大大低于一般水平(0.15),和写一起,成为日本人焦虑感最弱的项目。

三 结论

通过"外语课堂焦虑等级模式"的调查,我们发现和留学生学习汉语时的焦虑有关的因素是国别和自我评价。不同国家的学生的焦虑感不一样。总的来说,日韩学生比欧美学生更焦虑,这是由不同国家的文化背景和民族性格决定的。此外,自我评价比较高的学生焦虑感比较弱,自我评价比较低的学生焦虑感比较强。焦虑对留学生学习汉语的效果有负面影响,但主要是口语方面的。具体表现为焦虑感越强,口语成绩越差;焦虑感越弱,口语成绩越好。年龄、性别、学习汉语的时间、是否华裔以及期望值这些因素和焦虑没有显著关系。

后 记

汉语学习者及其汉语认知研究,对于汉语作为第二语言的学习者来说,是一个新领域。与其他研究领域相比,这个领域的研究并不很多。这给我们遴选高质量的文章带有一定的难度。因此,所选篇目的水平难免参差不齐。

此外,由于这个研究领域发展不够平衡,文集各章节选文的数量不够均衡。但为了尽可能全面地反映该研究领域的概貌,我们只能顺其自然。成果多的领域,选文比较多,成果少的领域,选文比较少。即便如此,限于编者的水平,文集的选文和布局仍有考虑不周之处,敬请读者谅解。

编者
2006 年 2 月 15 日